U0103202

臨淵羨魚
不如退而結網

來新夏

來新夏書話

來新夏著

臺灣 學生書局 印行

關於「書話」的話

——代　序——

近代以來，書話的寫作日盛一日，許多名家多有書話之作，報章雜誌也時見書話的發表，其單獨成書者也爲數不少。前兩年，寫書話的名家姜德明先生更搜羅了名家書話十六種，成《現代書話叢書》兩輯，對愛讀書話的我來說確是帶來了一種極大的喜悅。這不能不感謝老友倪墨炎兄的惠贈《倪墨炎書話》而引發我即目求書，使前輩時賢的文字風範可因書而究學。我在讀諸種書話時，狃於舊習，總想探求書話的淵源流變。姜先生在其《現代書話叢書》總序中曾明確地把書話界定爲：

> 源於古代的藏書題跋和讀書筆記，並由此生發、衍變而成。書話不宜長篇大論，宜以短札、小品出之。書話以談版本知識爲主，可作必要的考證和校勘，亦可涉及書內書外的掌故，或抒發作者一時的感情，書話不是書評，即不是對一本書作理論性的全面介紹、分析和批評，書話不能代替書評。

姜先生把書話推源於題跋與讀書記，我很贊同。的確如此，在古人的許多札記、隨筆中都有談成書緣由、書林掌故的條目，有的散見，有的也集成一書，如清代黃丕烈的《百宋一廛書錄》和周中孚的《鄭堂讀書記》、李慈銘的《越縵堂讀書記》等都類似書話；葉德輝的《書林清話》是以講書林掌故爲主，兼及版本、目錄。它們多未用「書話」之名。所以姜先生認爲「中國有詩話、詞話、曲話，唯有書話，似乎是近六十年始爲人所用，並爲公眾所認可。」這恐怕也是指沒有書話之名而言。若從詩話、詞話、曲話的載體來說，仍然應算是書話的一種，只是沒有書話之名而已。書話之名據說是三十年代初，老作家、老學者曹聚仁在報刊上發表以書話爲題的讀書小品時開始的，因此對書話的緣起可以這樣認爲：「書話自古即有，而其名則始於本世紀的三十年代之初」。

我也讀過善寫書話的唐弢先生的《晦庵書話》，這是一部對讀者頗有吸引力的書話。唐先生根據多年寫書話的體會，對書話別有一番見地，他提出了四個「一點」說：

> 書話的散文因素需要包括一點事實，一點掌故，一點觀點，一點抒情的氣息，它給人以知識，也給人以藝術的享受。

還有一位寫書話的大家黃裳先生，他在《黃裳書話》編後記中曾表示他寫的書話近乎傳統的書跋，並且粗略地分爲兩類：

> 其一是講究書的內容、版本、校勘這方面的事的，科學性強，缺點是不免枯躁，可做資料用，但不能是通常讀物。……此外就還有另一類，在上面所說的種種內容之外，又添上了書林掌故、得書過程、讀書所感……，不只有科學性，還增加了文藝性，是散文的一部類了。

我基本同意後一種寫法，因爲它把書話的內容作了比較全面的概括；不過，不一定每一篇都要面面俱到。我認爲，寫書話不要自我限制得過窄，而應兼具科學性與文藝性，最好能以隨筆的形式來寫，使其更有可讀性。所以我更贊成馮亦代先生的意見，他說：

> 私意以爲書話的內容，可以不必予以界定，寫書話的作者要寫什麼就寫什麼，只要引領讀者去讀好書，增加國內外的新舊知識，便是達到了目的。（鐘敬文主編：《書話文叢／竹窗記趣》序）

這是一種通達之見。我亦覺得，凡是與書有關聯，不論是述說書的本身，還是寫由書引發出去的論辯，都可以屬於「書話」圈圈之內。至於筆墨不妨隨便些，篇幅不妨短些，內容不妨有趣些，不須正襟危坐地去讀，而能輕鬆自如地隨讀隨輟，偶有所得，可資談助，正如墨炎所言，「書話隨筆是零食」。他還說過，能寫書話的書有兩種，一是比較鮮爲人知，二是要有點意思。如果按這一界定來看，寫書話的書應該範圍較寬；那麼，我近幾年所寫有關書的小文，都可以從容緩步地邁進「書話」之列，而無非議之虞。於是把散刊各處的「書話」搜集在一起，經過篩選，得八十六篇，約分爲六卷，曰藏書、曰讀書、曰論書、曰書序、曰書評、曰書與人，而總題曰《來新夏書話》。我把書序、書評列入書話似乎不太符合書話的規則。因爲姜德明先生曾說過：「書話不是書評」，如果倒過來理解，是不是書評也不能算書話。連帶想到書序是否也不允許列入書話一類。如果把書的序評都排斥在書話之外，那麼，書話的範圍似乎又顯得太窄了。書序和書評的主要對象是書，好的書序應該是對一本書鉤玄纂要的精心之作，古人很重視寫序，古代的《書序》、《詩序》和《禹貢序》等等都有點書話的味道。後來的許多學者都對序有所論述，漢孔安國說：「序者，所以敘作者之意也」，宋王應麟說：「序者，序典籍之所以作」。可見序是記寫作緣由與體例以及對書或文的解評等，很類似書話。清初顧炎武在《日知錄》的《書不當兩序》一文中還對「序」作過專論，嚴格地規定：「凡書有所發明，序可也；無所發明，但記成書之歲月可也」，這樣的序應該是可作書話來讀的。今人之序，除庸俗捧場之作外，大都是能「引領讀者去讀好書」，起到導讀作用的，所以說讀書不讀序是不會讀書的人。在《現代書話叢書》中所收的許多種書話裡都有很値得一看的書序，具有書話引導人去讀書的作用。至於書評則是一本書問世後社會價値的反饋，是公眾對作者的期望與呵護。書評不一定都是對書作「理論性的全面介紹和批評」，只要是善意的眞話，三言二語，點評一二，也是有益讀者和作者的。再說，有不少書話本身就是一篇好書評。所以我認爲書序和書評也應包括在書話的範圍之中，也許我會遭到把書話範圍放得過寬的譏評，但這也算是我對書話的一點看法！

我的書話編好後，即蒙臺灣目錄學研究者、友人陳仕華先生爲介於臺灣學生書局。學生書局經過討論審定，很快接受出版，並由游均晶女士爲責任編輯。行見我這本雕蟲之作，將災棗梨，特陳有關書話的拙見，並誌陳先生與游女士援手之情云爾。

來新夏

一九九九年初夏寫於南開大學邃谷

來新夏書話

目　錄

卷一　藏　書

中國藏書文化漫論

中國的藏書文化伴隨著圖書的產生而出現，具有兩千多年的悠久歷史。它以逐漸完整的藏書機構爲保證，以專門收藏家和研究者所建設與藏書文化有關的多種專學爲羽翼，並以一種可貴的人文精神爲主要支柱，圍繞著藏用關係的演化，不斷地潤澤著全民族，形成一種重要的文化現象，成爲中華文化的重要結構之一。雖然，它也無可避免地遭到過若干厄運，但遠瞻仍在發展不已的前景，不能不引起人們對研究中國藏書文化的發展歷程及其相關問題的興趣。它對當前全面研究中華文化也是一項不容忽視的重要任務。

一、藏書文化的基礎——書的起源

藏書文化的先決條件是必須有書，否則一切無從談起。那麼何時才有書？有一種非常流行的說法，認爲甲骨、金石文字就是書，甚至在第六十二屆國際圖聯大會的公開報導中也採用了這種成說。我認爲這是對書的功能缺乏足夠的認識。我們承認甲骨文和金石文字都是將人的思想言行通過文字、圖畫記錄在專用載體上，並保存在一定場所和地方，但它們卻缺少書的最重要功能。因爲正式圖書必須具備三項條件，一是用一定符號（文字或圖畫）所表達的內容；二是有一定形式的專用載體；三是有廣泛的移動和傳播功能，而最後一項是圖書的最重要條件，唯此才能使人類文化得以傳播、豐富和發展而形成一種文化現象，甲骨和金石文字恰恰缺少這一重要功能，因此它們只能是檔案，而我國圖書的最早形態應是簡書。

簡書的出現已有兩千多年的歷史，根據文獻記載，西周至春秋已使用加工過的竹作爲專用載體，可惜至今尚未發現這一時期的簡策實物。而戰國時期的竹簡早在晉朝[illegible]汲冢竹書的發現。二十世紀五十年代以來則有大量竹簡和部分木簡的發現，于是簡書的形制內容大體清楚，特別是一九七五年湖北雲夢睡虎地秦墓中發現千餘枚秦文書竹簡，完全證明簡書由秦都流傳到湖北的事實。簡書具備了圖書必須能流通的社會功能，確立了簡書作爲圖書起源的不容置疑的地位。簡書爲藏書文化的開端提供了必需的基礎。

「藏書」一詞最早似見于《韓非子·喻老》篇，有一名叫王壽的人負書而行，被另一名叫徐馮的人在途中見到，徐馮即問：「智者不藏書，今子何獨負之而行？」于是王壽因焚其書而舞。王壽的藏書量雖然不多，但是，「藏書」既成交往用語中的專名詞，可見其已是一種比較普遍的社會文化現象。

二、藏書文化發展的保證——藏書體制

可以這樣認爲，隨著藏書的出現，藏書機構也就出現，並在歷史進程中逐漸發展完備，即使在戰亂動蕩的時代也並未忽視，因而它形成一套完整的藏書體制。中國的藏書體制大致可分官藏、公藏

和私藏三大系統。直至今日似仍未能超越這三者的範圍。

官藏在藏書體制中最早出現，在古代文獻中可以看到夏商時期已有類似管理圖書的職官；但也不排除這是根據後來官制相比附的可能。不過，到西周中期以來似已有專職管理人員，《左傳·昭公十五年》記周襄王對晉大夫籍談說：「女，司典之後」，乃指籍談九世祖伯黶掌管晉國典籍並由此得姓而言。這種以所從事的事業爲姓氏的事實正反映西周中期已有專司圖書的職官，但還不能認爲已有官藏機構。眞正官藏機構是老子爲周王室「守藏室之史」的藏室（《史記·老莊列傳》）。孔子「西觀周室，論史記舊聞」的「室」（《史記·十二諸侯年表》），估計就是「藏室」的簡稱。西漢武帝在經過多次求書的基礎上，正式建立了官藏機構，分宮廷的內書和政府的外書。內書分藏石渠閣、天祿閣、麒麟閣、蘭臺、石室、延閣、廣內等處；外書則有太常、太史、博士、太卜、理官之藏。東漢則立七大藏書處，有辟雍、宣明殿、蘭臺、石室、洪都、東觀和仁壽閣等。由於藏書文化的明顯發展，東漢政府不得不在延熹二年（159 年）創建了中國第一個管理圖書的中央最高機構——秘書監，正式列入國家職官系列。三國是一個紛爭戰亂的時代，但魏有秘書、中、外三閣，蜀、吳均有東觀，都設有固定的職官。這說明藏書文化已成爲任何一個政權所必需保存和發揚的一種文化現象。安定繁盛的時代更受到重視，如唐朝除由秘書省統管全面工作外，尚有弘文館、崇賢館、司經局、史館、翰林院、集賢院等藏書和整理藏書的專設機構。宋朝除三館（昭文館、集賢院和史館）與秘閣作爲國家藏書中心外，還有國子監、學士院和司天監的藏書。宮廷內府則有龍圖閣、太清樓和玉宸殿，藏書文化得到極大的發揚。清代雖未設專門官藏機構，但在內府皇帝休憩辦公之處如武英殿、懋勤殿、昭德殿、南薰殿、養心殿、昭仁殿、紫光閣、南書房、皇史宬、內閣等處都有不同數量的藏書，而乾隆帝爲分藏四庫全書所建南北七閣，其規模和布點可稱官藏機構之最。

公藏指社會教育、宗教機構的藏書，主要是書院藏書。元代書院比較發達，據統計共有二百二十七所，其中楊惟中、姚樞所建太極書院即選取宋代典籍八百餘卷作爲書院藏書。清朝雍正朝之後，書院發展近二千所，許多名人提倡書院藏書，如張伯行在福州創建鰲峰書院，即「出家所藏書，充仞其中」（《碑傳集》卷 17）。阮元在杭州、廣州先後創設詁經精舍和學海堂，即將其所編纂與刊行的各種書籍用來充實這兩個書院的藏書。這對推動藏書文化起到一定的作用。

私藏幾乎與官藏先後出現，在《韓非子·五蠹》篇中已敘及私藏圖書之事。戰國時的名學家惠施，「其書五車」，按當時情況看，私藏數量已不算少。西漢私藏事跡，史傳頗有記載。東漢時私人藏書家亦爲數不少，如杜林、班固、蔡邕、華佗等皆富有藏書；藏書量也大增，如蔡邕私藏幾近萬卷。歷代私藏事業一直在發展、豐富，顯示出很大的成就，如宋代的晁公武、陳振孫和鄭樵等人不僅擁有大量私藏而且還對藏書的理論與實踐作出應有的貢獻，形成社會上比較明顯的文化現象，對推動藏書文化的普及與發展起著重要的作用。直至清代，不僅學者大多家富藏書，而且某些富商巨賈亦多以藏書來標榜自身的文化氣質，其覆蓋所及，幾遍全國，特別是東南沿海地區私藏蔚然成風，藏書文化趨于鼎盛。

中國以官藏、公藏和私藏的三大渠道匯聚了古往今來的文化精萃，形成一套完整的藏書體系，為藏書文化構築了必不可缺的實體間架，並發揮其應有的保證作用。

三、藏書文化與人文主義精神

中國的藏書文化包含著濃郁的人文主義精神，它的核心則是「仁人愛物」。所謂「仁人」便是把書的作用與人的關係緊密地聯結起來，使所藏盡量發揮其作育人才的社會功能。從官藏來看，早在老子主管周藏室時，便曾熱情地接待孔子來查閱百二十國史記，彼此還進行了學術研討。魏晉時期，國家藏書還曾應讀者的借閱要求而贈書的，如西晉皇甫謐向晉武帝借書，武帝應求贈書一車。唐宋各代也將官藏作部分開放，如北宋的官藏即向一些官員開放，如因工作需要還可經過一定手續外借。清代尤注重官藏利用問題，在四庫全書纂修以前，多位學者就有機會鈔錄官藏《永樂大典》所收各書，有一些重要而散佚的著作得到搶救，學者全祖望、徐松等都做過鈔錄工作，而《宋會要輯稿》之類的重要典籍因此得以流傳。《永樂大典》還被《四庫全書》作為採錄佚書的來源之一，使古代文化能得到更廣泛的流傳。《四庫全書》修成後，不僅北京文淵閣可有條件地備人參閱，更在南北要地分建六閣，以便各地士人就近鈔用，嘉惠士林，保存和普及文化，所盡仁人之心，功不可沒。公藏如書院之藏書本以供士子閱讀為主旨，自不待言。至私藏之體現仁人之心更為顯著。東漢末年學者蔡邕私藏近萬卷，當他發現王粲是一位文采斐然的好學之士，雖然其女蔡琰也頗有學識，但他還是要將藏書數千卷贈予王粲以作育人才（《太平御覽》卷619）。宋晁公武之所以能寫出一部私家目錄名著——《郡齋讀書志》也是得力于他得到四川轉運使井度的慷慨贈書五十篋，使晁公武合個人私藏，然後去其重得二萬四千五百餘卷，乃錄諸書要旨而成《郡齋讀書志》，體現了藏書文化的仁人效果。藏書文化的仁人精神不只局限于漢民族圈，也潤澤著周邊各民族，並循著文化同化律的趨勢發展。遼、金、夏各族以本民族文字大量翻譯漢籍，與當時各民族的政治民生密切相關，特別值得注意的是公元一一九〇年由西夏編成的《蕃漢合時掌中珠》是漢夏、夏漢的對譯字典，在夏字旁注漢字讀音與漢字釋義，漢字旁注夏字對音和譯語，兩兩對照，極便檢閱，對溝通民族間的文化交流與融合起了重要作用。元朝也很注重提倡藏書文化，譯書有《通鑒》、《九經》、《貞觀政要》等等。其文種之繁，數量之多，範圍之廣，都已超越前代。尤其是設立秘書監的分監，頗類似圖書館的分館，也可視作一種流動圖書館。分監原是隨著皇帝去上都避暑時帶一些備參閱的政書和類書，但因年年如此，也便形成固定的制度。運書既有葦席、柳箱的包裝，又有專人押送，並可經過嚴格的手續在一定範圍內流通，這是前此所沒有的措施（王士點：《元秘書監志》卷3）。

有些藏書家爲了發揚藏書文化的「仁人」精神，親自爲人辦理藏書借閱，如南齊崔慰祖聚書萬卷，鄰里少年來家借書，他都「親自取與，未嘗爲辭」（《南史·崔慰祖傳》）。有些人如晉范蔚藏書七千餘卷，「遠近來讀者恆有百餘人」，他不僅提供閱讀，還爲讀者「置辦衣食」（《晉書·范蔚傳》）。明清兩代不少藏書家逐漸樹立外借流通的觀念，如明末藏書家李如一就持「天下好書，當與天下讀書人共之」的觀念，所以他「每得一秘書遺冊，必貽書相聞；有所求借，則朝發而夕至」（錢謙益：《跋陶南村草莽私乘第二跋》）。楊循吉的《題書廚詩》更直抒「朋友有讀者，悉當相奉捐」的慷慨氣度。清代前期，許多藏書家都把借閱鈔錄作爲豐富知識，擴大藏書的一種方法。如世學堂鈕氏、澹生堂祁氏、千頃堂黃氏、絳雲樓錢氏、天一閣范氏等大藏書樓都曾接待著名學者黃宗羲進樓鈔書。黃氏也不忘所本，眞誠地名其藏書處爲「鈔書堂」以志來源。黃氏之成爲清初大學者未始不得力于此。藏書文化亦隨之而大放異彩。

藏書文化的愛物精神首先表現在對圖書的愛護上。從漢代開始，就用竹制小箱子（篋），將圖書分類置放，以免損失破壞。東漢發明造紙術後，使藏書保護得到進一步的發展，如用檗將紙染黃後再用以防蠹（劉熙載：《釋名》）。魏晉時代有一名叫曹曾的人，家多藏書，他爲此修了一個石窟以藏書，稱爲曹氏書倉。隋朝是藏書文化趨于高潮的時期，它雖立國日淺，煬帝又是後世所非議的人物；但他愛護圖書的心極強而爲史籍所稱道，如《舊唐書·經籍志》即盛稱：「煬帝好學，喜聚異書，而隋世簡編最爲博洽」。甚至博學如宋人鄭樵也在其所著《圖譜略》中極稱「隋家藏書富于古今」。它不僅注意典藏，還對圖書的形制愛護備至，曾精選其正御本寫五十副本，分上中下三品，用不同顏色的卷軸分藏書室，並建立起能自動啓合的門窗和書廚等設施。唐承隋風，私藏圖書超出萬卷者已不在少數，而愛惜圖書者更非個別。如李泌藏書三萬餘卷，對經史子集分別標紅綠白三色以區別藏書質量。宋代除注重圖書形制外表的保護改進外，還對圖書的內容進行糾謬正誤的校勘工作，由崇文院總管秘閣和內府藏書的整理和校勘，並規定每日日課數量，有一大批著名學者如曾鞏、蘇頌、黃伯思等都對校訂官藏有所貢獻，爲後世留下重要的經驗。學者對個人私藏尤加用心，宋敏求家多善本，頗著意于校書，更利用這些珍本文獻著書立說，成爲一代著名學者。尤袤著《遂初堂書目》著錄圖籍的各種版本，開版本學研究之先河。明代范欽精心營建的寧波天一閣，是至今巍然獨存四百多年的古代圖書館，在它二百年後的清乾隆帝爲四庫全書建閣存書時，猶命地方督撫繪制天一閣圖紙作建閣依據。天一閣不僅擁有七萬餘冊的藏書量，被譽爲「天下藏書只一家」，而且對愛護圖書作了多方面的設想，如防火、防蠹、防潮、防散失等等措施，更是蜚聲海內外，爲世人所稱道，充分體現了藏書文化的愛物精神。其他許多藏書家也多注重圖書的裝訂、刊印和收藏，是可見藏書文化精神的普及程度。尤其是對古善珍稀的典籍更視若拱璧，不惜巨資大量地精工傳鈔，因而有吳鈔、文鈔、王鈔、沈鈔、姚鈔、祁鈔、謝鈔和毛鈔等著名鈔家，特別是毛鈔更是馳名遐邇，後世所謂毛邊紙之稱就是毛氏鈔書的專用紙張。這種一時成風的鈔書活動的文化現象極大地豐富了藏書文化的內涵，應給以充分的研究。清初以來，藏書文化有顯著的長足發展，不僅官藏、公藏注重搜求典藏，還由政府組織了工程浩大的《四庫全書》的編纂工作，有選擇地概括了古代、中世紀以來的中國傳統文化，並將鈔本分置在自東北至東南的繁盛之地。私藏尤爲普遍，幾乎凡是學者無不藏書，藏書者無不是學者，其區別僅在于數量之多寡。藏書文化的意識已牢牢地樹立，藏書文化的精神得到極大的發揚。不少學者爲了豐富所藏，不惜移居書市附近，以便捷足先登搜求到佳本善刻，當時聲名卓著的學者如王士禎、羅聘、孫星衍和黃丕烈等都在京師舊書集中地附近居住，這無異是推波助瀾地使慈仁寺、琉璃廠成爲最大最集中的一個藏書文化的中心而歷久不衰。學者們在這裡交流藏書，傳播文化，培育人才，研討學問，從各方面研究圖書，于是版本、校勘、目錄、輯佚等專學相繼出現，逐漸完善，成爲清學的主要部分。不僅如此，若干富商巨賈也被藏書文化的洪流卷了進去，他們毫無吝色地藏書、刻書，養士編書，對藏書文化作出了應有的貢獻。由於全社會能從仁人愛物的角度來重視藏書文化而把藏書文化推向了鼎盛。

以仁人愛物爲中心而構成的藏書文化，對社會、民族素質的影響很大。但是，近年來由於社會轉型期板塊移動和撞擊的波及，不僅藏書文化的觀念逐漸淡漠，而且藏書詞匯也在人們特別是青年人的頭腦中接近消失，這是一種非常可怕而嚴重的反文化現象，眞正值得我們竭盡全力來提倡和宣傳以仁人愛物爲中心內容的藏書文化！

四、藏書文化的藏用理論

中國藏書文化的基本理論就是圍繞著「藏」與「用」的問題而展開。從整個中國藏書史的發展過程看，「藏」似乎是重要支點，而「用」往往處于一種次要地位，所以「藏書」的概念也比較早地形成。「藏書」一詞，千百年來未能動搖。爲了藏好書，在單篇傳寫的時代，首先要收集零散的書加以整理與編纂，孔子是有確實姓名記載的最早的整理與編撰圖書的人。他「修舊起廢」，將歷代遺留下來的檔案、文獻整理和編訂爲詩、書、禮、樂、易、春秋等六大類，爲藏書奠定了良好的基礎。他在整理古詩三千餘篇時，提出了有關藏書文化的最早理論原則，即「去其重」和「可施于禮義」者，按現代話解釋，前者是運作標準，後者則是政治標準，二者成爲藏書的基本依據。他把詩先按性質分爲風、雅、頌三大類，「風」下又按地域分爲十五小類，這是藏書二級分類的雛形。他把六藝作爲選擇藏書標準，所以司馬遷說：「夫學者載籍極博，猶考信于六藝」。孔子這些片段理論雖不夠完整，但卻爲以藏爲主的基本理論奠定了基礎，而其影響及于後來。荀況在所寫的《王制》篇中說：「以類行雜」和《正名》篇中所說：「同則同之，異則異之」，都爲藏書分類提出了指導性原則，爲藏書文化的發展和形成，作出了重要貢獻。

與此同時，「用」對藏書的作用也被學者正式提出，韓非在《三雜》篇中說「法者，編著之圖籍，設之于官府而布之于百姓者也」，又在《五蠹》篇中說：「今境內之民皆言治，藏商、管之法者家有之。……境內皆言兵，藏孫、吳之書者家有之。」商鞅在所寫《君臣》篇中說：「詩書與則民學問」，以及後來漢武帝爲實現其大一統而不斷用兵的需用，特命專人從積如丘山的簡書中去整理兵書，編制《兵錄》等。這些言論和活動都說明藏用的開始結合。

這樣就形成了以藏爲主，藏用結合的藏書文化基礎理論。在近代以前，這一基礎理論一直指導著歷代的圖書事業，特別是藏書活動，甚至近代以來尙在爭論著藏與用的關係問題。這一基本理論既對藏書文化的延續發展有保證作用，但也局限了藏書文化的發展速度和涵蓋面。

在以藏爲主的理論指導下，加以歷史上的興衰治亂的不斷交替，所以，藏書建設問題被放到比較重要的位置上。歷代都非常注意重建和恢復藏書，如漢代三次全國性的求書活動在藏書史上即佔有相當的地位，兩漢之際，劉向父子的大規模整理國家藏書，爲做好國家圖書典藏工作和完善典藏制度樹立了典型，其所編《別錄》、《七略》又爲「用」創造了檢用藏書的方便。各代相沿都有程度不同的求書活動和相應措施，如唐代不僅建立了完整的藏書機構、組織了較大規模的校書活動，還建立了典藏和利用制度。宋代由於雕板印刷的盛行，政府的注重文化和著名學者的參與，所以特別努力于圖書的搜集和典藏，如南宋時曾制定多項求書措施，包括求諸著名藏書家、求諸故執政家、求諸舊秘書省長官、檢索舊藏書機關遺留文獻、求諸印刷出版業發達地區、求諸戰爭破壞影響輕的地區、求諸寺廟、政府公開下求書詔、徵集私家藏書目等以求訪遺缺書，充實典藏。

在出版物繁多，品類豐富，出版方式多樣，藏書措施逐漸完備的情況下，藏書建設的理論初步形成。那就是生長于兩宋之間的學者藏書家鄭樵在其所著的《通志·校讎略》中提出的「求書之道有八論」，即即類以求、旁類以求、因地以求、因家以求、求之公、求之私、因人以求、因代以求的八種求書方法。鄭樵生于宋代，既能看到唐代前遺留的殘簡舊篇，又遍觀當代公私藏書，總結了當世的圖書採訪經驗和個人的採訪體會，寫出了「求書八法」，成爲中國藏書史上對以藏書爲主的基本理論作了一次比較系統的理論概括。明清以還，藏書事業更爲發達，藏書文化的以藏爲主理論得到進一步豐富，其最有代表性的是明萬歷時的大藏書家祁承㸁及其《澹生堂藏書約》。祁承㸁是嗜書如命而擁有藏書十萬餘卷的大藏書家，自稱是「蠹魚之嗜，終不懈也」。所著有《澹生堂集》、《澹生堂書目》和《澹生堂藏書約》等。其中《澹生堂藏書約》是祁承㸁在豐富的藏書基礎上所形成的有系統的藏書建設理論。此書除前言外《讀書訓》和《聚書訓》是抄錄古人聚書、讀書的事跡，《藏書訓略》分「購書」和「鑒書」兩節，是他對自己平生購書經驗的總結，也是古代藏書建設的重要文獻。《藏書訓略》提出「購書三術」、「鑒書五法」。「購書三術」，即「眼界欲寬，精神欲注，而心思欲巧」，所謂「眼界欲寬」是指要放開視野，「知曠然宇宙，自有大觀」，購書時不局限于某一類。所謂「精神欲注」是指養成讀書嗜好，即購書者要逐漸移種種嗜好于嗜書。所謂「心思欲巧」是指要多動腦筋，多想辦法，祁承㸁在鄭樵求書八法外，又設想了三種搜求書籍的途徑：一爲輯佚，二爲將某些書一分爲二，三爲擬待訪書目。「鑒書五法」包括「審輕重」、「辨眞僞」、「核名實」、「權緩急」和「別品類」等。所謂「審輕重」是指各類圖書之刊刻、亡佚與時代推移的關係給予不同的重視。所謂「辨眞僞」是指認眞考辯圖書的作者、成書和刊刻時代的眞僞。所謂「核名實」是指弄清書籍的內容，以不被前人在書名上所作的種種花樣所迷惑。關于書籍的名實，他認爲有五種情形應予注意：「有實同而名異者，有名亡而實存者，有得一書即可概見其餘者，有得其散見而即可湊合其全文者，又有本一書也，而故多析其名以示異者」。所謂「權緩急」，是指根據實用價値大小，對各類圖書給予不同的重視。所謂「別品類」是指做好圖書的分類，而分類工作應該「博詢大方，參考同異」。祁承㸁對藏書的防災措施也很注意，他要求建造藏書樓「既欲其堅固，又欲其透風」，這一要求直至當前，仍爲建館的重要措施之一。但是祁承㸁所提出的這套藏書建設理論，有的在實際運作上是行不通的，如主張將某些書一分爲二就會破壞原書的完整性，造成混亂，對藏書文化的發展不利。不過，從總體上看，他所提出的各種命題對藏書文化理論建設還是有著重要參考價値的。

明朝的另一大藏書家范欽則將藏書文化的藏用結合理論作了具體實踐。他不僅注重藏書的防蠹、防潮、防火、防散失等防災措施以完善「藏」的功能，而且還能從「用」出發收藏當代圖書。他所藏明方志、政書、實錄、詩文集等，是研究明代政治、經濟、文化、科技、人物的珍貴資料，遠遠超出了只著眼于藏的識見。

清朝前期，在公私藏書日漸豐富，書籍流通日益頻繁的情況下，有關圖書典藏和流通的理論也有所發展。其代表性著述是曹溶的《流通古書約》（寫于明崇禎間，而刊于清）、孫從添的《藏書紀要》和周永年的《儒藏說》。

曹溶是明末清初的藏書家，鑒于戰爭與水火是書籍散亡的基本原因，而藏書家對所得孤本、善本又進行封鎖，使這些書籍都「寄篋笥爲命」，以致「稍不致慎，形蹤永絕」。曹溶認爲這是不愛惜古人勞動的行爲，是「與古人深讎重怨」的表現。所以，他撰寫了《流通古書約》，提出了在流通中保存古書的主張。他主張「彼此藏書家，各就觀目錄，標其所缺者。……視其所屬門類同，時代先後同，卷帙多寡同，約定有無相易」。然後各藏書家使人將己有人無之書「精工善寫，校對無誤，一二月間，各齎所抄互換」。並希望有財力的藏書家將未刊布的古人著作「壽之棗梨，始小本，訖巨編，漸次恢擴，四方必有聞風接響以表彰散佚爲身任者。」使社會上形成家刊秘籍的風氣，對圖書的流通與保存有積極作用，但這只適用于藏書量大體相等的藏書家之間的交換流通，範圍相當窄，對全國範圍內的圖書保存和流通，收效甚微。不過，他的流通理論將藏書文化的以藏爲主向用的方向傾斜，使藏書文化的基本理論得到一定的充實。

孫從添是清代前期的藏書家，所著《藏書紀要》一卷，是關于藏書建設理論的一部專著。全書分八則即：一曰購求，二曰鑒別，三曰鈔錄，四曰校讎，五曰裝訂，六曰編目，七曰收藏，八曰曝書。這八則總結了傳統的藏書理論與技術。孫從添的藏書理論側重于藏，他對宋鄭樵的「求書八法」從另一角度提出了見解。他發展了明人謝在杭《五雜俎》中的求書五難而論求書有六難說：「購求書籍是最難事，亦最美事，最韻事，最樂事。知有此書而無力購求，一難也。利足以求之矣，而所好不在是，二難也。知好而求追矣，而必較其値之多寡大小焉，遂致坐失于一時，不能復購于異日，三難也。不能搜之于書佣，不能求之于舊家，四難也。但知近求而不能遠購，五難也。不知鑒識眞僞，檢點卷數，辨論字紙，貿貿購求，每多闕佚，終無善本，六難也。有此六難，雖有愛書之人，而能藏書者鮮矣」。他認爲鈔本勝于刊本，但必須對鈔書有嚴格要求，字樣要「筆墨匀均，不脫落，無遺誤。烏絲行款，整齊中帶生動，爲至精而備美。序跋、圖章、畫像，摹仿精雅，不可呆板，乃爲妙手。鈔書者要明于義理者，一手書寫，無脫漏差誤，無破體字，用墨一色，方爲最善。」他認爲只有這種刊本，才能比刊刻本更爲貴重，而爲藏書家奉爲至寶。這些理論有利于提高藏書的質量。

周永年是乾隆時期的著名藏書家和學者，藏書豐富，學識淵博。曾參與過《四庫全書》與《總目》的編纂工作。他在成進士前曾提出過著名的藏書理論《儒藏說》。這一說法是明代藏書家曹學佺所提出，他想以個人之力搜集歷來的儒家經典，和解經著作匯爲一處，以與佛、道二藏相比美，沒有涉及保存和流通的問題。周永年的《儒藏說》遠較曹說爲具體。周永年跳出了歷來私人藏書的小圈子，提倡由社會承擔起藏書的責任，使藏書爲社會服務。他主張將天下圖書「分藏于天下學宮、書院、名山、古刹」，讓「負超群之姿，抱好古之心，欲購書而無從」的「寒門窶士」使用，但當時的情況恐難實現，所以他又提出一套過渡性方案，即由各縣之長官，各地之巨族出面倡議，于當地名勝之處建立義學、義田，接受藏書家的贈書和捐款。各地義學應將其藏書編爲《儒藏未定目錄》，互相傳鈔，使求書者知書籍的存佚情況。各義學則分置活字一副，「將秘書不甚流傳者」刊印行世，分而藏之，以使「奇文秘籍，漸次流通」。周永年還親自購買田地，捐贈藏書，建立「借書園」來實驗自己的主張，爲「好學深思之士」創造「博稽載籍，遍覽群書」的條件，使許多學人受到感動，「儒藏說」在社會上產生了影響，可惜效果不佳，而當周永年死後，「借書園」也隨之夭折。但「儒藏」說卻爲藏書文化理論豐富了內容，爲藏書向公眾開放，爲藏書樓向圖書館邁進起到先驅作用。

隨著歷史的進入近代，西方文化的頻繁滲透，維新思想的宣傳，藏書文化的藏用理論也在發生變化，由以藏爲主向藏用結合方向發展。十九世紀之末，一批維新思想家對以藏爲主的藏書思想的弊端表示異議，並介紹國外情況，建議公開藏書以饗公眾。如光緒十八年，鄭觀應所寫《藏書》一文，首先揭示以藏爲主的弊病說：「海內藏書之家，指不勝屈。然子孫未必能讀，戚友無由借觀，或鼠嚙蠹蝕，厄于水火，則私而不公也。」繼而介紹西方藏書及借閱情況，並提出公開圖書將有利于人才的培養，取得「我中國四萬萬華民，必有出于九州萬國之上者」的成績。這是走向以用爲主的重要設想。光緒二十四年，京師大學堂成立，其章程第一、五、七、八各章均有專節論及藏書樓的建立與管理、借閱等等，爲近代圖書館的創始。二十世紀初，浙江紹興名流徐樹蘭父子捐資建古越藏書樓，「以家藏經史大部及一切有用之書，悉數捐入，延聘通人，分門排比；所有近年譯本新書及圖書標本，雅馴報章，亦復購備」，「以備闔郡人士之觀摩，以爲府縣學堂之輔翼」（《古越藏書樓書目》）。雖仍以藏書樓爲名，而實則已訂立章程，公開借閱，具近代圖書館之初型，使藏書文化的基本理論已完成從以藏爲主，經由藏用結合而走向以用爲主的趨勢。

晚近之世，圖書類型有明顯變化，在紙書之外，尙有錄音帶、膠片和光盤等等載體的出現。由於其體積小，藏量大，「藏」的意義相對減弱，而如何通過高科技手段如網絡化的建設與推廣，使文獻資源更廣泛更便利于應用，而漸漸落腳于「用」。因此，未來藏書文化將在以用爲主的基本理論指導下來完善和發展中國的圖書事業。

五、藏書文化的厄運

藏書文化隨著歷代藏書所遭受的厄運而延緩其發展進程。世皆以秦皇焚書爲書厄之始，實則此前已有其事，《韓非子·和氏》已言「商君教孝公以連什伍，設告坐之過，焚詩書而明法令，……孝公行之。」這一焚書事件發生在秦孝公三年（公元前 359 年），但《史記》的《商君列傳》中無此記載，《韓非子集釋》一書對此解釋說：「所燔之書不多，故史闕而不載耳。」秦始皇在統一後的第六年，採納丞相李斯的建議：「請史官非秦記皆燒之，非博士官所職，天下敢有藏詩、書、百家語者，悉詣守、尉雜燒之。」于是大量圖籍被毀，造成中國圖書史上的一次大災難。以致司馬遷在《史記・六國年表序》中深致感嘆說：「史記獨藏周室，以故滅」。在《太史公自序》中又說：「秦撥去古文，焚滅詩書，故明堂石室，金匱玉版，圖籍散亂。」可見其嚴重毀壞。兩漢至魏晉南北朝，雖各朝多有求書之舉，而戰亂兵燹不斷，致使圖籍散亂毀損，于是隋牛弘乃有圖書五厄之說：秦皇焚書爲一厄；兩漢之交，長安兵起，圖書焚燼爲二厄；董卓移都，西京大亂，圖書幡蕩爲三厄；劉聰、石勒進兵京華，朝章國典，從而失墜爲四厄；梁元自焚圖書爲五厄。有此五厄，圖書得而復毀，難以積累而圖書文化亦回翔于以典藏爲主。至隋更有焚緯之事，讖緯之學，盛于六朝，幾與經史並重，甚而爲篡奪政權者所利用，劉宋始禁其事。及隋統一，文帝禁之愈切，而煬帝則大舉焚緯，于大業元年（605 年）「發使四出，搜天下書籍。與讖緯相涉者，皆焚之。爲吏所糾者，至死。自是無復其學，秘府之內，亦多散亡。」其所作爲，幾與秦皇相侔。自唐宋以還，書籍數量大增，而兵亂範圍益廣，圖書仍在遭受毀損，致使明胡應麟繼牛弘之後而有十厄之論。他在《經籍會通一》綜述其事說：「牛弘所論五厄，皆六代前事。隋開皇之盛極矣，未幾皆燼于廣陵。唐開元之盛極矣，俄頃悉灰于安史。肅代二宗，薦加鳩集，黃巢之亂復致蕩然。宋世圖史，一盛于慶歷，再盛于宣和，而女眞之禍成矣。三盛于淳熙，四盛于嘉定，而蒙古之師至矣。然則書自六朝之後，復有五厄：大業一也，天寶二也，廣明三也，靖康四也，紹定五也，通前爲十厄矣」（《少室山房筆叢》卷 1）。

清初以來，于圖書之搜求、庋藏及編修頗爲注重。至乾隆時，國家藏書比較豐富，于是有纂修《四庫全書》之議。《四庫全書》的纂修是結合當時正在進行的對明《永樂大典》的輯佚和大規模地徵求民間遺書的兩項活動同時進行的。它前後共用了十五年時間，完成了一部前所未有的大叢書，共收書 3461 種，793009 卷，分裝 36300 冊 6752 函。這是中國藏書文化發展到鼎盛時期的重大成果。它對古典文獻的保存和流傳起了重大的積極作用，各地藏書家累世珍藏的善本書和失傳幾百年而文獻價值極高的珍本秘籍，都因此而化私爲公，變零爲整，並且還進行了分門別類的系統整理。但是，這項工作是清朝作爲思想文化統治手段進行的，因而使該書在收錄範圍和內容上都存在著嚴重的缺失。如借修書爲名，查禁並銷毀了大量具有民族、民主思想價值較高的書籍。據前人估計，修書期間被銷毀的圖書約在三千種左右，幾乎與收書量相等，再加以抽毀與竄改，以及執事人員的玩忽，不能不對藏書文化的建設產生消極的阻礙作用。所以《四庫全書》的纂修對于藏書文化應給以「功魁禍首」的評價。

近代以來，圖書文化本應隨著社會經濟的發展而發展，但是，它和社會經濟正常發展遭到扭曲和阻礙那樣，也遭到外來的災患和內部的紛亂所干擾。兩次鴉片戰爭時期，英國侵略軍的搶掠天一閣，英法聯軍的焚燒圓明園，以及民國時期連年的軍閥混戰，無不阻礙藏書文化的正常發展。特別是抗日戰爭時，日本軍國主義者的肆意毀滅中國文化，以戰火、查禁和掠取等等卑劣無恥的手段和行爲來摧殘藏書，據蔣復璁的《最近中國圖書事業之發展》一文的估計：「七七戰後，東南各省……圖書損失在一千萬冊以上。而且損失的多是戰前充實的圖書館」，皮哲燕在《中國圖書館史略》一文中估計，戰前大學圖書館藏書約五百九十萬冊，抗戰到一九三九年，損失圖書約二百八十餘萬冊，以致使原來藏書充實的大學都無法滿足教學與科研的需要，可見損失之慘重，而戰敗後的歸還則寥寥無幾。這是中國藏書史上萬萬不可忘記的黑色數字，對中國的藏書文化是一次極大的破壞。

近幾十年來，由於社會經濟的迅速恢復，文化事業的得到重視，藏書量激增，藏書設備改善，藏書利用普遍，藏書文化日益受到重視，雖然在「文化大革命」的浩劫中，藏書有所破壞，但由於各藏書單位採取種種迂回手段，如借造反組織封館方式，盡力減少打砸搶的可能，縮小損失破壞的範圍，在很大程度上保護了藏書。八十年代，政治步入正軌，經濟獲得發展，各項事業逐漸復甦，藏書事業也同樣得到明顯的迅速發展，各藏書單位增建和興建館舍，增大藏書的回收與入藏量，完善藏書設備和逐步走向利用現代科學技術，最大限度地滿足讀者的需求和利用。在即將到來的新世紀之交，中國的藏書文化在各種藏書現象的深入研究和綜括的基礎上，廣泛的推行和全面的採用新技術，不斷豐富藏書量，防止「重機輕書」的傾向。那麼，中國的藏書文化將繼承和吸取歷史遺產之精華，灌注符合時代需求的新養料，大放前所未有的異彩，把中國的藏書文化推向更具有時代感的高度！

中國的私人藏書家

私人藏書與私學興起有關。周的後期，以政府官員爲師的官學被孔子等人的私人講學活動所打破，孔子弟子三千便是由私學培養出的一大批知識分子，當時稱爲「士」。春秋戰國時期，各國都在分立爭雄，各個政權爲鞏固和壯大自己，很需要有才識的「士」，這就推動了私人講學活動。私學的興盛使圖書也開始由官方傳入民間。一些「士」爲了謀求利祿，便針對社會亟待解決的問題，根據自己的學識，提出種種對策來取悅國君，因而需用大量圖書來豐富和充實自己的論點。如蘇秦曾到各國去發表自己的政治見解來說服各國國君，希望能擠進各國的統治集團；但他沒有達到目的，回家遭受到冷遇，于是「陳篋數十」，發憤讀書。這說明蘇秦有私藏圖書數十箱。當時還有一位著名的名學家惠施有簡書五車，這就是後世「學富五車」故事的來源。《韓非子·喻老》講到有個名叫徐馮的人曾對人說過：「智者不藏書」的話，可見藏書已非個別現象。「藏書」這個語詞可能最早見于此。

私人藏書對保存圖書有過重要作用，秦火焚書，官藏大多被毀，但私人藏書卻頗有保存；所以司馬遷論及漢初圖書復出的原因是「詩書所以復見者，多藏人家」。但秦有「挾書令」，凡私藏圖書是有罪的，直至漢初，人們猶心有餘悸，不敢響應獻書號召，直至惠帝四年正式廢除「挾書之令」，私人藏書才漸漸出現。有些著名學者如劉向、班斿、揚雄都有私藏。王莽篡權後，一部分不肯合作的人便帶著私人藏書到山林中去隱居。

東漢建立後，光武帝號召獻書，原先逃隱的人都紛紛到京師獻出私藏。東漢的私人藏書家也比以前增多，著名的有杜林、班固、蔡邕和華佗等。其中以蔡邕最爲著名，他是中國第一個藏書近萬卷的私人藏書家。《三國志·王粲傳》中記載這樣一個故事：有一次蔡邕請客，王粲求見，蔡邕因爲王粲是位才華橫溢的後起之秀，所以匆忙去迎接，以致把鞋子都穿倒了，給後世留下了「倒屣相迎」的成語故事。客人們非常詫異，蔡邕特別介紹了王粲是異才，自己還不如他；並表示要把全部藏書文稿都贈與王粲。蔡邕有權贈書充分證明這是私藏。

三國雖然處于分立戰亂時代，但對收藏圖書還很重視。一些學者對自己的藏書已由單純收藏進入整理，提高藏書的設備和質量。曹魏有一個叫曹曾的人爲了收藏自己的圖書，就修了一個石窟，稱爲「曹氏書倉」。他既然能自建書庫，必然有一定數量的私藏。著名玄學家王弼是當時藏書萬卷的大藏書家。蜀丞相長史向朗不僅藏書量居蜀藏書家之首，而且還親自對所藏書「刊定謬誤」，開後世藏書家校勘圖書的先河。

兩晉私人藏書比較盛行，著名學者張華藏書甚富，據說他搬家時就「載書三十乘」。有些學者還開放自己的藏書，如范蔚經三世搜求，藏書有七千多卷，他允許別人來閱讀自己的藏書，遠近來讀書的人經常有百餘人。范蔚還爲一些貧寒之士經辦衣食。東晉的殷允、郗儉之等也都被稱爲「多書之家」。

南北朝時期的私人藏書由於紙寫書的流行而加大了藏書量，南朝的著名學者陸澄、任昉、沈約等都藏書三萬卷左右，所藏還多爲世人罕見的書。這些藏書家不封閉自己的藏書而允許他人借閱。如南齊的崔慰祖聚書萬卷，鄰里少年到他家看書，他都親自檢取出借，滿足要求，作好服務工作。北朝的辛術、李謐等人也都藏書較多，但因得書困難，藏量遜于南朝。

隋的私人藏書以學者許善心、柳䛒（音辨）二人爲著名。他們都藏書近萬卷，並參用自己的藏書進行目錄編纂工作。

唐代由於經濟繁榮，圖書制作手段改進，私人藏書一時稱盛。著名學者文人藏書萬卷以上的有十五六人之多。如唐玄宗時的史學家吳兢家藏一萬三千四百餘卷，並自編了《吳氏西齋書目》一卷。另一個藏書家杜暹因爲吝嗇不願借書而留下話柄。杜暹在所藏各書上都題三句話：「清俸買來手自校，子孫讀之知聖道，鬻及借人爲不孝。」第一句話是說我用很微薄的收入買來的圖書都親自校正過了；第二句話說我希望自己的子孫讀了這些藏書都能知道聖人的道理；第三句話警告子孫：賣書和把書出借都是不孝的行爲。杜暹聚集私藏的艱辛是値得同情，爲使子孫知書明禮也是可以理解的，不允許賣書更是應該的；但借書給人也算不孝，未免過甚而顯得自私。唐後期的柳仲郢私藏頗有特色。他藏書萬卷，每書必寫三本：一本最佳留作庫藏，一本較次是經常翻讀的書，一本比較一般，供年輕子弟們學習。這三類書分架安放，不相混雜。唐朝的最大藏書家是自玄宗以來歷仕三朝的李泌。李泌私藏三萬餘卷，分別用紅綠白等顏色的牙質書簽來區別所藏經史子集等書。因爲李泌曾被封爲鄴縣侯，所以後世多把藏書稱爲「鄴架」。李泌精心收藏愛護圖書，當時在社會上得到很多人的贊賞。著名文學家韓愈還在《送諸葛覺往隨州讀書》一詩中專門頌揚李泌的藏書說：「鄴侯家多書，插架三萬軸，一一懸牙籤，新若手未觸。」意思是說鄴侯李泌家藏三萬卷書，每卷都有牙籤，藏書完好如新，像沒有人摸過一樣，可以想見李泌藏書的繁富和精美。五代時也有一些藏書家，但不如唐代藏書家藏量之多，最多的不過幾千卷。

宋代私人藏書較多，藏書家分布地區遍及邊遠和中原；藏書量少則數千卷，多則幾萬卷，而且數代聚書，綿延百數十年而不衰；藏書家有不少著名學者，對圖書進行了保護校訂整理工作，如北宋的著名藏書家宋敏求，藏書三萬卷。他的全部藏書都經過校訂三五遍，成爲質量較高的藏書。南宋的晁公武，藏書二萬四千多卷，都經過他的校訂，並撰寫《郡齋讀書志》的私藏目錄；還有陳振孫也盡一生精力研究自己的藏書。撰成《直齋書錄解題》。所有這些證明宋代的私藏活動已從單純地典藏向學術研究領域大大地邁進一步。

元朝的私人藏書家多爲漢人，如著名畫家趙孟頫就家富藏書。原爲宋秘書省小吏的上海人莊肅，宋亡後隱居上海，親自抄書聚書至八萬餘卷。河南輝縣的張思明私藏圖書三萬七千餘卷。一些重臣武將如耶律楚材和張柔等人都藏書近萬卷。

明代的私人藏書很盛，特別是江浙閩廣一帶有若干著名的藏書家。如宋濂「聚書萬卷」；楊循吉藏書十萬餘卷；王世貞藏書三萬卷，其中宋版書逾三千卷；徐𤊹藏書五萬三千餘卷。尤其是范欽的天一閣和祁承㸁的澹生堂更具特色和影響。范欽（1506-1585），浙江寧波人，明嘉靖十一年進士，累官至兵部右侍郎。嘉靖四十年（1561）在寧波月湖之西創建天一閣藏書樓，所藏達七萬多卷，是浙東藏書最多的一家。所藏多爲明人著述和明代新刊古籍，其中明方志二百七十一種，有 65% 是海內孤本；有登科錄、會試錄和鄉試錄三百八十九種，都是僅見之本。這些藏書是研究明代政治、經濟、人物和科技等方面問題的珍貴資料。其藏書樓天一閣不僅樓式結構和周圍環境安排合理，而且對防火、防蠹、防潮等保護措施也很重視，是現存最完整的古代圖書館。祁承㸁（1563-1628）是明代後期的藏書家，浙江紹興人，萬歷時進士，累官至江西右參政。早年藏書逾萬卷，不幸遭火災，焚毀殆盡，後又以非凡的毅力，重新收集，終於聚書十萬餘卷。他在豐富的藏書建設基礎上，提出了比較系統的藏書建設理論——《澹生堂藏書約》，成爲古代藏書建設的重要文獻。

清代私人藏書空前興盛。據統計，清代著名藏書家有四百九十七人，幾佔歷代總和的一半。如清初的錢曾、朱彝尊、黃宗羲、康乾時的阮元、黃丕烈、盧文弨以及清代後期的四大藏書家——楊氏海源閣、瞿氏鐵琴銅劍樓、丁氏八千卷樓和陸氏皕宋樓等，都是在質和量上臻于上乘的藏書家。他們都是有成就的學者，爲了完善自己的藏書，相應地發展了版本、校勘和目錄等方面的專學，留下了頗具影響的專著，對圖書典藏、保護和傳播文化各方面都作出了超越前人的貢獻。

天一明珠話滄桑

浙東有不少人與事很值得我這個浙東人引爲自豪和驕傲。大禹治水的造福生民，越王勾踐之臥薪嘗膽，浙東學派獨樹儒林一幟，普陀國清廣受釋氏宗仰，黃黎洲抗節呼號，汪輝祖甘當人梯。這些人與事都堪稱不朽之盛事，而天一明珠庋藏圖籍，四百餘年巍然于今，爲人題作「天下藏書只一家」者，尤爲中華文化大放異彩。

「藏書」一詞始見《韓非子·喻老》，言有一徐馮者曾告人云：「智者不藏書」，既戒人不藏書，則必早有藏書者，是中國之私藏起源蓋早。在兩千多年的中國圖書事業史上，藏書家爲數甚夥，戰國時的辯學家惠施「其書五車」（《莊子·天下》），縱橫家蘇秦也是「陳篋數十」（《戰國策·秦一》），漢代的蔡邕，唐代的鄴侯，宋代的宋氏、王氏和晁氏，明代的范欽、祁承㸁，至清則私人藏書空前興盛，葉昌熾的《藏書紀事詩》中即收錄歷代藏書家共一千一百七十五人，而清代便有四百九十七人，幾佔一半。歷來江浙地區經濟發達，人文薈萃，藏書家獨多。據吳晗的《江浙藏書家史略》所收浙江有三百九十九人，江蘇有四百九十人。這許許多多藏書家大都建有藏書樓，即以浙東而論，在祁承㸁的澹生堂、豐坊的萬卷樓、黃宗羲的續鈔堂、全祖望的雙韭山房等等，但時過境遷，物是人非，散落亡佚者居多，而享譽中外，至今僅存的古藏書樓，惟寧波天一閣。

天一閣的建閣主人范欽（1506-1585）字堯卿，一字安卿，號東明，浙江鄞縣（今寧波）人，明嘉靖十一年進士，累官至兵部右侍郎。嘉靖四十年（1561年）他在家鄉月湖之西建造天一閣藏書樓，藏書達七萬餘卷，爲浙東藏書最多的一家。天一閣在我國古代的圖書事業史上一直閃爍著絢麗的光彩。它的命名和一排六間的閣樓結構是有說法依據的。據說，這個藏書樓初建時，「鑿一池于其下，環置竹木，然尙未署也」。及見《龍虎山天一池記》中引有漢人鄭玄注《易經》「天一生水」、「地六成水」之語，于是將藏書樓命名爲天一閣，而閣前所鑿水池稱「天一池」。天一閣樓上不分間，以體現「天一生水」之說，樓下分六間，以應「地六成水」之義。甚至如藏書櫥的制作也使之在尺寸上合六一之數。這種依據雖然跡近迷信，但也可以見到閣主人在創建時已注意到防火的問題，希望以水制火來保護圖書。（葉昌熾：《藏書紀事詩》卷2）

范欽不僅注意防火問題，對防潮、防蠹等等典藏好圖書的措施也給以一定的重視。天一閣的主體建築「寶書樓」的各書櫥下都放著一塊塊石灰石性質的石頭，這是原來用以吸潮的設置。它雖然沒有現代吸潮器那麼科學，但吸潮以保護圖書的道理似已爲閣主人所知曉。范欽還可能根據宋代沈括《夢溪筆談》所載「古人藏書辟蠹，用芸。芸，香草也」，「辟蠹殊驗」（卷3），遂採用了芸草防蠹法，並取得了一定的成效。據傳說，寧波有一嗜書、愛書成癖的錢姓女郎因聽其姑夫邱鐵卿說，天一閣藏書不受蠹害，由於用芸香防蠹，乃手繡芸草數百本，自己也更名爲繡芸。她爲能親見天一閣芸草防蠹的眞相，便委身嫁給范氏子弟范邦柱，結果仍以屬于婦女不能登樓的禁例而不得見芸草的眞正效用，終於郁郁含恨而死。臨死前，錢女泣告其夫說：「我之所以來汝家者，爲芸草也。芸草既不可見，生亦何爲？君如憐妾，死葬閣之左近，妾瞑目矣！」（《春草堂集》卷 32）錢女的行爲似乎近于痴騃，而且，實踐證明，芸草的功效也不甚理想。清末，繆荃孫登閣時，所見已是「鼠嚙蟲穿」（《藝風堂文漫存》）卷 3）。但是錢女這種愛書精神確是感人至深，實可使今之任意踐踏毀壞圖書者大有愧色的。

天一閣的建造設計頗具匠心。主閣「寶書樓」二層，樓下用書櫥隔成六間。樓上懸有明人王原相所書「寶書樓」匾額。樓前有作防火設置的蓄水池。清康熙四年，范欽的曾孫范光文又在閣樓前後利用山石的奇形怪狀堆砌成「九獅一象」等生動形態，並植竹養魚，使藏書樓周圍增添了江南園林的美色。正由於天一閣的結構建造合理，加以它把藏書的幽雅和園林的清麗很好地結合成一體，才引起想在文化事業上有所作爲的清乾隆帝的重視。常理是帝王爲民作則，而乾隆在這點上能擇善而從，向臣民學習。當他爲典藏《四庫全書》而謀興建南北七閣時就曾諭令浙江疆吏：「（天一閣）自明相傳至今，並無損壞，其法甚精，……今辦《四庫全書》，卷帙浩繁，欲仿其藏書之法，以垂久遠。」並令繪呈天一閣圖作爲藍圖，後即據以建文淵閣。這也從另一方面說明天一閣藏書樓建築的價值。

隨著范氏宗族的衰敗，閣樓園林也日趨荒落。直到一九三三年始有當地人士集資維修，並把文廟的尊經閣和有關當地（明州）文獻的一批宋以來的碑版移建園中。這批碑刻文物環繞在尊經閣前的牆垣上被譽爲「明州碑林」，是有關宋元以來的明州歷史資料。可惜有的由於風雨侵蝕而字跡漫漶，有的整片剝落，了無字跡。這實在是地方文獻的一種損失，亟待採取一定的保護和搶救措施。

范欽非常珍惜自己的藏書，訂了嚴格的禁例，其中如「代不分書，書不出閣」的規定是他主觀上希望藏書不致于流失的一種措施。也是封建士大夫「子孫寶之」的狹隘自私心理的反映。當然，這裡也包含著范欽希望這座文化庫房能長久維護一統的苦心孤詣。但是，這種禁例曾造成家族中的某些不和，如其侄范大澈，雅好典籍書畫，羨慕天一閣藏書，「數從借觀，欽不時應，大澈怫然，益遍搜海內異書秘本，不惜重值購之，充其家。凡得一種知爲天一閣所未有，輒具酒茗迎欽至其家，以所得書置幾上，欽取閱之，默然而去。」（《鄞縣志》卷 36）這在范大澈固然有快然報復的欣悅，但范欽的「默然而去」無異是給侄子一個鄙夷的回敬，使范大澈的狹隘氣量顯得那麼猥瑣。時間的檢驗，范大澈藏書的名聲終久難與天一閣相侔。天一閣的藏書雖然在范欽析產時，兩房（長子，次媳）都願意「欲書者受書，欲金者受金」（全祖望：《天一閣藏書記》，見《鮚埼亭集》卷 17），以求維護其藏書的完整性，可是，事物的變化往往不取決于主觀願望。天一閣無力抵御外力，如清乾隆帝開四庫館，向各地勒取圖籍，天一閣也只能呈進六百餘種，後來被編入四庫者近六分之一。這固然破壞了天一閣藏書的完整，但也不能不看到它卻把天一閣的藏書生命由一地延伸到全國，甚至世界。鴉片戰爭時，英國侵略軍侵佔寧波，入天一閣掠取《一統志》及其他地志，供其侵略活動參用，這是外國侵略者掠奪我文獻圖籍的開端。太平軍攻佔寧波，當地盜賊乘亂明搶暗偷。子孫家人，又不加重視，所以到清末有人登閣開櫥時，已是「書帙亂疊，水濕破爛，零篇散佚，鼠嚙蟲穿」（繆荃孫：《天一閣始末記》，見《藝風堂文漫存》卷 3）。

民初更遭到奸商惡偷的勾結偷竊，幾乎流落海外，幸得張元濟氏搶救，用它潤澤了近代另一文化中心涵芬樓，又不幸爲日寇所炸毀，造成我民族的深創巨痛！以致解放之初，園林一片荒草污水，精刻善本水漬蠹蛀，零零落落僅剩原藏書量的五分之一，約爲一萬三千餘卷。直至晚近「文革」年代尙有地方有力者豪奪精本善刻以媚附庸風雅之當軸權要。這一現實固有負于閣主人創業庋藏的苦心，但也無情的嘲笑了閣主人「子孫寶之」的主觀願望。

解放以後，經政府多次撥付專款維修、恢復，遂使這座古藏書樓和它的藏書雖歷經多劫，猶不致如海源閣藏書之毀于軍閥匪徒之手，皕（音壁，二百之意）宋樓藏書之爲日人捆載而去，而是得到了比較正常的維護與發展，現已有三十餘萬卷藏書，比創建時增加了四至五倍，其中善本精刻有八萬卷之多。「明州天一富藏書」，已經不是虛譽了。十多年前的春天，我曾親臨天一閣，看到在原閣右後方正興建一座具有江南樓閣特色，並和原閣風格相諧調，總面積達九百多平方的新閣，想早已竣工，交付使用，則多年沉睡的載籍將甦醒過來得到整理與應用。

范欽在建天一閣之前就購書鈔書貯于東明草堂，他「善收說經諸書及先輩詩文集未傳世者」（《鄞縣志》卷 36）。後又得同邑豐坊萬卷樓幸存之餘，並陸續從王世貞等藏家鈔錄增益，加以范欽歷官各地，曾在江西、廣西、福建、陝西、河南數省搜訪、購買、傳鈔古籍，特別是浙江，幾乎訪遍藏家與坊肆，「雖未曾復豐氏之舊，然亦雄視浙東焉」（全祖望：《天一閣藏書記》，見《結琦亭集》卷 17）。范欽不僅豐于典藏，還能讀勤藏精，各書多「手自題箋，精細詳審，並記其所得之歲月」，所以人皆贊其藏刻名書「有清鑒而無妄作」（《天一閣碑目記》）。晚年以收藏日富，遂建天一閣。其所庋藏以宋元以來刊本、鈔本與稿本爲多，而明刻尤爲突出。范欽藏書與一般只注重版本的藏書家不同。他比較重視明代人著述和明代新刊古籍的收藏，所藏明代方志、政書、實錄、詩文集等尤多，而明代登科錄和地方志的收藏成爲閣藏的特色。其中明代方志原藏四百三十五種，超出《明志》著錄，現存二百七十一種，有百分之六十五是海內孤本，近年已陸續印行應世；登科錄、會試錄和鄉試錄有三百八十七種，也大部分是僅見之本，閣主人范欽的簡歷就赫然具載于登科錄中。這些都是研究明代政治、經濟、人物、科技的珍貴資料。這也表明范欽的藏書思想已超越同時代其他藏書家的認識水平。不過，范欽也並沒有完全擺脫封建士大夫的思想局限，對于更接近下層人民並爲之服務的一般通俗實用書等仍然很少收集。

天一閣除以藏書享名學林外，其所收藏的文物也有一定的價值。它藏版千餘塊，可以見明代雕版藝術的水平。園中尙有以保存晉磚居多而得名的「千晉齋」，所存自漢至清的千餘塊磚刻和另室所存唐宋元明石碑三十餘塊都具有較高的文物價值。在近年新徵集的圖書中不僅有早年流散的閣藏舊物之復歸故園，而且還有浙東名家黃宗羲、萬斯同和全祖望等人的遺著和《明史稿》稿本，爲故園更增顏色。

天一閣以其所藏珍籍文物博得人們像珍愛「明珠」般地護持它，但更重要的是要藏用結合，以用爲主，發揮它蘊藏著的資料價值。我衷心地祝願這顆歷盡滄桑的「明珠」將閃耀出熠熠光彩，讓我國擁有的這座巍然獨存的古代書府不只是中國圖書事業史上的瑰寶，即使書之于世界文化史冊亦絕無愧色！

常熟藏書首脈望

明清以來，江浙藏書家爲全國冠，而江蘇又稍多于兩浙。吳晗所著《江浙藏書家史略》所收江蘇藏書家爲四百九十人，其間常熟藏書家尤稱翹楚，趙氏脈望館、錢氏絳雲樓、也是園、毛氏汲古閣、張氏愛日精廬、瞿氏鐵琴銅劍樓等等皆以所藏珍善爲世所重，藏書之風至民國而不衰。而趙氏脈望館開一時一地藏書風氣，爲藏書史濃墨所在。

脈望館爲明代藏書家趙琦美所建藏書樓。趙琦美，原名開美，字仲郎，一字如白，號玄度，自署清常道人，爲常熟藏書家趙用賢（定宇）的兒子。生于明嘉靖四十二年（1563），卒于天啓五年（1624），得年六十二歲。趙琦美以父蔭累官刑部郎中。趙琦美除繼承其父藏書刻書的遺風外，「生平損衣削食，假書繕寫，朱黃讎校，並欲見諸實用」，每得善本珍籍，即由用賢作序，琦美刻行（《常昭合志稿》32）。爲便于大量收藏圖書，更在其父的松石齋外築脈望館，于常熟虞山鎮南趙弄爲藏書所。脈望是傳說中蠹魚所化之物，趙琦美引此自喻爲書蠹所化，得書而後貯其中。

趙琦美承受其父所藏圖書二千餘種，上萬冊（《趙定宇書目》）。而生性又好「網羅古今載記，甲乙銓次」，遂使藏書益富。清初常熟另一大藏書家錢謙益爲趙琦美撰墓表曾稱頌其求書、讀書的精神說：「窮老盡氣，好之之篤摯與讀之之專勤，近古所未有也」。脈望館的藏書量據其所編訂的《脈望館書目》著錄近五千種，二萬多冊，較其父所藏約增一倍。

脈望館藏書質量相當高，有些書是經過趙琦美一二十年搜求、配補和鈔繪始成完整善本的。如所藏《洛陽伽藍記》刻本較差，便從陳錫元、秦酉岩、顧寧宇、孫蘭公處購得四家鈔本，改正了刻本中四百八十八處錯字和三百二十個衍脫字。幾年後，又于燕山龍驤邸中再改正五十多個錯字。前後歷時八年始完成。又曾購得《李誡營造法式》殘帙，缺十八卷，經二十餘年搜集而後補齊全書，並以五千錢高價聘繪圖師重新繪制插圖。有的書是經趙琦美手鈔手校的佳本，如元明兩代的《古今雜劇》二四二種，均經趙琦美親手鈔校，並寫有題跋，成爲研究我國戲劇史的一大寶庫，今藏北京圖書館。當代藏書家鄭振鐸曾搶救其于戰火中，並記其事于所著《劫中得書記》中，譽爲文獻之一大發現。趙琦美還喜歡刻書，有《新唐書糾謬》、《酉陽雜俎》、《東坡志林》等書，都是在其父校勘基礎上再加校訂後刊行的。趙琦美卒後，藏書大多歸錢謙益絳雲樓。傳說書去之日，常熟武康山中白日鬼哭，雖事涉無稽，但亦反映常熟人民對脈望館藏書的眷戀。新編《常熟市志》第二十二編即以趙氏脈望館居藏書家簡介之首，並著其事跡較詳。

趙琦美在明萬歷年間爲其脈望館藏書編《脈望館書目》，這是一部打破四分法順序的私藏排架目錄。它將家藏圖書所標號碼結合千字文自天至呂排爲三十號，分爲經、史、子、集、不全宋元版書、舊版書、佛經、墨刻、書畫、古玩雜物、碑帖等類，末附萬歷四十六年的《續增書目》。這部目錄除登錄不少文學藝術書外，還在「暑」字號「子類」八下，設有「泰西人著述」小類，登錄了

《幾何原本》、《泰西水法》等七種西方傳教士譯著的書籍。這在當時是值得注意的著錄內容。這部書目的子目設置較詳，將近有二百多個子目，如史類三即設有編年、史評、傳記、僞史、霸史等，頗便檢索。書目還注明藏書地點，如「佛經」下注「在後書房西間朝東廚」，甚便取用。《脈望館書目》有《涵芬樓秘籍》本及《玉簡齋叢書》本。

掃葉山房談往錄

幼時，開始讀古書，祖父就給我一種由掃葉山房刊印的書。我最早讀的那套書是紙書套，紙張是薄脆易碎、色澤發黃的竹紙，而且常常因爲錯字多而讀不下去。祖父自有一套教育理論，認爲讀印本差的書才知道愛惜書，日後遇到佳本善刻才知道來之不易而加以珍惜；富家子弟不知物力維艱，把輕易得來的好本子書亂卷亂扔。祖父常引此爲戒，培養我幾十年來愛護書的習慣。遇到錯字時，祖父就讓我從書架上取下另一種好本子來比照，並且順便講一點版本知識，從兩書比照中勘誤，文意也就豁然貫通，自喜不勝，而且也逐步得到一些版本、校勘的知識，但是我對掃葉山房的名稱一直納悶，終於憋不住而向祖父提問，記得當時祖父興致很高，給我講了很長一段掌故。

原來掃葉山房是明清之際江蘇常熟一家姓席的藏書樓的名字，也是席氏用作坊刻圖書的字號名。席氏刻書始于明萬歷時，初設于蘇州，其命名緣由，據說一是表示刻校書之不易，引用古人所說「校書如掃落葉，隨掃隨落」的含義來名其書肆；二是當地原有一刻書家葉氏，甚爲有名，席氏爲與葉氏爭名，遂名「掃葉」以求掃除葉氏而獨擅刻書之利。這段掌故很有趣，如果是後一種說法，似乎有點小家氣，放在今天，似乎又屬于不正當競爭手段。席氏所刻之書版心均有「掃葉山房」字樣，現能見到的最早刻本是席氏得毛氏汲古閣十七史版片後，又補刻《舊唐書》與《舊五代史》而印行的史書。

掃葉山房主人的著名人物是清初的席鑒。他字玉照，號茱萸山人，是繼常熟趙、瞿兩大藏書家之後的著名藏書家，與同縣藏書家孫從添、魚翼並稱于時。席鑒藏書甚富，著重搜集說部、小說，貯于藏書樓，這在當時也是一種特識。「掃葉山房」中所藏圖書都鈐有「湘北寶箴」、「墨妙筆精稀世之珍」、「萸山珍本」、「玉照讀書敏遜齋」、「虞山席鑒玉照氏收藏」及「釀花草堂」等朱印。

清乾隆時，掃葉山房的刻書日益增多，當時由席世臣主持其事。世臣字鄰哉，乾隆五十三年進士。所藏以史部居多，曾手校善本，擇優刊行，如涉及宋遼金元史事的《四朝別史》（含宋王禹偁《東都事略》、葉隆禮《契丹國志》、宇文懋昭《大金國志》、明錢士升《南宋書》及清邵遠平《元史類編》等五種）。嘉慶初，又刻《唐六典》、《東觀漢紀》、《吳越備史》及《元詩選癸集》等，銷路都很廣。

掃葉山房到同治、光緒時，刻書種類更多，數量更大，行銷于大江南北，而且多刻小說和童蒙讀物如《三國演義》、《封神榜》、《千家詩》、《龍文鞭影》等等，刻印比較清楚，對普及文化有著重要作用。清末民初逐漸以新法石印代替刻印，我最早讀的可能是這類本子，但不能因此說掃葉山房沒有刻好本子。後來我也看到過一些好本子。不久，新興印刷出版業日益發展後，掃葉山房的印書事業也就逐漸衰落了。

徐家匯藏書樓

在明末西學東漸的浪潮中，士大夫群中出現了一位敢于結交洋教士，吸收西方文化，引進新知識，終於皈依天主教的大人物，不能不使人驚訝。他就是研習西學並有多種譯著的徐光啓。他更把所學用之于火器、農田、水利等等實踐活動中去。他還在自己的家鄉徐家匯建立過中國第一個天文臺。但是，他不曾想到在他死後剛過二百年的一八四七年，天主教的洋教士竟因佔地建堂與當地居民發生沖突，造成徐家匯教案。這次教案和其他地方的教案遭到同樣的鎮壓，使洋教士的要求得到滿足。就在這年三月，天主教耶穌會會士南格祿在青浦橫塘教堂委托梅德爾司鐸在徐家匯購地修建道院。七月竣工，耶穌會道院便由橫塘遷至徐家匯。當時，耶穌會教士爲了傳教士的需要，開始搜購圖書，並構建藏書樓，這就是後來有名的徐家匯藏書樓的雛型。

徐家匯藏書樓的全稱是「上海徐家匯天主堂藏書樓」，或稱天主堂藏書樓，也有稱它爲「匯堂石室」的。它隸屬于徐家匯天主堂耶穌會總院，是當時許多教會圖書館中規模較大的一所，其主管人員每年由耶穌會直接調配。

徐家匯藏書樓的圖書本來專供耶穌會會士研究參考之用，後來有所發展，凡教會中人，或由會中人介紹，經藏書樓主管司鐸同意後，亦可入內閱覽，但爲數極少。藏書樓是一所寬敞的二層樓房，下層藏中文書，上層藏西文書。中文書庫列架百餘個，每架十二格。中文圖書分經、史、子、集、叢書五類，共十餘萬冊。另有書櫃置各省有名碑貼和中西古錢。中文書籍以地方志書爲最多，根據一九二三年統計有 1615 部，19489 冊，42266 卷。除方志以外，報刊收藏也很豐富，如陸續入藏的《上海新報》、《申報》、《新聞報》、《時報》、《匯報》、《益報》、《新報》、《東方雜志》以及耶穌會所出各種期刊和關于教育方面的多種期刊大都從創刊起就加以保存。西文書庫也有百餘個書架，西文圖書分聖經學、教父學、天主教會法典和禮儀等三十六個大類。所藏古本甚多，大抵爲希臘、拉丁、法、英、德等文種的書。各國出版的有名的百科全書和字典以及早期的雜志，如《教會新報》、《萬國公報》、《小孩月報》、《益智錄》、《花圖新報》等都大致有備，共有八萬餘冊。其中「中國學」類庋藏有《十三經》等書的拉丁、英、法三種文字的譯本。室內尚有雙面玻璃櫃四只，內藏清代一些手抄書籍。

徐家樓藏書樓現已是上海圖書館的組成部分，主要收藏有一九四九年以前的報刊、部分古舊書和宗教類圖書。這所具有一百五十多年歷史的藏書樓正以其所藏繼續爲人們提供信息，發揮其應有的徵文考獻作用。

一部有價值的藏書志

——《愛日精廬藏書志》

乾嘉樸學是清代具有代表性的學術，所以又常稱之爲清學，目錄學則是清學的一根支柱。清代學者幾乎都具備目錄學知識，甚至有一位知名學者認爲，不懂目錄學就是不通。有許多富有藏書的藏書家，也以目錄學知識來搜求、整理和典藏。其中很值得注意的是藏書家兼目錄學家張金吾和他所撰寫的《愛日精廬藏書志》。

張金吾字愼旃，號月霄，乾隆五十二年出生于以藏書聞名的常熟，經清代學術興盛的乾嘉時期，直至道光九年卒。他是清代著名的藏書家，以畢生精力從事對圖書的採訪、編目、輯佚和考證等學術性工作。我是從編清人年譜目錄時才了解到這位學者的。他在道光五年曾自述生平，撰寫了年譜性的《言舊錄》，比較詳細地敘述其一生的學術活動。他的著作甚豐，輯有《金文最》一百二十卷和其他著作多種，而所編《愛日精廬藏書志》最爲享譽學林。

我所讀的是光緒十三年吳縣靈芬閣徐氏活字版校印本，是書有嘉慶二十五年本舊序、道光六年自序及道光七年顧千里序，其自序記刊行始末甚詳云：

> (嘉慶) 庚戌夏編藏書志四卷，以活字印行。六七年來，增益頗多，乃重加編次，附入原書序跋，厘爲三十六卷，仍其名

曰《愛日精廬藏書志》。

于此可知，是書最早版本為嘉慶二十五年活字本。孫殿起《販書偶記》除光緒徐氏活字印本外，尚著錄有嘉慶庚辰活字本，道光丁亥自刊本。嘉慶庚辰即二十五年，自序作庚戌，有誤，因嘉慶無庚戌。道光丁亥為七年，觀顧氏序寫定年代可知。光緒徐氏本書腳有「愛日精廬」四字，則其據道光自刊本無疑，張金吾不僅是一位精于版本的藏書家，而且還是一位有見識的學者。他藏書的目的並非好古玩物，而是求學術的精進。他曾經說過：「藏書而不知讀書，猶弗藏也。讀書而不知研精譚思，隨性分所近，成專門絕業，猶弗讀也。」此語實足為張金吾有志于學之證。

《愛日精廬藏書志》卷首有例言闡明其撰述體例。從而知其所著錄者乃經撰者之選擇，即「止取宋元舊槧及鈔帙之有關實學而世鮮傳本者，其習見之書概不登錄」，可見是書之價值，又非一般藏書家全面登錄入藏圖書之目錄可比。《愛日精廬藏書志》于著錄之宋元舊槧及舊鈔之珍本皆著其版式，錄元以前序跋，為研究版本學的要著。尤可貴者為所錄之時賢手跋，實刊本之外所不經見者，極負參考價值，亦可謂盡目錄學之極致。

是書本泛釋無義例，凡已為四庫所著錄者，概不作提要，其例言中稱：「或書出較後，未經揀入四庫者，依晁、陳兩家例、略附解題，以識流別」，亦以見撰者之審慎。

是志凡經部七卷、史部十三卷、子部八卷、集部八卷，共三十六卷。最後有續志四卷：經史子集各一卷。所載多側重版本，為翻檢版本所必備。

舊書店

讀書人喜歡讀書，更喜歡買書，但不是想要的書都能手到擒來，到書店就能買到，于是在讀書人中就有「訪書」的說法，有些學者甚至還寫過訪書記之類的著述。「訪書」就要到舊書店或攤上去訪求，一旦發現求之已久或心竊愛之的書，那眞可以說是欣喜若狂，這種感受非個中人是難以領會的。即使一無所得，東翻翻西看看，瀏覽涉獵，也能增聞益智，啓發思路。因而，逛舊書店或舊書攤成爲讀書人的一種享受，也是一種難以去掉的積習。

我從十七歲讀高中時就開始逛舊書店、攤。那時天津的舊書店、舊書攤比較集中的地方是天祥市場二樓，旁邊的勸業場和馬路對面的泰康商場則顯得零散。開始偶爾去逛逛，漸漸成爲每周必到的常客，和書店的老板也慢慢地熟悉起來，有時遇到一部好書，會站著看上個把小時，老板還笑眯眯地讓學徒給搬個小圓凳請我坐下看，好似他的書找到了知音一樣；這些舊書店決不像現在的某些書店，架框上貼著「請勿動手」的簽條，店員沉著臉像防賊那樣盯著你的每一個舉動。有時店堂清閑，老板還會邀請我這位常客坐坐，端上一杯「高末」清茶，饒有興味地談論些關于書的知識，那都是他幾十年書賈生涯的經驗之談，尤其是版本目錄方面的內容時時引起我極大的興致，我那時知道的什麼「金鑲玉」、「四大千」、「魚尾」、「黑白口」、「黃批顧校」、「活字本」和「精刻本」

等等知識，都是從這位六十多歲的老板口中學到的，也許這些知識給我埋下了後來專攻古典目錄學的種子。那時我已經在課本中讀過王充《論衡》自序，遙想當年王充在書肆白看書而成爲學者的故事便得到一定的鼓勵。逛舊書店、舊書攤不僅可以訪求到急需用書，如我從余嘉錫先生學目錄學時，指定用《書目答問補正》作爲教材，在北京遍尋不著，還是在天津舊書店中搜求到僅有的一套；而且，我還常常能在翻書或巡視架上排列的書脊來充實自己腦海中的書目。

逛舊書攤比逛舊書店更有興味，偶爾在一些集市和街頭的零散地攤上常會發現一兩種有價值或對自己有用的書。我經常到舊牆子河邊的廢品攤上去閑逛，在一捆捆廢書本中往往會有意想不到的收獲。有一次，我花費三塊多錢買了好幾捆廢書本，從中撿出了十幾本清朝乾嘉同光時的皇歷，雖然有些殘破陳舊，仍然使我大喜過望，以後由於加倍留心，又陸續收集到一些，加上我原藏部分，斷斷續續地有百多年，心想如能把清朝皇歷收齊，那不是很有歷史和文物價值的嗎？我一度還想模仿傅增湘先生因有兩部善本《資治通鑒》而命名自己的書齋爲「雙鑒樓」那樣，把我的書齋題名爲「清歷樓」，後因積累不足而未果。即就這百多年來說也頗自珍惜，不幸在「掃四舊」時，理所當然地被付之一炬。

舊書店對讀書人確具相當的吸引力，清代北京的書業中心琉璃廠附近就聚居了好多知名學者，爲了逛書店書攤、看書求書方便，紛紛來此僦居，以至房租漲價。在這裡，不相識的學者通過共同愛好而締交，相知好友在此商榷學問，互通有無，有不少傳抄本即由此產生。那些從業多年的有心書賈接受文人學者的薰陶而有書卷氣，像孫殿起傾數十年的積累所撰《販書偶記》，已是查閱四庫總目以後有無著錄的重要目錄書，爲許多學者案頭必備。某些自命爲學者的人，整日在翻用《販書偶記》，卻嗤之爲書賈記問之學，此可謂與鼠竊狗偷者無異。有些學者更出于書癖，視經營舊書業爲一種學問之道，像版本目錄學家倫明先生不僅開了舊書店，還從眾人中培養出孫殿起這樣的目錄學家。當然，舊書店，特別是舊書攤也有不盡令人滿意之處。有些書攤偷偷地發售淫穢書刊；有些書商制作假善本騙人，我也曾上過當。我很喜歡板橋的詩和字，有一次在一舊書店看到一套板橋體的板橋詩，紙墨裝訂都看得過去，因爲年輕淺陋，出于偏愛，加以老板一再降價勸說，遂傾數月積蓄購藏。幾年後，我讀到板橋手寫詩刻本，才恍然大悟，原來這是影寫本，並無太大價值。不過這只是一些枝節，舊書店和舊書攤還是有不少值得懷戀的情趣。

五〇年代以來，由於行業調整，舊書行業改變管理體制，北京統一爲中國書店，天津和有些城市將之併爲古籍書店，舊書店和舊書攤驟然減少，舊書又多被扣上封建黑貨的帽子，問津者益少，以致流通也欠暢。我雖已不能每周必去，但積習難除，還不定期到收購部和文廟倉庫走走，和一些舊識聊聊天，偶爾從書堆中發現點值得買的書。有一次我買了一部談刻本的《李文忠公全集》，書品很好，可惜兩年後因年關囊中羞澀而易主；又有一次，我從古籍書店收購部收購架上發現兩冊梅紅灑金箋封面的線裝書，打開一看，扉頁題有《挹爽自譜》四個中楷墨筆字，是一部未刊稿。內容綠絲闌格紙寫錄，半頁八行，版心下端有「石竹齋」字樣，墨筆字跡工整，似是一部清稿本。譜主陳愷，字甘泉，號挹爽，一號爽軒，別號知退子。天津人。清道光七年生，卒年不詳。咸豐末年舉人。同治時做過宗學教習。光緒前期在廣東做過和平、曲江、潮陽等縣知縣。晚年在天津爲書院校刻書籍。此譜始編于同治六年，續補于光緒三十二年，時年已八十歲。是譜除自己科試、文會、聽訟等事外尚記有太平軍、義和團在天津的活動狀況。可惜這樣一本有關津門文獻的手稿本，在一九六六年八月間與我的手稿和幾乎所有的線裝書都被受愚弄的紅衛兵小將們用我的樟木書箱做燃料在我的門前燒掉，也絕了我眷戀舊書的念頭。

可是，幾十年的舊習不是一時所能根治。從八〇年代以來，我仍然去過古籍書店及文廟倉庫，但興味已大不如前。一則舊書流通極少，看來看去總是那麼些書，缺乏新鮮感；二則有些店員缺乏應有的學問感情，視舊書若古董，不樂意你翻翻看看，對看「蹭書」的尤有反感；三則舊書的標價，隨時無原則地改動，一部上不了品味的巾箱本書往往非數百元不辦，一介寒士，何敢問津？既無所得，也就沒有逛的興趣了。至今已有多年絕跡于古籍書店之類的地方，幾十年的積習從行動上似乎一掃而去，但對舊書店、攤的懷舊情結卻難解開，到美、日這些發達國家還有幾處舊書店可逛，但終不如在國內有那麼一些舊書店、攤，讓文人學子能徜徉其間，享受點書香的薰陶！

卷二　讀　書

爲有源頭活水來

少時讀宋朝大儒朱熹在《觀書有感》中寫下的「爲有源頭活水來」，印象頗爲深刻，朦朦朧朧地在想這源頭活水究竟從何而來？我雖未能十有五而志于學，但年未及冠已有向學之心，總像求取聖水那樣虔誠地期待著顯現活水的源頭。不知什麼時候，在舊書攤上偶然買到一套清人王鳴盛的《十七史商榷》，開卷第一條就寫著「目錄之學，學中第一緊要事，必從此問途，方能得其門而入」。卷七更激烈地強調「凡讀書最切要者，目錄之學，目錄明方可讀書，不明終是亂讀」。這位史學前輩大聲疾呼的懇切之詞潑灑在我的那顆向學之心上，似乎已經找到了活水的源頭。不久，考入大學，在選課時發現中文系有一門由余嘉錫先生講授的目錄學，選課的人很多，我亦急忙地填在選課表的第一行上。爲了上好課，從一位剛認識不久的學長處借來余先生的講義《目錄學發微》，又讀到余先生的一段話：「目錄之學爲讀書引導之資，凡承學之士，皆不可不涉其藩籬。」當代學者又如是說，則此說信不誣也。第一課，余先生口講指畫，的確不凡。他特別指定《書目答問補正》作課本。我懷著似乎已得到秘籍線索那樣的喜悅心情，用了整整兩天，跑遍了琉璃廠每個齋啊、軒啊的書肆，第一次嘗到了求書之難的苦味！直至這年寒假回天津省親時，才在當時的天祥市場舊書攤上訪求到《書目答問補正》二冊。回家以後，我急不可待地斜倚在被垛上翻讀，一心想立刻找到活水源頭，翻了幾頁，大失所望，除了一行行書名、作者、卷數、版本記錄外，枯燥乏味，難以卒讀。

返校後，我又曾到柴德賡先生家去請教，柴先生借給我所藏貴陽本《書目答問》，囑我先校校正文，或能引發點興趣。我遵照辦理，通校正文後，似乎略有心得，自以為有資格和余先生對話，便勇敢地登門問業。余先生聽了我的陳述後，就言簡意賅地講了「書讀百遍，其義自見」的道理，要求我多讀點有關參考書，多注意字里行間，要我按《書目答問》正文自己動手做作者與書名、書名和作者的索引。經過一番努力，確是收益不少。從此，《書目答問補正》也就成為我藏書中的寶藏，案頭必備的鴻寶。每讀一書，必聯想《補正》中是否有此書，如遇到有所評說，則記于書頁的天地，三天兩頭，時加翻檢，天長日久，兩千多種舊籍已「存盤」于腦海之中，遭人而問，亦能侃侃而談，似乎頗有點學問。以後又在求書讀書中見有關資料必手錄在我這兩冊《書目答問補正》上。積之日久，天地頭和夾行中已寫不開，就粘小紙條，頗有自得之樂。

我的藏書，素以得者寶之為宗旨，有借有還，有借無還，都可不加計較，惟獨這兩冊《書目答問補正》，天王老子也只能看而概不外借，視為枕中秘，懷中寶。我曾想集中一段時間，作點匯補工作，並且自不量力地在撰者、補正者後面用毛筆添寫上「來新夏匯補」一行字，作為鞭策自己的努力方向。不意在那動亂年代，我的藏書不是籍沒歸公，便是付之丙丁。我十分傷心于這兩冊書也難免此厄運！又是一次皇天不負苦心人，幾年後認領抄家物資時，這兩冊書又久別重逢般地物歸故主，這眞比發還我兩枚金戒指還高興。全書未太損壞，只是也用毛筆把我那行「來新夏匯補」字樣涂抹掉，看來這是一位有點知識的勇士所爲，也許還是曾受業于我的人，否則哪能鑒定我不夠格而予以抹殺呢！至今我對此書還不時地添補，像玩賞周鼎商彝那樣翻讀。如果有人問我：你的藏書中，你最珍惜寶藏的是哪種書？我可以毫不思索地回答說：我最珍惜的是那兩冊與我相伴半個多世紀並曾同遭劫難的《書目答問補正》。

讀書十談

一

悠久的歷史、秀麗的河山、燦爛的文化和衆多的卓越人物是我國足以躋身于世界之林而了無愧色的依據。這些豐富內容除了一小部分是由故老相傳的口碑外，最重要的還要依靠由文字或圖畫記錄下來的圖書。我國從竹木簡書到帛書、紙書，究竟有多少數量，自古以來就不曾有過比較準確的數字，而只能用「浩如煙海」、「汗牛充棟」等等成語來形容它數量之多。在這一珍貴寶庫中，蘊藏著祖國無數可驚可嘆、可歌可泣的業績；描繪著祖國幾千年歷史的絢麗色彩；從而培育了千百萬對祖國具有最深厚感情的志士仁人。書啊，眞是多麼可珍貴的物質！讀書，又是我們生命中多麼不可或缺的一種文明享受。

二

人們從看圖識字開始就接觸書，但日後的變化發展卻各有不同。有的人稍一接觸便視爲畏途，成爲缺乏最基本文化素養的文盲或半文盲。有的人淺嘗輒止，一知半解，成爲淺薄可笑、語言乏味的妄人。有的人不求甚解，囫圇吞棗，成爲消化不良的貪食者。有的人則博涉多通，認眞鑽研，成爲學識優長、卓有成就的勝利者。

這些不同的結局有多種原因，首先在于如何對待讀書的問題。

三

有一副流傳既久且廣的聯語說：「書山有路勤爲徑，學海無涯苦作舟。」以勤爲徑的成效是多少代讀書人的共同感受。但以苦作舟未免使人愴然。苦讀固然無可厚非，若以樂爲舟，豈不更有樂趣，更能激勵人們不畏書海波濤而昂揚搏擊？的確，讀書能給人以無窮之樂：它使愚昧成爲有知，使少知變爲多知；它使一個人的談吐舉止典雅脫俗；它使人眼界開闊、思想騰躍；它更能使人熱愛祖國山河文化、歷史傳統，從而關心祖國的前途和命運，具備對祖國無限忠誠，爲祖國富強獻身的精神。這就是人生的最大樂趣。這種樂趣主要就涵育在讀書之中。要保持這種樂趣的境界，必須持之以恆。如果一曝十寒，只求興之所至，那亦收效甚微，其樂有限。所以讀書必須立足于勤。眼勤、手勤、腦勤；勤讀、勤思、勤寫，無一不落腳于勤。懸梁刺股已是歷史的陳跡，無須機械仿效；但見縫插針，手不釋卷還是必要的。如果說必須有完整的時間、幽雅的氛圍才能讀書，那是懶蟲的借口。

四

讀什麼書？當然要讀好書，尤其是青少年時期，由於缺乏應有的辨識力，更需要多接受些正面的知識，以培養分辨良莠的能力。當然，也不能採取封閉性的態度，而應比較廣泛地閱讀，不要視離經叛道之作如洪水猛獸，避之惟恐不及，成爲新道學先生；而應在博覽群書的基礎上，吮吸精華，排除糟粕，這樣長期積累就能使自己具有豐富的知識。對于反面的東西只要分辨，又何所畏俱。只要這部書持之有故，言之成理，也能尋到某些合理部分爲我所用，或者還會從不同方向起推動作用。至于那些低級、鄙俗，甚至淫穢下流、不堪入目的「書」，還是節約點有限生命爲好，不作無謂的犧牲。

五

讀書是爲積累知識，但卻不能只入不出，而要像蠶那樣，吃桑葉吐絲，要爲人類文化添磚添瓦。有一位名人，讀了一輩子書，知識淵博，但至死沒有留下一本書、一篇文章，甚至一條札記。這是精神生活中的最大浪費。這是個極端自私的個人利己主義者。他把汲取知識像打撲克那樣作爲個人的一種生活享受，或是像一個貪婪者在盡性地佔有前賢的遺產而吝不與人。魯迅一生之所以偉大，學識淵博固不待言，但更可貴的乃是他那種吃草擠奶的精神。無論什麼人都應該把咀嚼吸取到的知識釀成香甜的蜂蜜，發之于言論文章來奉獻給當代人或哺育下一代人。學以致用才是讀書的眞正目的。

六

凡是一本書，不論是學術專著，還是文藝作品以及其他，都有一個中心課題，然後通過文字的表述把論點和資料，或者人物和情節有機地結構起來，經過潤色和安排而寫成。但一本書往往又爲結構完整、篇章銜接，不可免地會重複一些你已經掌握的知識，或是一些可有可無的「水分」。如果把這些重複的知識和「水分」擠掉，那麼厚厚的一本書就會變「薄」。這種「薄」意味著你已把書的精華濃縮到腦海中儲存起來了。

七

凡讀書要先讀序或前言。這一點常被人忽略，但它卻是非常重要而必須養成的一種習慣。因爲書的序或前言是作者對全書寫作緣起、目的和主要內容的概述。當你讀完序或前言後，你就會抓住全書的綱。至于別人所寫的序，有些嚴肅認眞進行評論的序也應一讀以幫助對本書的閱讀，而某些捧場敷衍的序大可棄之若糞土，無需爲之消耗精力。其次是從頭到尾地讀一下目錄，就可以知道這本書的主要問題和篇章結構。一位有功力的作者所寫的目錄往往是各篇章的提要。讀了序和前言，再去通讀全書就比較清楚了。

八

在通讀全書過程中，不要羨慕古人所說的「一目十行」，那是「英雄欺人」的騙人神話。讀書不要一掠而過，而應該「十目一行」，意思是精神貫注，認眞閱讀，養成一種「好學」的學習態度。「好學」是讀書的基本出發點。努力多讀些書，叫做「博觀」。「博觀」是擴大知識面的基礎。但是，僅僅「好學」、「博觀」是不夠的，而是要再經過「深思」來「約取」。

九

「深思」就是在好學博觀時，積極展開思維活動：如圍繞這本書的主題有多少主要論點——哪些對，哪些不對，哪些與主題無關等等。作者用什麼資料來說明論點。這些資料可靠與否，有無說服力，是否最典型的資料。這些資料是從哪兒來的。哪些資料是自己接觸過的，哪些又是並無價值的。資料與論點結合如何？有哪些是因襲陳說，有哪些是作者創見，哪些與自己的學習與探索有關聯，哪些是暫時關係不大，哪些則沒有太大用處，哪些是爲安排篇章的多餘部分，哪些又是爲修飾結構而鋪陳的。……這樣，你就可以淘汰一部分不準確的論點、不可靠的資料和不必要的水分，攝取了精華部分。這叫做「約取」。

十

讀一本書大體上要約取這樣一些：這本書的主題，全書有幾個主要部分，有哪些創見，這些創見是根據什麼得到的，有哪些有價值的資料，這些資料是從何處搜集來的，作者用什麼方法搜集資料和論證問題的，這本書主要不足在哪里。如果你把這些約取所得寫在讀書筆記或卡片上，只是薄薄的幾頁或幾張。如此，你便可從紛雜朦朧中理出頭緒而便于掌握了。這不就是把一本厚厚的書讀「薄」了嗎？你積累讀「薄」的書愈多，你的知識領域就愈廣，學識水平也就愈高。這就是人們所說的「博觀約取」。但是，如果不把「博觀約取」與「好學深思」緊密結合好，即使讀再多的書也是走馬觀花，浮光掠影，終將如竹籃打水那樣，雖然提取過多量的水，最後還是一只空籃！

莫吝「金針」度與人

有的人讀書只爲消遣和享受，願看就看，甚至會廢寢忘食地看；不愛看則或略加瀏覽，或翻不數頁就掩卷而眠，這種人即使讀書破萬卷，也如煙雲過目，一縱即逝，最多留下點模模糊糊的書影子而已。另一種人很明白怎樣讀書，如何有得，但只進不出，吞噬著別人的成果，塡塞自己的知識空白。這類人既不像牛那樣吃草出奶，也不像春蠶那樣嚙食桑葉而吐絲不止，直到獻出自己的生命。他們博覽群書，滿腹經綸，就是不出奶吐絲，不再生新的知識，不使人受益，還自鳴爲述而不作。這兩種人似乎都不足取，不可法。

還有一類人確是認眞讀書，尋行數墨地不放過吮吸一切可取的知識；也毫不吝惜自己的精力，焚膏繼晷地反復咀嚼，像蜜蜂釀蜜那樣，創造出新的有用知識，貢獻自己的成果，濟世利人。這是値得尊敬的。但是他們只是把精美的刺繡品應世，而未能把繡花的金針傳送給人。連金朝詩人元好問也未能免俗地寫出如下的詩句：「鴛鴦繡了從教看，莫把金針度與人」。也許這是元好問有所感而發，但從字面上看，卻是讓人知其然而不知其所以然，使別人只能仰之彌高而莫測高深。這不論有意還是無意，終不可取。

我尊重後一種讀書人。但這後一種人只給人舟楫而不曉人以行舟之道，未免遺憾。我雖不敢自詡「金針」在握，但鋼針、鐵針（由鐵杵磨成針）和生銹的針，總有幾支。愚者一得，或對讀書者有所幫助。

「讀書百遍，其義自見」，這是三國時董遇的一支金針，求學時我的老師也常引此語教誨我們。書讀百遍似是加重語氣，而非計算讀的遍數。但是，一些有內容有分量的書至少應讀三遍，不光要深讀，還要摘抄，摘抄至少你認爲有用的資料。摘抄時「寧失于濫，勿失于漏」。濫可刪除，漏則無法補救。在摘抄過程中不是機械運動，而是高度的精神思維、高度的邏輯思維。要把對資料的看法和解釋附注下來。這種觸景（資料）生情（看法和解釋）的點滴是十分可貴的。它往往在日後使用這些資料時能有啓示作用，並糾正別人的失誤和補充空白。當在摘抄資料後面加附注時，應嚴格劃分二者的關係而不容混雜。原始資料就是原始資料，個人見解就是個人見解，可以用括號、引號或其他標志加以區分。

摘抄讀書所得的資料積累日多，就需要分類以便掌握。積累了豐富的資料之後，就要進行考察核實和具體分析，一般採用排比資料、認眞分析、發現矛盾、深入研究、反復比證和求取結論的方法。待資料經過鑒定之後，就落腳到利用上。使用資料不像搜集資料那樣要求多多益善，而是應該以一當十，愼重選用，不遺漏有價值的資料，也不濫用和堆砌十分無意義的資料，務使資料各得其用。這樣才算眞正掌握了讀書之所得。

我沒有度人的金針，只能從好幾個「板凳寧坐十年冷」的磨練中，拿出這樣一枚微不足道而長了銹的小鐵針。如果有人不加嫌棄，拿過來繼續磨，直至把銹磨掉，或許還可用來補綴破衣爛衫，或廣織百衲成一襲長袍，盡一份應盡的力，果如此，當可徜徉于學海士林之中。

治學宜冷不宜躁

一九四九年仲秋，我和幾位年輕人被分配到華北大學歷史研究室，從師于范文瀾教授，學習中國近代史。在第一次見面會上，范老沒有講更多的理論，只是反復講了「坐冷板凳」和「吃冷豬肉」的問題。范老可能從我們的眼神里，看到我們對「吃冷豬肉」有點困惑，所以操著紹興官話比較詳細地闡述「吃冷豬肉」的道理。原來過去只有大學問家才有資格在文廟的廊廡間佔一席之地，分享祭孔的冷豬肉。范老用此寓意，勉勵後學——只有坐冷板凳的人才有資格成爲大學問家。范老的「二冷」精神在我一生的讀書、學習中，一直被置之座右。幾年之後，可能這位謹言愼行的老先生感到「吃冷豬肉」有爲孔夫子捧場之嫌，便改題爲「板凳寧坐十年冷，文章不寫半句空」，文字不同而寓意未變。

這種「二冷」精神，說來容易，做起來並不簡單。「坐冷板凳」不是坐一天，坐一個月，而是要成年累月終身坐下去。這種板凳不是一般的板凳，而是冷板凳，不是主席臺上的軟皮板凳，也不是會議期間照合影時中間那幾把熱板凳。對不少人來說，坐熱板不僅毫無心理障礙地樂于去坐，而且搶著去坐，願意常常坐，終身坐。坐冷板凳則不然，又冷又硬，又不著人眼。如果沒有堅忍不拔之志是難以坐下去的。許多大學問家都是坐冷板凳坐出來的。漢朝的董仲舒，不論在學術史上評價如何不同，但他無疑是位大學問家。其得力處就在于能坐冷板凳。董仲舒學問之精，在于「三年不窺園」，三年之久能不走出房門，甚至都不偷偷地掀開窗簾窺一下窗外的風光，可想而知他是多麼專心致志坐在那兒苦讀。董仲舒常引古人之言：「臨淵羨魚，不如退而結網」以自律。「臨淵羨魚」是一種躁動，揣手站在水邊，爲得魚者大聲叫好，空耗精神，一事無成；而「退而結網」者坐在冷板凳上默默地結網，終必能成一面大網，從心所欲地捕獲大魚。有些人雖坐而不能長久，終與學問無緣。范文瀾教授以新史學大師而爲時推重，提出「二冷」精神，沒有止于言論，更重要的乃在身教。在從師范門時，范老自居前院，終日坐在落地玻璃窗下的書桌前攻讀，有意監督學生不亂上街，能下帷苦讀。而當我們想偷偷溜出去，從他窗前經過時，范老總是手不釋卷，筆不停揮，我們只好縮回去，久之也就不再心猿意馬，而慣于坐冷板凳了。

讀書宜冷而不宜躁，冷能讀下去，能仔細讀。其收效不僅能得書之全貌，而且常常可以從字里行間，得到啓示。讀一本得益一本，看似遲緩，實則扎實。躁者不然，心浮氣躁，時而起行環顧，東攀西談；時而一目十行，掀頁如飛，看似瞬間「積書盈尺」，實則了無所得，其想成爲大學問家猶如緣木求魚。寫文章也要冷，要冷靜地搜集資料和構思撰寫，不鬧哄哄地追趕時髦，迎世媚俗，發無邊高論，寫空洞文章。這正是范老「文章不寫半句空」的眞諦所在。成文以後，也不要急于發表，因爲這時最容易昏頭昏腦地自我陶醉，而應先冷處理，請水平比自己高的或與自己水平不相上下的以及稍遜于自己的三類人看，集思廣益，然後冷靜下來，反三復四地修改、定稿。待文章或著作問世後，更不能熱氣騰騰，不可一世，而要冷靜地聽取各種意見，增訂糾謬。如此則身後「吃冷豬肉」，庶有望也。也只有如此，才能慢慢地走近大學問家的座位。

追本求原

最近因研究稿費問題而連及古代的潤筆，遂翻檢一些雜書，希望能找到一兩條有關資料，終於從清初趙吉士所輯《寄園寄所寄》卷七中搜尋到所收《珊瑚網》中有一條比較概括的記載，十分欣喜。所記隋唐潤筆實例有隋鄭譯和唐柳玭，它還引錄了宋人洪邁《容齋續筆》中一條有關資料。這條資料既講了潤筆的歷史，也舉出了五六個實例，很能說明問題，于是我就想以此爲據入文。《珊瑚網》據《容齋續筆》所寫的全文是：

> 文字潤筆，自晉宋以來有之，至唐始盛。李邕作文，受納饋遺至巨萬。皇甫湜爲裴度作福先寺碑，度贈車馬繒綵甚厚，湜大怒，度又酬絹九千匹。白居易作元稹墓志，謝以鞍馬、綾絹及玉帶之物，價當六七十萬。裴均死，其子持萬縑詣韋貫之求銘。劉禹錫祭韓昌黎文云：「公鼎侯碑，志隧表阡，一字之價，輦金如山。」

案頭適有容齋諸筆記，私念不知《珊瑚網》的引文是否準確，乃順手翻檢《續筆》，在卷六果有《文字潤筆》一則，即《珊瑚網》所引據者。相核之下，發現《珊瑚網》對引文頗多刪略。古人引文率多如此，本不足怪，但求無背原意。于是重加詳校，得如下數例：

⑴簡略事例：《續筆》有唐穆宗命蕭俛爲王士眞撰碑被拒事。文宗時，長安「大官卒，其門如市」。爲的是「爭爲碑志，若市賈然」。又記有宋人曾子開爲友人彭器資作銘而拒其子饋遺等事例。《珊瑚網》均略之。

⑵簡略情節：《珊瑚網》僅入劉禹錫祭韓愈文中的論斷，而略去韓宏得韓撰《平淮西碑》石本即寄絹五百匹和爲王用撰碑，得其子巨額饋贈等情節，又《珊瑚網》引《續筆》記皇甫湜與裴度爭潤筆事而略去皇甫湜大怒後的話。皇甫湜大怒曰：「碑三千字，字三縑，何遇我薄邪？」于是裴笑而如數付清，很有點像如今爭稿費的味道。這樣生動的重要對話竟被刪略，實不應該。

⑶寓意相反：有些刪略處往往牽涉到一個人的人品。《珊瑚網》引《續筆》所記白居易收元稹墓志酬金看來，白居易完全是個認錢不認人，毫無情義的小人；但《續筆》所引白氏《修香山寺記》中白氏自述云：「予念平生分，贄不當納，往返再三，訖不得已，因施茲寺。凡此利益功德，應歸微之。」原來白居易是一位非常重道義而輕錢財的君子。又引《續筆》記裴均死，其子持萬縑求韋貫之作銘，似韋貫之爲一好財之貪夫，實則《續筆》于其下尙有「貫之曰：『吾寧餓死，豈忍爲此哉？』」之語，則貫之不愧爲極重操守的大丈夫。《珊瑚網》信筆刪節，幾壞人名節！

徵引前人著作無可厚非，有所刪略也爲古人著書時之常例，但萬不可隨意行之，致違原意。至于讀書者，如見有引文，也當追本求原，免失原意。

挑水還是倒水

「採銅于山」和「廢銅鑄錢」是明清之際大學者顧炎武關于治學所指出的兩條不同道路。我在中年時曾讀過顧炎武的《亭林文集》，其中有一篇《與人書十》即寫有一段寓意深刻的話。顧炎武說：

> 嘗謂今人纂輯之書，正如今人之鑄錢。古人採銅于山，今人則買舊錢，名之曰廢銅，以充鑄而已。所鑄之錢既已粗惡，而又將古人傳世之寶，舂剉碎散，不存于後，豈不兩失之乎？

這是顧炎武向友人無私奉獻自己的治學經驗。他所謂的銅是指資料，採銅于山是教人要搜集原始資料，第一手資料。舊錢或廢銅是指轉用別人用過的資料，其結果是不知資料本原，所得出的結果像廢銅鑄出來的錢那樣，質量水平很差，甚至還會將原始資料曲解散碎。顧炎武所謂的今人當指和他同時代的人，看來這種用二手資料的事蓋有年矣，不過于今爲烈而已！我們現在所能見到的若干所謂著作和論文，其用「廢銅鑄錢」的情況可稱比比皆是，但卻能溷跡一時，不能不使人感到困惑。

某次，我曾以這一問題與一位學術前輩討教，他說，「採銅于山」與「廢銅鑄錢」確是亭林不磨之論，但難被放言空論者所接受，甚或也許被嗤爲舍近求遠。有些躁進者，不明採銅與用廢銅的道理。所以他要採用更淺近的比喻，希望有更多人接受。這位前輩提出了挑水與倒水之說，其說雖簡，其理甚明。他說，這是他多年治學經驗的普羅化概括。他向我申其說：挑水者，用桶從源源不斷的河里挑水，用完再挑，永無窮盡；倒水者則由別人從河里挑來的水桶中倒水，雖云輕而易舉，但倒水時潑灑一些，勢所難免，一如資料之一轉再轉而走樣。一旦桶空，則不知桶中水從何而來，只能望桶興嘆。繼而環顧四周，是否有挑好之水桶在等人去倒。如一生中只倒別人桶內的現成水喝，而不論清水混水，只要是水就行，其後果實不忍設想。

我靜聆教益，不禁嘆服前輩功底之厚，見解之深，能以淺近語言闡明深刻至理。「挑水于河」及「倒水于桶」二語與「採銅于山」及「廢銅鑄錢」二語雖比喻不同，而所指之理則一。我既服膺其說，時時與友生議論宣講，所得反應並不一樣：有欣然接受以之爲有裨于治學之高論；亦有視之爲迂腐之論者，認爲這是陳舊的辦法和思路，當今原始資料數量之多已非當年，事事追求本原，曠日持久，何時才能見成果。這是一種似是而非的議論，如果人人皆以取二手資料爲是，則水自有竭盡之時，其結果有如以廢銅鑄錢，雖貌似而質不如以原銅鑄錢。況且治學從無捷徑，必須付出艱辛，始能水到渠成，自結善果。其躁進而急于求成者，或能博一時之榮，換取職稱名位，其終也必將有若干捆載而入造紙廠者。暴殄天物，莫此爲甚！

不過，世界萬物亦不能絕對。或原始資料由於各種原因，一時難求；或急待成文，通權達變；或爲參加蜂擁而至的各種學術會議用作敲門之磚，不得不就近倒別人水桶的水等等。這些行徑，雖情有可原，終非善策。如實在不易追本求原，亦應標明從何人桶中倒來，以示此系轉引而來者。至于利用二次文獻及光盤檢索等手段，則又當別論矣。

一字之漏

書大致有三種讀法，一種供涉獵翻閱，一種備檢索查用，另一種則需一字一句，認眞細讀的。特別是要引作論據的書則非尋行逐句地去讀不可，更不可假手于人去抄資料，因爲我在十年前曾有過教訓而自我檢討過。不意近來又聽到某飽學之士曾教導其研究生讀書得其大要即可，這話不是沒有道理，只是過于籠統，不加區分，則難免貽誤後生，不得不重申舊說。

十年前，我在撰寫《林則徐年譜》時，涉及到鴉片戰爭時曾力圖挽回林則徐被遣戍命運的一位人物——王鼎的卒年問題。一般舊作相沿均作道光二十二年四月底，我則根據由他人從《顯志堂稿》卷七中代抄的馮桂芬代人撰寫的王鼎墓志，引用其首句記卒年爲「道光二十有四年四月戊申」，乃定王鼎卒年爲道光二十四年四月十二日，並以之入譜，自以爲訂正舊說，有所發現。

次年，我在改寫林譜增訂本時，爲了更充實我的新發現論據，考實王鼎卒年，曾函請陝西蒲城中學劉興仲老師，請他代向該縣王鼎祠堂探詢有無可資參證的文物資料。劉老師很快抄寄了祠堂石刻墓志全文，並承告知墓志是四塊橫列石刻，各高三十五公分，橫長一百零七公分，厚約十公分，字系楷書。「文化大革命」時被破壞，現在縣文化館完好保存著第一、二塊。

根據王鼎墓志石刻文，此志是由穆彰阿篆蓋，卓秉恬撰文。將此石刻文與《顯志堂稿》卷七所載墓志全文相對照，除個別有異外，所有內容均同，可見卓文即由馮桂芬所代撰。

石刻文首句即記：「道光二十有二年四月戊申晦，太子太保東閣大學士蒲城王公薨于位。」而《顯志堂稿》所載文則書「道光二十有四年四月戊申晦」，孰知這份代抄的馮文資料被漏抄一「晦」字。我即用這漏抄「晦」字的資料入譜，定王鼎的卒年爲「道光二十四年四月十二日」。這是一種失誤。如果當時我能重核原書則可發現此句本身的干支與所說的晦日不合。因爲道光二十四年四月戊申是十二日，而不是晦日，道光二十四年四月的晦日應爲丙寅，又非戊申，只有道光二十二年四月戊申才是晦日，因此也只有如石刻文首句所記「道光二十有二年四月戊申晦」方能使月日干支相合。又石刻文與《顯志堂稿》記王鼎生年與得年均作「公生于乾隆三十三年二月三日，薨年七十有五」，如以生年加得年則王鼎當卒于道光二十二年。石刻文無誤而《顯志堂稿》則誤二爲四。《顯志堂稿》因何致誤，究系馮氏原文筆誤，抑尚有其他原因，則文獻闕如，尚難考定。而我則因這一字之漏的粗疏，不僅魯莽地錯定了王鼎的卒年，而且還貽害于人，楊國禎教授撰寫《林則徐傳》時即採用了我這一「新說」，而使我深感內疚。

這一失誤說明抄寫資料，特別是引以爲據的資料必需親自動手，萬萬不可假手于人，而摘錄資料後不及時復查，使用時又不檢核原書尤足以致誤。這個教訓是應引以爲戒的。讀書切不可一概都得其大要，否則難免被粗疏之譏。

表體小議

人物是歷史長卷中的重要角色，人物的種種活動構成了絢麗多姿的歷史畫面，人物的端端業績顯示出民族的風采驕傲。兩千多年前的史聖司馬遷把本紀、世家、表、書（志）、列傳等五種不同寫作形式統一在一部書內，創立了一種便于表述歷史事件與人物的史體，爲後世所遵行，特別是紀、傳二體已是我國史書的主要體裁，積存了大量的寶貴資料，僅就《二十四史》中那些連篇累牘的傳記文字來說已是相當可觀了。但是，這大量資料除被專業工作者作爲考校研討的依據外，更多的民眾很難廁身于這一書山學海中去吮吸先民哺育後人的乳汁。因此使許多歷史人物的風範難以廣泛地垂教于後人。這不能不使我想到能以簡明形式概括豐富內容的表體。

表體本是司馬遷所創五體之一。司馬遷在《史記》中就用這一形式來解決煩雜的人物活動，如《漢興以來諸侯王年表》、《惠景間侯者年表》、《漢興以來將相名臣年表》等，將漢初那些傳不勝傳而事又難沒的歷史人物以表出之，既省文字，又與世家、列傳相爲補充。《漢書》有《古今人表》，不僅記錄人物，而且按人品論其高下，含有評論歷史人物的意義在內。後世學者更用表體來整理正史史料，提擷史事以便省覽者。清代學者尤善此體，其最負盛名的是清初著名史學家萬斯同之撰《歷代史表》。它廣徵博引，表列數千年史事而眉目清楚，無怪其同時代著名學者朱彝尊稱譽《歷代史表》一書是「攬萬里于尺寸之內，羅百世于方冊之間」。這是對表體最簡要而中肯的評定，是表之爲用又不止于人物。

可惜表這一體裁長期以來沒有受到足夠的重視和充分地利用，甚至竟有人不承認表的科學價値，以爲只有那些高頭空「論」才是著作。這種皮相陋見，不値一駁，即以陳垣先生的《二十史朔閏表》爲例，難道這不算著作嗎？許多人不僅做不出來，恐怕連使用這一成品都還要化點時間才行呢！十五六年以前，我的學生紀大椿遠居新疆，甘于淡泊，不辭勞苦，多歷歲月，編了一本《中西回俄歷表》，起于一八二一年，止于一九五〇年，共一百三十年。集中西俄回及太平歷于一編，既利翻檢，又惠士林，實爲一大功德。後來又見到一本題名爲《中外歷史名人簡表》，雖非鴻篇巨制，但其中卻包含著古今中外的政治、軍事、科技、文學、藝術各方面的名家一千七百餘人。表的作者從浩繁的資料中言簡意賅地概述了這些名家的生平和業績，讀者展卷，一覽可得，其對學術之貢獻，絕不亞于那種蹈空之「論」。

知識來源有多種渠道，閱讀專著、論文、雜文、隨筆，無一不可從中獲取知識，表當然也是輸送知識的渠道；但讀表要比讀其他文字更難，切不能以小道輕之。如果從讀表得到啓迪而更進一步善于把自己汲取到的知識納之于表，則不僅可以備省覽，便翻檢，也能訓練思維的概括能力。是表的效能固不容漠視，願好讀書者多留意于表體。

雜書不可不讀

學者多好讀官書，因其爲正式記載，而于筆記稗說則視爲雜書，或作消閑，或屏而不讀；但雜書往往有異說、新說，頗可資參證者。

清嘉慶後期的天理教起義爲清代具有較大影響的一次群眾反抗活動，不僅跨省聯手，而且深及宮廷肘腋。清代官書有所記載，私家著述也多所涉及，後世有關著作及教科書中更不乏記述。雖滑縣起義和進攻宮廷的具體時間略有先後，但事件的大致輪廓無甚出入，而對滑縣令強克捷死于當場則說法完全一致。《清史稿·仁宗本紀》中記稱：「馮克善、牛亮臣陷縣城，（強）克捷死之。」站在官方立場的蘭簃外史所撰《靖逆記》亦稱：「城陷，知縣強克捷死之。」因此強令身後備受清廷褒恤，賜謚建祠。直至道光二十六年林則徐巡撫陝西時，猶爲強子所出克捷遺墨三紙書後「以志向往之誠」，其影響深遠可知。病中讀嘉道時人張昀所撰《瑣事閑錄》，所記強克捷非死于滑縣而是乘亂逃往封丘縣令全福處隱遁，後因清廷明令褒恤無奈而自縊于縣衙東花廳。《瑣事閑錄》較詳細地記稱：

封丘邑侯全大令福與強公戊辰通譜。強公逃至封署，擬爲恢復計。比聞滑邑既失，公之眷屬已闔門遇難，即欲自盡。全大令再四阻之，且百計防範，所以潛居二十餘日，迄無知者。及恤典既下，全不得已，始具宴邀強公痛飲。二更天，延至花廳，將衣裳棺槨妥爲料理，握手拜別。強公乃從容捐軀，吁！亦悲矣！

這段記載雖然用了一些如「擬爲恢復計」和「從容捐軀」之類的掩飾性語詞，但仍能如實地寫下事實的眞象：強克捷是臨陣脫逃投奔封丘避難，因爲他與封丘縣令全福是嘉慶十三年換帖結拜的異姓兄弟，有相當密切的關係。全福也確實盡力保護這位盟兄弟，可是朝廷卻是按照容有失眞的報告，給予殉難者優遇，賜謚忠愍。「成」、「正」、「忠」、「襄」是謚法中最高貴的四個字眼，小小縣令能得到這類謚法，確屬異數。可能這次起義波及宮廷，影響甚大，有意重獎，但是卻把強克捷逼上了死路。不死不但一切榮譽毀滅，還要波及家庭；全福也無能爲力，再包庇下去，不僅無益于強克捷，自己也將獲重罪，出首又有負金蘭義氣，所以爲其準備好後事，設宴送別，不僅安慰，也可能有所動員，因爲擺在面前的只有自殺這條路可走。這段詳細的記事足可駁強克捷「死難」之說，至少是另一種說法。

《瑣事閑錄》的作者張昀曾于道光十五年任封丘令，親臨其地，時間相隔也不過二十餘年，故老舊吏猶在，採訪往事，諒非虛構誣人。雖爲孤證不能完全破除成說，但終成一說。官書所記，未可全信，私家著述，也未必無據。是雜書之不可不讀也。

夜讀《史記》　重溫題記

《史記》是二十四史中的第一部，雖然它只有五十二萬多字；但它包容了從傳說時代到漢武這樣漫長的歷史空間，記述了上自帝王將相，下至販夫走卒的事跡，爲後世留下了如此豐富的遺產。它熔鑄了多少史家文士，是後來任何史書所不能比擬的。也許是一種偏愛，我從讀高中時就從一位謝老師處借來讀，很快就被這部書的魅力所吸引，暗下決心，一旦有錢首先就購置《史記》。其他的各種史書雖然也大致翻讀過一下，但總不若讀《史記》那樣投入。五〇年代初，二十四史還比較便宜，我雖然只是一名大學的助教，但是，節衣縮食加上點小稿費也還買得起。經馮柳漪教授介紹，我終於得到一部廉價的帶箱子的五洲同文版二十四史。我把它安置在一面牆下，倒也爲我簡陋的書房增添了幾分姿色。當天夜里，我就把《史記》拿出放在案頭，書的馨香誘使我再一次讀《史記》。這次確比第一次讀得認眞，從此自定日課，每飯後燈下，即展卷而讀，偶有所得，雖不似宋朝學者蘇舜欽讀《漢書》遇會心處輒浮一大白那麼豪邁，卻也擊案稱快，筆之于書端。或有不解即起而查閱他籍，設藏書不足難以解惑則另作小箋，夾于書中，俟翌日到圖書館查清，凡此皆以墨筆記于書端。歷時二月，全數讀訖，乃以別紙寫題記云：

《史記》原名《太史公書》，它是我國偉大的史學家司馬遷以畢生精力所撰成的第一部紀傳體史書，上起黃帝，下迄漢武帝時期，記述了共約三千年的歷史。

司馬遷字子長，西漢左馮翊夏陽人（今陝西韓城）。漢景帝中五年（公元前 145 年），或者更晚一些時候，司馬遷出生在一個掌管國家典籍、檔案的史官家庭里。他的父親司馬談是一位學識淵博、對各家學術均有深湛研究的學者，也是一位通貫古今、從事通史撰寫工作的史學家。可惜，司馬談在生前沒有完成撰寫通史的宏願。漢武帝元封元年（公元前 110 年），司馬談在臨終的時候，把自己撰寫通史的願望和準備下的一些資料遺留給了兒子。司馬遷接受了這份寶貴的遺產，並表示了「請悉論先人所次舊聞，弗敢闕」的決心。

三年以後——漢武帝元封三年（公元前 108 年），司馬遷任太史令。他得到檢讀國家所藏圖書、檔冊和文件的便利，于是「紬史記，金匱石室之書」，廣泛地搜集了文獻資料，並結合過去到各地游歷訪問所採集的口碑資料進行研究。他又參加了漢朝政府的一些興革事宜，豐富了政治實踐的知識。經過這樣多方面的努力，司馬遷爲撰寫一部兩世傾注精力的通史作好了準備。

大約在武帝太初年間，司馬遷開始了撰史工作。天漢三年（公元前 98 年），漢武帝藉司馬遷爲李陵辯護而妄加罪名，處以「腐刑」。太始元年（公元前 96 年）武帝又任司馬遷爲中書令，「尊寵任職」。這是當時由宦官擔任的職務，致使司馬遷自認爲已處于一種「無益于俗」的屈辱生活中；可是他爲實現父親的遺願，也爲了把自己一生所見所聞的歷史面貌以及自己的觀點和理想留傳給後世，不顧屈辱，毅然繼續進行撰史工作。大約在征和二年（公元前91年），司馬遷基本上完成了自己多年辛勤勞作的這部史學名著。不久，司馬遷就離開了人世，其具體卒年已無從查考了。

《史記》是我國紀傳體史書的開創性著作，也是漢武帝大一統政權的產物，在我國文化史上產生了巨大的影響。司馬遷把本紀、世家、表、書（志）、列傳五種不同體裁形式統一在一部書内，創立了一種便于反映時代特點的嶄新史體。《史記》的内容不僅有政治、軍事，也有社會經濟、學術文化和宗教活動。不僅有帝王將相的事跡，也有社會上各種類型人物的成就和建樹。不僅有漢族的記事，也有漢族以外少數民族的專傳。司馬遷企圖把各方面情況統一包容在這一部巨著之内，使之成爲統一帝國的一座文化寶庫。

《史記》一百三十篇包括本紀十二篇、表十篇、書八篇、世家三十篇、列傳七十篇；但在《漢書》的《司馬遷傳》和《藝文志》的著錄中，已説十篇有錄無書。所缺各篇乃是褚少孫等人所補。《史記》的舊注，據説以東漢延篤的音義爲最古，但久佚不存。今存舊注以南朝宋裴駰的《集解》爲最早，繼起者是唐張守節的《正義》和司馬貞的《索隱》。一般慣稱爲三家注，原來都刻單行，北宋時始散注于正文之下。

《史記》古本僅有斷簡殘卷。三家注本全者，當以南宋紹熙間黄善夫本爲第一。涵芬樓百衲本二十四史的《史記》即據此本影印。明代廖鎧、柯維熊、王延喆、朱維焯四本都從黃善夫本出，而不如原本之善。明代尚有嘉靖、萬歷年間南、北監刻的二十一史本和毛晉汲古閣刻的十七史本等多種。清代通行的是乾隆四年武英殿刻的二十四史本，通稱殿本。還有各種據殿本複刻、翻刻和影印的本子。同治五年至九年間，金陵書局印行了由清代校勘學家張文虎等人校刻的《史記集解索隱正義合刻本》一三〇卷。這個校本是清代後期校勘精審的善本，後來簡稱爲金陵局本。今中華書局標點本即以金陵本爲底本，又進行合理編排，分段標點而成。

這篇題記前後寫了三個晚上，還參考了一些書，自我感覺良好。讀完一本書或一部書，寫篇題記已成爲我的一種讀書習慣。始作時較難，但積之日久也不以爲勞。寫好後夾在書中，以備溫故和不時之需。

一九六六年夏天，我的線裝藏書不幸遭到了意想不到的劫難。一個炎熱的下午，一群年青後生闖入家中，聲言掃四舊，而且自稱按最高指示辦事，我當然習慣性地認爲這是應該的，沒有什麼不同意的表示。年輕的勇士們首先看中倚牆巍立的那整套二十四史。爭先恐後地搬到家門前那一小方地，把書倒出，把樟木小書匣摔成木片架在一起點著。樟木易燃，火勢熊熊，整抱的史書一次次的拋到火堆上，我只能痴痴地在旁垂手而立，不敢亂說亂動。書箱和書多少年來像親兄弟那樣，相依爲命，從未分離。我呆呆地看著火勢，內心悲切地目送這些朝夕相處的親兄弟同歸于盡。我忽地想到「煮豆燃豆萁」的故事，雖然不是書箱對史書的「相煎何太急」，但仍然隱約地聽到若斷若續的「豆在釜中泣」那種書的呻吟。勇士們得勝回朝地走了，我從燼餘中搶出一些沒有燃盡的書，像從死亡邊緣上搶救出垂危者那樣慶幸，一時忘卻了大量線裝書的被毀。一經整理，啊，天佑我也！原來我曾加過若干眉批的《史記》除了有些煙薰火燎的氣味外，竟然完整地保存下來。也許它在亂拋中被其他書所壓裹而幸免于難。我急忙翻開書，看到那篇題記好像不問世事的老人一樣，安詳地躺在書頁間，我欣喜地重讀了一篇，又夾入書中，把這套完整的《史記》安置在許多洋裝書的後面，免得再遭「掃四舊」之厄。我沒有想到，剛剛進入九〇年代，中華書局就邀我主編《中國史學名著選》中的《史記選》。當書的編選標注工作結束時，照例由主編寫篇前言。我想起我三十年前寫的那篇題記，趕忙找出來，一看尚不過時，只要穿靴戴帽一番，就立成一前言。語云：「閑時準備忙時用」，確是前輩的經驗之談。

春節前後，家人不能再姑息容忍我亂攤亂放的惡習，比較婉轉地「勒令」我清掃整理，于是我收拾書包過新年，把橫七豎八的書放整齊，翻開的書則夾上條子放回原地，一時間書房書桌立見清明。但是書還是要讀的，驀然想起，近幾年有些過去愛讀的書被時新的書擠掉而有點生疏了。我想到曾共遭劫難的那部《史記》，于是從書架上拿下來，整整齊齊地端放在書桌的一個角上，一篇篇地翻讀，主要是玩味三十年前的那些眉批，有時竟興高采烈地笑起來，自我陶醉于個人的「高見」，甚至按捺不住地想告訴家人，我三十年前的見解就如此高明，至今也不過時，確是經受了時間的驗證，但終於控制住沒有說出來。除夕之夜，我已經讀到《太史公自序》這篇作爲開動全書之鎖鑰的最後一卷。我最鍾情于這一卷，因爲它幾乎是全書的縮本。奉勸願讀書者，如不能讀全部《史記》，至少讀讀這篇自序。我曾爲這篇自序寫過幾萬字的箋注，雖未達到問世的水平，但確有助于我讀這樣一部史學名著。就在書的末尾，我又重見了這篇題記，故友重逢于除夕夜，非緣云何？雖然我幾乎已能全文背誦，但仍然像剛放下筆的新作，搖頭咂舌地反復溫讀，陷入到幾十年前的圖景中。三十多年的韶光已逝，一切似夢般地過去了；但我仍然情動乎中地濡筆記其經緯。但願人間不再有那麼些令人心悸的日子和景象，讓更多的司馬遷寫出更多的《史記》吧！

讀流人的書

流刑是古代五刑之一，是一種輕于死刑，重于徒刑的懲罰手段。傳說舜時已用流刑代替肉刑。漢成帝時帝舅王鳳在乞退時仍以流刑作爲一種寬宥。隋唐以來，即正式以流刑入于「笞、杖、徒、流、死」的五刑之一。于是，有許多人便以政治或刑事原因受到這種懲處，受到流刑的人便被稱爲流人。清代受流刑的官民較多。其中以方拱乾家族前後兩次赴戍爲最著名。

方拱乾，初名策若，字肅之，號坦庵，晚號甦庵。安徽桐城望族。生于明萬歷二十四年，卒于清康熙五年，終年七十一歲。崇禎元年進士，官少詹事。入清後官至內翰林國史院侍講學士。順治十四年受南闈科場牽連；次年，與長子孝標等入獄被流徙寧古塔。順治十六年七月抵戍所，十八年赦歸，輯在戍期間詩作近千首爲《何陋居集》。又就在戍時所知見，撰寫《寧古塔志》。

《寧古塔志》雖成書于赦歸後之康熙二年，但有意著述及搜集資料當在戍所。全書分立七目：有流傳、天時、土地、宮室、樹畜、風俗、飲食等目。文字質樸而記事翔實，可備研究東北史地之參考。

其《流傳》一目中記寧古塔得名的傳說云：

相傳當年曾有六人坐于阜。滿呼六爲寧公，坐爲特，一訛爲寧公臺，再訛爲寧古塔矣。固無臺無塔也。

其《土地》一目記東北耕地情況說：

隨山可耕，官給人耕地四畝，一行如中華五畝，無賦稅焉。地貴開荒，一歲鋤之，猶荒也，再歲則熟，三四五歲則腴，六七歲則棄之而別鋤矣。

其《風俗》一目記當地之以物易物情況說：

不用銀錢，銀則買僕婦田廬或用之；錢則外夷來貢時求作頭耳之飾。至粟豆交易，或針或線或煙筒，大則布，裕如也。

類此尚有若干足資考證者。清初人董含所撰《三岡識略》卷三《寧古塔》條曾記寧古塔的居住與種植情況，並稱：「桐城方孝廉膏茂曾戍其地，爲余道其詳如此。」膏茂爲方拱乾第四子，曾隨父遠戍寧古塔。

是書《說鈴前集》嘉慶本題作《絕域紀略》，爲同書異名也。

與方拱乾同案同時被流徙寧古塔者，另有詩人吳兆騫。吳兆騫（1631-1684）字漢槎，江蘇吳江人。他出身于父子兄弟皆有詩名的官宦之家，時有「兄弟皆名世，詩篇盡擅揚」之譽。兆騫少慧狂傲，以才華橫溢而享名于士壇。順治十四年以南闈科場案牽連入獄，次年判處流徙寧古塔。順治十六年春，與方拱乾全家及其他幾位文士同路起行赴戍。清末朱克敬撰《儒林瑣記》收人不多，而吳兆騫與焉，並記其軼事一則說：

> 吳兆騫字漢槎，江蘇吳江人。幼彗，傲放自矜。在塾中見同輩所脱帽，輒取溺之。塾師責問，兆騫曰：居俗人頭，何如盛溺。師嘆曰：他日必以高名賈禍。順治十三年，舉辦鄉試，坐通榜，謫戍寧古塔，居塞外廿餘年不得歸。其友顧貞觀素善明珠子成德，時時爲請，又以語激之，德爲盡力，久之得赦歸。兆騫詩風格道上，如「山空春雨白，江迴暮潮青」，「羌笛關山千里暮，江雲鴻雁萬家秋」。皆一時傳頌。

康熙二年春，其妻葛氏到戍所。次年秋，其子振臣生于戍所。經友人顧貞觀等的活動，于康熙十九年納金贖歸，次年九月起行入關，其子振臣年已十八，隨父同歸。十一月中始抵京師，與在京學者文士詩文酬唱，杯酒交歡，並在明珠宅授讀。二十一年底歸省吳江，二十二年春抵蘇州，父兄均已去世，僅存老母。六月間，又攜振臣返京。二十三年十月，兆騫病逝于京師。振臣自回歸後，又歷時四十年，年已五十八歲，始就戍所見聞，撰寫《寧古塔紀略》一書，以記其父漢槎遣戍往還始末爲主，間及當地風情物產，而所記設置、官守、史地等情況則語焉不詳，頗遜于楊賓之《柳邊紀略》及西清之《黑龍江外紀》等書之足資參考，僅可備瀏覽參閱而已。

清人葉廷道在所著《吹網錄》卷四有《寧古塔紀略》專條，評論其書，並述兆騫遣戍事。頗得要領，特錄其內容云：

與大瓢（《柳邊紀略》撰者楊賓）同時有吳漢槎之子振臣撰《寧古塔紀略》一卷，志其父出塞入塞顛末，亦及其地之山川、城郭、物產、土風，而不如《柳邊紀略》之詳備。書中稱其父順治丁酉秋獲雋，變起蕭牆，橫被誣陷。以戊戌八月赴戍寧古塔。其母葛日夕悲苦，必欲出塞省視。其祖燕勒公哀而壯之，爲料理行計。庚子冬，自吳江起行，辛丑二月五日到戍所。振臣以康熙三年甲辰十月生于寧古塔，至辛酉十八歲隨父歸。書則著于六十年辛丑時，其齒已五十有八矣。振臣之歸在大瓢出塞之前數載，而其著書反在大瓢之後（楊書成于丁亥年，見林桐序）。所記視大瓢僅得二三，蓋童年閱歷，未知延訪，衰齡撰述又不免遺忘，人事所限，固無怪其然耳。至漢槎賜環之事，振臣言同社諸公，如宋右之相國、徐健庵司寇、立齋相國、顧梁汾舍人、成容若侍衛，不忘故舊，而其中足趼舌敝，以成茲舉者，則大馮三兄之力居多。又言洎乎《長白山賦》入，天心贊嘆，溫詔下頒。卷首張尚瑗序亦言漢槎《秋笳集》，昆山司寇公爲刊行，更以所著《長白山賦》進呈御覽，並輦下諸故人大僚，醵貲代贖，遂得以辛酉入塞。歸甫四（原鈔四下一字漫滅，不知是年是月）疾卒。舊傳漢槎歸後即歿，或云在京，或云在途溺水，其說不一。今觀紀略，只云文人薄命，溘焉捐館，未著何年何地，而張序則已明言歸後疾卒。又大瓢書中記漢槎還，病且死，猶思食寧古塔所居籬下蘑菇，則非在途溺水可信。惟大馮三兄，振臣但言壬子拔貢，在京考選教習，迄未詳其里籍名字也。

振臣別有《閩游偶記》見收于《小方壺齋輿地叢鈔》補編第九帙。振臣生于戍所，曾歷經「邊山沙漠、黑松林、烏龍建及遼金遺跡」。入塞後即游食于親友間。康熙四十六年應其戚福建汀州府馮協一（疑此人或即大馮三兄）之邀入幕；五十二年，馮調守臺灣，振臣偕往。《閩游偶記》即在此時所寫之風土雜錄。《閩游偶記》記福建、臺灣二省之設置、風俗、人情、物產及傳說等，尙簡要可信。所有吳越商人預買福建龍眼、荔枝，福建的茶產，閩臺間的海道及臺灣少數民族情況等條均有可資參考之處。

康熙五十年，方拱乾之孫方登嶧因《南山集》案及父方孝標《滇黔紀聞》一書牽連，孝標已歿仍被戮尸，登嶧則入獄。五十二年底，登嶧攜全家赴戍卜奎（齊齊哈爾附近），這是桐城方氏繼方拱乾科場案全家被遣戍之後的第二次全家被遣戍，登嶧子方式濟即在戍所撰成《龍沙紀略》一書。方式濟（1676-1717），字屋源，號沃園。康熙四十八年成進士，授中書舍人。後隨父赴戍，並在戍所「據所見聞，考核古跡」，著《龍沙紀略》，爲世所重。清末學者李慈銘曾贊其書說：「其書記載詳核有法，于山川尤考證致愼，爲言北塞所必需」。龍沙之名源起《後漢書》班超傳贊中「咫尺龍沙」一語，後即沿爲塞外通稱，方式濟即以之言黑龍江情事。《龍沙紀略》分方隅、山川、經制、時令、風俗、飲食、供賦、物產、星宇等九門，共一四四條，所記皆爲耳聞目見，並經稽考群籍，實輿地不可少之書。是書版本較多，有澤古齋鈔本、《昭代叢書》本、借月山房本、《述本堂詩集》附刻本、《朔方備乘》本、《小方壺齋輿地叢鈔》第一帙本，近人林傳甲輯印之《龍沙六種》本等。式濟子方觀承又撰《卜魁風土記》，雖不過十數則，但仍可補

《紀略》之不足。卜魁者，臺站名稱，在今齊齊哈爾附近。康熙三十八年後，黑龍江將軍駐扎此地。其以「卜魁」名書者，蓋指黑龍江而言。另有英和撰《卜魁紀略》也以記黑龍江之建置、設官、風俗、物產等爲主要內容。

這些流人的書不僅存知識分子流人的艱辛困苦之狀，也爲研究東北史地提供有用資料。但還有一部比這些書內容更豐富的書，那就是楊賓所撰的《柳邊紀略》。楊賓（1650-1720），字可師，號耕夫，別號大瓢山人。康熙二年，其父楊越因牽連通海案被遣戍寧古塔，其母偕行。楊賓時年十三歲，在家照料弟妹。成人後即游幕四方。康熙二十八年，楊賓四十歲時，值康熙南巡，曾吁請代父就戍，因牽連通海案，罪重不允。于是決定赴戍省親，于當年九月啓程，十一月上旬抵戍所，二十餘年，始獲一聚，悲喜交集。在省親途中，他周覽岩疆要地，訪問墜聞逸事，對道里、城郭、屯堡、民情、土俗、方言及河山之險巇厄塞，都加以記錄。這些調查爲日後撰著《柳邊紀略》奠定了充實的資料基礎。楊賓在戍所僅停留三月，即爲謀求父母贖回而奔走，不幸其父于康熙三十年病歿于戍所，按清朝規定，流人不得歸葬，于是楊賓又歷經一年餘的反復請求，始獲準返葬。在喪葬完畢後，楊賓即根據多年積累的資料，著手撰寫《柳邊紀略》，直至康熙四十六年全書完稿。《柳邊紀略》內容豐富，資料確切，敘述詳明，所記柳邊沿革及東北地區情況都有重要的參考價值，是東北流人著作中的佳作，曾被全祖望等著名學者所徵引，後世學者如梁啓超等也譽其爲開研究邊疆地理風氣的學術名著。康熙五十九年，楊賓卒，年七十一歲。

《柳邊紀略》有道光《昭代叢書》壬集補編和《小方壺齋輿地

叢鈔》第一帙的一卷本，還有光緒《仰視千七百二十九鶴齋叢書》、《遼海叢書》第一集和《叢書集成》的五卷本。

讀這些流人的書，不禁感嘆他們在文化專制主義和高壓政策下的悲慘遭遇。但他們仍能在困苦環境中，不忘其社會職責，竭盡全力地調查研究，著書立說，爲後世遺留足資參考的珍貴歷史資料。這種不畏艱巨的拼搏精神，既體現中國士人的韌性，也很值得後人敬佩！

讀奇人奇書

寒夜燈下讀《常談》一書，不禁訝其人之奇，其書之奇。撰者劉玉書，字青園，出生于距今二百餘年的清乾隆三十二年（1767），歷經嘉慶、道光兩朝。他是漢軍正藍旗人，深研周易、左傳，又善騎技擊，中過秀才，下過武場，但「跌宕詩酒，不樂仕進，授徒自給，隱于都市」。是位文武全才的高士奇人。道光後期，他已年逾古稀，著《常談》一書，稿藏名山，直至光緒二十五年始由其從孫達斌編次刊行，此奇書始問世。雖名爲老生之常談，實爲絕佳之奇書。刊行時卷首有高駿烈題跋，評《常談》之作是「紬評經史，因事察理，條分縷析，不爲奇辭奧義，而言近旨遠。類能闡前人所已發而文轉新，擴前人未發，而論必正，俾人讀之心易感，繹之味無窮。使非行已昭焯，入理堅深，事變周知，智識超曠，何以及此。」

入理堅深，頗得是書之要。《常談》于雜書中確乎獨具一格，既不志異說怪，又不爬梳陳文，而能就讀書見聞，剖析事理，自陳見解，不苟同于流俗。其闢鬼神迷信，論史論學諸說，皆有可取。

撰者論學術風尚，重在求實。卷一論明末書院講學爲「尙論唐虞，空談孔孟，不切時務而自鳴其高」。與漢之清流、晉之清談，「其無益于國皆類此」。尤痛斥東晉之虛浮說：「拂塵清談，虛無是尙，世以爲賢，吾不知也」。卷三又說：「士多尙晉人風致，此浮華書痴積習，最無足取」。可爲今之束書不讀，放言高論者鑒。撰者于治學多平實可取之論，如卷三論注釋典故之原則是：「凡注釋詩文中典故，必以常見通行簡明之書爲據。」論學術爭論的態度是：「考證則可，標奇皆不必」。此皆乾嘉早期學風，而非末流之炫奇逞博。

撰者闢鬼神迷信甚力，卷二有云：「今人好語怪，是誠少所見而多所怪也。」自承對鬼神仙佛之論「頗違眾好」。卷三又曰：「余家世不談鬼狐妖怪事」。考場冤冤相報，人言鑿鑿，而撰者則稱：「若謂冤鬼纏繞，宿孽追尋，何時不可，而必俟場期耶？倘其人不試，將置沉冤于不問乎？此理易知，又何疑爲！」

撰者論史尤具卓識，卷一論漢高祖「所惡者不在儒也」，而在衣儒者衣冠及自稱儒者之腐儒。論明建文諭不傷燕王爲「有類宋襄」，評建文「仁柔性成，雖無燕王之難，終不能鎮撫國家」。更有貴者，筆鋒之所向，直指君王，如卷三有云：「歷觀史鑒，自古人君下詔求賢求直言者每每。其究也，用賢幾人，從諫幾事，屈指可數，徒具虛文以美聽聞，又何益！」于清朝行事也有微詞，如卷四記康熙之纂《古今圖書集成》則稱「微末士一見尤難，況購之乎？」隱指其不實際之憾。惟于反抗者頻致誣詞，于圈地內之佃戶辱稱「疲頑」，則時代局限之糟粕，爲瑕不掩瑜之筆。

撰者生于清代文網高張之際，能著筆論史議政，實屬難能，此或是書未能早獲刊行之緣由。乾隆強行文化專制而終不能絕處士之橫議，可嘆也夫！

清人筆記隨錄

筆記的特點，內容為「雜」，形式為「散」。故歷代著錄多入雜家與小說家。《隋志》入《風俗通義》于雜家，入《世說新語》于小說家。《宋志》入宋祁《筆錄》（《四庫全書總目》子部雜家類四著錄《筆記》三卷，即此書）于雜家，入釋文瑩《湘山野錄》于小說家。《四庫全書總目》于雜家、小說家之下又分多屬，如雜家類入《容齋隨筆》于雜考之屬；入《夢溪筆談》、《居易錄》、《池北偶談》于雜說之屬；入《韻石齋筆談》于雜品之屬，入《鈍吟雜錄》于雜編之屬；而《天香樓偶得》、《天祿識余》則存目于雜考；《冬夜箋記》、《筠廊偶筆》則存目于雜說。其小說家類，凡「里巷閒談詞章細故者」，如《清波雜志》、《癸辛雜識》等均隸于記錄雜事之屬。他如《今世說》、《隴蜀余聞》則存目于雜事之屬；《板橋雜記》、《簪雲樓雜記》則存目于瑣語之屬。後此著錄大體遵四庫成規。

歷代筆記數量無確實查考，而清代筆記數量確已超越前代，《聽雨軒筆記》跋中曾云：「康熙間，商丘宋公漫堂、新城王公阮亭皆喜說部，于是海內名士，人各著書。今匯集于《昭代叢書》初、二兩集者，不下數百種，較之前明百家小說已倍蓰矣。」若再增入其他叢書收錄本及單刊本，則其數量必相當可觀，所謂筆記至清而極盛，信然！余好讀雜書，而館藏又多筆記，乃以三余之暇，隨時瀏覽，每竟一種，輒爲一錄，匆匆歲月，積有成數，爰摘數篇，以餉同好。

《閩小紀》四卷　　周亮工撰

周亮工字元亮，一字緘齋，櫟園，學者有稱他爲櫟下先生的。河南祥符人。明萬歷四十年（1612 年）生，清康熙十一年（1672 年）卒，年六十一歲。明崇禎十三年進士，任山東濰縣令、浙江道試御史。入清後，歷任兩淮鹽法道，淮陽海防兵備道，福建按察使、布政使，都察院左副都御史，戶部、吏部侍郎。順治十二年以事被劾入獄，十八年赦歸。康熙元年，復任山東青州海防道，江南江安督糧道等。八年又被劾去職，旋卒。子周在浚爲撰《周櫟園先生年譜》，簡記生平，附于《賴古堂集》。此外記周亮工生平的傳記尚有多篇，如《清史列傳》七九有傳，姜宸英：《湛園未定稿》六有墓志銘，魯曾煜：《秋塍文鈔》三有傳略，林佶：《樸學齋文稿》有傳。他如《清畫家詩史》、《國朝名家詩鈔小傳》及《國朝名人輯略》等均記有櫟園的行事。

周亮工是清初著名學者和藝術鑒賞家，精于書畫、印章的鑒賞。著述甚富，有《因樹屋書影》十卷、《讀畫樓畫人傳》四卷、《印人傳》四卷及《賴古堂集》二十四卷等多種。《閩小紀》是他任官福建時雜記當地風物之作。

《閩小紀》是清代較早記述福建地方風土、人情、物產、工藝、掌故的雜著。後出有關諸作如《閩雜記》、《閩游偶記》多仿其體例，採其內容，如《樸荔》、《紙籲》等條均被後出諸作所輯取。

是書記福建物產情況如茶、荔枝、龍眼、蘭花等特詳，如卷一的《尤物》、《唱龍眼》、《魚鱿嬌》、《閩茶》、《樸荔》，卷二的《樹蘭》、《蜜漬蘭》，卷三的《蕃薯》、《長樂瓜荔》等條皆是。他如卷一《江瑤柱》，卷二《海參》、《西施舌》等條之記海產；卷一《閩酒》條之記造酒；卷一《收香鳥》、《鷓鴣》等條之記禽類；卷一《江嶠臣》、《吳平子·林公兆》、《德化瓷》等條之記特種工藝，都有可供採擇參證之處。

是書原收入《四庫全書》，以「自始至末，皆談閩事，究爲方志之支流」而「附書地理類」。乾隆五十二年，清政府發現收入四庫中的李清所著《諸史同異錄》中有詆毀清朝統治的字句，于是又重新檢查所收各書，把李清、周亮工、吳其貞和潘檉章四人所著十一種書從中撤出，但各書副本及提要仍存宮中。一九六四年，中華書局出版《四庫全書總目》時把能找到的九種書的提要——即李清的《南北史合注》、《南唐書合訂》、《歷代不知姓名錄》，周亮工的《讀畫錄》、《書影》、《閩小紀》、《印人傳》，吳其貞的《書畫記》和潘檉章的《國史考異》等份提要補錄在《總目》的後面，題爲《四庫撤毀書提要》。至于是書究因何窒礙而被撤毀？通讀全書似仍在懷明而詆清，如卷四《鼓山茶》條說：

> 鼓山半岩茶，色香風味，當爲閩中第一，不讓虎丘、龍井也。……一云：國朝每歲進貢，至楊文敏當國，始奏罷之，然近來官取，其擾甚于進貢矣。

所謂「楊文敏」當指明代歷事四朝的楊榮，卒謚「文敏」。則所謂「國朝」乃指明朝無疑，而二卷本改作「前朝」，尤爲明證。所謂「近來」當指在閩撰書之時，即清順治四年至十二年間。所記直斥清初「官取」特產之擾，甚于明之進貢，而明之進貢尚爲楊榮所「奏罷之」，則櫟園之左明右清，昭然可見，也無怪它的被撤毀。

《閩小紀》有四卷本、二卷本和一卷本。四卷本是康熙間賴古堂家刊本，刊印較好，內容也較完整；但也有略于他本者。二卷本有二種：一是賴古堂刊二卷本，一是《說鈴》前集二卷本，後者比前者稍多，後來的《叢書集成》本、《龍威秘書七集》本、《古今說部叢書》第八集本、《說庫》本等均同《說鈴》前集二卷本。二卷本所刪節者主要是四卷本所錄入的詩文。一卷本見收于《小方壺齋輿地叢鈔》第九帙，因二卷本流傳較廣，此本遂無足重輕。

《閱世編》十卷　　葉夢珠撰

葉夢珠字濱江，號梅亭。上海人而著籍婁縣學。生于明天啓三年癸亥（1623 年），卒年則不詳。惟葉氏別著《續編綏寇紀略》卷首有清康熙二十七年自序，書中復有康熙三十幾年紀事，則康熙中葉時必尚在世，估計時年當在七十歲左右。

葉氏于明亡時二十一歲，入清五十年，其主要生活在于清。但對明亡似有惋惜，而對清初之裁抑東南漢族地主階級頗爲憤懣，所以把他涉世六十餘年所見聞的世務筆之于書，而撰成《閱世編》。這部書共分天象、歷法、水利、災祥、田產、學校、禮樂、科舉、建設、士風、宦績、名節、門祚、賦稅、徭役、食貨、種植、錢法、冠服、內裝、文章、交際、宴會、師長、及門、釋道、居弟、紀聞等二十八門。它主要涉及到明清之際以松江爲中心的這一地區的自然、政治、經濟、文化、風俗、人事各方面情況，記述頗稱詳備。它的體制雖爲備纂輯府志時的採擇，而于治史者尤資參考。

這部書最引人注目的是有關明末清初的社會經濟資料。近人論著中已多所徵引。這些資料的特點是議論比較平實而記載比較具體、非若一般「文人之筆」的空泛。其中田產、賦稅、食貨、徭役各門對當時的社會經濟、人民負擔及民生狀況等都有細致的記載，如卷一《田產》門及卷七《食貨》門記土地及米、布、柴、鹽、煙、茶、糖、肉、紙張、藥材、干鮮果品、眼鏡、顧繡等生活必需品和手工藝品的價格都有詳備的記錄，並比較了各年價格的升降來反映順、康時期土地與民生的變化狀況，實爲他書所不及。卷六尚記「奏銷」及增徵等事，都和清初裁抑東南縉紳地主有關。清朝入關後，一面圈佔土地，扶植滿族新生貴族地主；一面爲鞏固政權，對有礙于最高統治權的「紳權」施加一定的壓力——如追繳積欠、增徵錢糧等。同卷還記康熙十五年因「軍興餉缺」，而對縉紳地主增徵地丁錢糧的規定。

清朝對于東南，特別是蘇松地區縉紳地主的這種裁抑，有利于進一步鞏固既得的政權；但它決不意味著減輕了人民的任何負擔。從這部書所記載的內容看，人民除賦稅、地租外，尚有無窮無盡的徭役。卷六的《徭役》門僅記松江地區的徭役就有大役與小役。大役有布解、北運、南運、收催、收兌；小役有排年、分催、總甲、塘長等繁多的名色。另外還有雜差，更是巧立名目，濫用民力。讀此編所記徭役的具體情況，宛如親見人民輾轉呻吟于重役之下。

葉氏由於清初裁抑東南縉紳地主政策而觸及他的切身利益，如卷六所明言「予爲親友所累，亦在奏銷之列」。加以當時文網尚疏，所以書中不時流露出各種不滿情緒，如卷二揭示考生功名的賣價；卷四記「初定江南」時的「士風疲靡」；卷六記徭役之累；卷八、九以服飾、宴會爲例來說明風俗的衰敝，卷十更直書「太祖果于殺戮」等等。正因爲這樣，這部書才保留了一些「實錄」，成爲清人筆記中有重要參考價值的一種。可能也正因爲有這些內容，所以此書一直沒有刊本。

這部書對于自然現象也很注意記錄，有些難免陷入示儆人事的寓意中，但具體資料仍有重要參考價值，卷一的《天象》門所記地震資料頗備，尤爲可貴，其記康熙十八年京師大地震的資料爲他書所未詳載。

這部書向無刊本，傳鈔也少。一九三四年，上海通（志）社從松江圖書館借閱此書鈔本，因書中「所涉上海舊聞足資考證者極夥」，遂于一九三五年排印收入《上海掌故叢書》中爲一種，並在書末寫跋，簡要介紹全書內容。一九八一年來新夏加以點校，由上海古籍出版社出版，列入《明清筆記叢書》。

《廣陽雜記》五卷　劉獻廷撰

劉獻廷字繼莊，一字君賢，別號廣陽子。直隸大興人，但大部時間居吳下。清順治五年（1648 年）生，康熙三十四年（1695 年）卒，年四十八歲。一生不仕，以教讀著述爲事。康熙二十六年曾一度至京參與《明史》及《一統志》的纂修工作，與萬斯同、顧祖禹等共事。萬斯同是當時「于書無所不讀」的博學之士，但「最心折于繼莊」（全祖望撰傳）。王表（王源撰墓表）稱道繼莊于「禮樂、象緯、醫藥、書數、法律、農桑、火攻、器制，傍通博考，浩浩無涯涘。」全祖望撰傳更進一步申論繼莊的學術造詣說：

> 繼莊之學，主于經世，自象緯、律歷以及邊塞關要、財賦、軍器之屬，旁而岐黃者流，以及釋道之言，無不留心，深惡雕蟲之技。其生平自謂于聲音之道，另有所竊，足窮造化之奧，百世而不惑。

榭山評論也可獲證于《雜記》。《雜記》不以類次，乃隨手札錄之作；但其方面之廣、論識之精、記述之細，確如榭山所說，固未可以「雜」而忽略它。

繼莊距今三百餘年，而識見甚新穎可喜。他的厚今、求實之說是當時不可多得的高論。《雜記》卷二甚至以唱歌、看戲、看小說、聽說書、信占卜、祀鬼神比爲儒者六經，並抨擊腐儒誤人，可稱有學有識。他說：

> 余觀世之小人，未有不好唱歌、看戲的，此性天中之詩與樂也；未有不看小說、聽說書者，此性天中之書與春秋；未有不信占卜，祀鬼神者，此性天中之易與禮也。……夫今之儒者之心，爲芻狗之所塞也久矣，而以天下大器使之爲之，爰以圖治，不亦難乎？

繼莊鄙棄章句之徒，力主博通古今實用之學。卷二曾說：

今之學者，率知古而不知今，縱使博極群書，亦只算半個學者。然知今之學者甚難也。農政一事，今日所最當講求者，然舉世無其人矣。

繼莊更告誡他的弟子要多務實學說：

陳青來執贄于予，問爲學之方。予言爲學先須開拓其心胸，務令識見廣闊爲第一義；次則于古今興廢沿革，禮樂兵農之故，一一淹貫，心知其事，庶不愧于讀書；若夫尋章摘句，一技一能，所謂雕蟲之技，壯夫恥爲者也。

繼莊深明醫道，能有所創見，而不墨守湯頭脈訣。《雜記》中錄有當時善醫者的處方和病人實踐結果甚多。卷二即記有馬紹先以勞動治失眠的療效說：

馬紹先，山東長山縣長白山人，其尊人馬負圖，字希文，甲午舉人。紹先嘗患病，夜不得寢，醫皆不效，乃自以其意爲園圃十餘畝，親操耒耜，學爲圃于其間，久之疾愈。是亦可謂善治疾者矣。

繼莊史學造詣頗深，于史事不信陳說，每據傳聞，加以調查，然後證實。如卷二載稱：

余聞張獻忠來衡州，不戮一人，以問婁聖功，則果然也。

此說正可駁獻忠好殺之謗。

繼莊于聲音之道，尤具別識。卷二中的「臘底諾語」、卷三之「太西臘頂話」即指今之所謂拉丁語。他曾撰《新韻譜》，所涉及的語種頗多，已有比較音韻學的意向。全祖望撰傳中記此事說：

> （繼莊）嘗作《新韻譜》，其悟自華嚴字母入，而參之以天竺、陀曼尼，泰西蠟頂、小西天梵書曁天方、蒙古、女直等音。

此可見繼莊語言學知識之深，亦以見當時學人眼界之廣。《雜記》還記有自然現象的變異情況，如記康熙十八年的地震災情說：

> 康熙十八年七月二十八日巳時地震。京城倒房一萬二千七百九十三間，壞房一萬八千二十八間，死人民四百八十五名。

這段文字不多，但記載簡要，可與葉夢珠《閱世編》卷一所記情況相印證。

繼莊生平，有近人王勤堉編《劉繼莊先生年譜初稿》，係據《廣陽雜記》、《廣陽詩集》稿本及同時人的有關著述，以記交游、著作爲主。譜後附《家族考》、《遺詩》及潘祖蔭撰《廣陽雜記跋》等著作爲主。譜後附《家族考》、《遺詩》及潘跋。

《雜記》傳本既多，內容自有歧異，據潘跋所述，似當以此本爲善。中華書局即據此本排印，是現在的流行本。

《柳南隨筆》六卷、《續筆》四卷　　王應奎撰

撰者王應奎，乾隆時人，字東溆，常熟人。雅善詩文，而以餘力撰二筆，所記內容以評論詩文爲主，間涉掌故軼事，略有考證。其于錢謙益著墨頗多，不僅述其詩文、學術、生活瑣事，更于卷二詳記錢氏迎降時所貢禮品單，描述其屈膝媚態，以揭示牧齋之丑行。清人謝章鋌對筆記之作曾廣爲評論，盛贊《柳南隨筆》論事公正，「其于錢受之雖爲同鄉，不爲盛名所怵，時有微詞，尤足見好惡之公」（《賭棋山莊集·課餘續錄》卷四），對明末名動一時之陳繼儒也深譏其不學無術，盜名竊譽。

清朝入關後，爲籠絡遺老遺少，于康熙十六、七年舉行博學鴻儒科，于是「隱逸之士亦爭趨輦轂，惟恐不與。」是書卷二即有專條記博學鴻儒科之徵召及當時的輿論。卷五記明末地主譚獻對農民之額外勒索，「凡佃人每戶課其紡織娘凡幾枚，以小麥桿爲籠盛之，攜至郡城，每籠可得一二百錢，其巧于取利如此。」可謂取之盡錙珠。

《隨筆》于經史有論述，如卷一論句讀之難，卷三、四嚴衍輯《通鑒補》之甘苦，卷四論《讀史方輿紀要》等，均于讀書有補。其于俗稱及吳中方言也有所考訂，如考丈人、先生、風涼等詞頗可資談助。又所記乾隆中之官場稱謂也可與後來稱謂之日趨諂媚相比較，此條爲《越縵堂讀書記》、《郎潛紀聞》卷十、《燕下鄉脞錄》卷八等書所引錄而有所發揮議論。

《隨筆》前有乾隆五年顧士榮序，稱譽此六卷隨筆爲「搜遺佚則可以補志乘，辯訛謬則可以正沿習，以至考詩筆之源流，究名物

之根柢，著《虞初》、《諾皋》之異事，標解頤撫掌之新聞。」顧氏甚至擬此書于宋洪邁之《容齋隨筆》，似嫌稍過；但《柳南隨筆》一書較清人筆記中專談神怪詭異、因果報應而蕪雜無序者確爲尚可一讀之書。

《續筆》于明清之際地主階級的奢侈生活與慳吝本性記述頗詳，暴露淋漓，如卷二記徐汝讓的豪奢、徐啓新的慳吝，極具典型。尤以《剃須償米》條記官僚地主惡少顧威明擁田四萬八千畝而肆意揮霍淨盡之惡行，令人憤憤。據說某次演牡丹亭傳奇，飾杜麗娘之男旦不肯剃須，勒索「去須一莖，償米七石」，「顧笑曰：此細事耳！即令一青衣從旁細數，計去須四十三莖，立取白粲三百石，送至其家。」不四五年，田產賣盡，「卒以逋賦爲縣官所拘，自縊于獄。」咎由自取，死何足惜！

卷二《碧螺春》條記洞庭名茶碧螺春之得名，各書多有記及，而以此書爲最詳。此茶產洞庭東山碧螺石壁，有異香，採茶人爭呼嚇殺人香。康熙三十八年，康熙帝南巡，蘇撫宋犖進此茶，康熙帝因其名不雅，乃命名碧螺春。

《續筆》前有史學家邵齊燾乾隆二十八年癸未序，時王氏已辭世數年。序文綜述二筆說：「君雅好著述，嘗雜記言事，名曰《柳南隨筆》，身自校刻。翰墨餘暇，復成《續筆》四卷，卷中所載，略同前編，或傳流俗，不道于縉紳；或論涉詩文，有資于風雅。」《續筆》前尚有王應奎自敘，署乾隆丁丑立秋日，即二十二年秋，時撰者年七十四歲，則其生年當爲康熙二十三年。邵序寫于乾隆二十八年，云王已死數年，則當卒于乾隆二十五年前後，得年當在七十五至七十七歲間。自序頗有自知，自評二筆，尚稱平允。後來諸家筆記如葉廷琯《吹網錄》卷五、鄒弢《三借廬筆談》卷十與俞樾《春在堂隨筆》等均有所論及，而近人張舜徽更于所著《清人文集別錄》本條下肯定二筆說：「讀其所著《柳南隨筆》、《續筆》而服其淹博，則其一生所長，又不但雅善吟詠而已。」以我所見，二筆在眾多清人筆記中不失爲有用之作，而《續筆》當優于《隨筆》。

《柳南隨筆》六卷初有乾隆五年精刻本。二筆合刊則有多種：有《借月山房匯鈔》（嘉慶本、景嘉慶本）第十五集本、《澤古齋重鈔》第十二集本、《申報館叢書續集·談藝類》本及《叢書集成初編·文學類》本。一九八三年，中華書局出版由王彬等據《借月山房匯鈔》本爲底本的點校本。次年，黃強琪據南寧師範學院圖書館所藏乾隆五年原刊本與中華點校本相校：中華本于錢謙益均諱稱某，原刊本直指其名並記錢之丑行，而中華本則刪略其事實。是借月本已有所諱避，故黃氏稱：「應以原刊爲依據，再參校其他版本」（《清史研究通訊》1984年第3期），實爲讜論。

《嘯亭雜錄》十卷　　昭槤撰
附：《嘯亭續錄》五卷

《嘯亭雜錄》是清人筆記中頗負盛名之作。它的撰者汲修主人是禮親王昭槤的自號。昭槤又號檀樽主人，是清太祖努爾哈赤第二子代善的後裔。乾隆四十一年（1996年）生，道光九年（1829年）卒，年五十四歲。昭槤是清室貴族中具有一定學識者。嘉慶七年曾授散秩大臣，十年襲爵。但爲人貪酷，倚勢欺人，對同在朝列的大僚和爲其奔走效勞的王莊莊頭，設有不遂其意時，也即加指斥、凌辱，甚至使用非刑。嘉慶二十年，昭槤被匿名控告凌辱大臣、勒逼莊頭和濫用非刑等罪名，被革爵圈禁。二十一年閏六月提前釋放。道光二年一度任宗人府候補主事，郁郁以終。昭槤的生平資料，曾由何英芳轉錄附載于中華書局排印本後，可備參考。

昭槤的貪酷事實具見《東華續錄》所載的上諭中說：

> 此案程幅海之子程建義充當莊頭二年，並未欠租，兼有長交租錢。昭槤因于大海增租，謀充莊頭，即將程建議革退，並令照于大海加增之數，加找二年租銀。程建議之父程幅海不從，昭槤派護衛柳長壽前往程幅海家搶割莊稼，拆毀房屋，又將程幅海父子叔侄六人圈禁。昭槤自擲瓷瓶于地，用瓷片劃傷程建議、程建忠脊背百餘道，至于流血昏暈。似此以酷濟貪，虐我赤子，實出情理之外。……昭槤承受世封，席豐履厚，平日以田租細故，在順天府、步軍統領、刑部等衙門，涉訟累累，而于府第中仍如此非刑虐下，實屬奇貪異酷，僅止革去王爵，不足蔽辜，俟結案時仍當治以應得之罪。（嘉慶二十年十一月己酉諭，卷三一二）

昭槤爲人殘刻，已事實昭然，但清人對其學識卻多有推重，即如孤芳自賞的龔自珍在與友人信中自承深受昭槤教益說：

> 王于天聰，崇德以降，瑣事丕事，皆說其年月不誤，每一事輒言其原流正變分合，作數十重問答不倦。自珍所交賢與不賢，識掌故者，自程大理同文而外，莫如王也。

所云程同文，字春慶，浙江桐鄉人，官大理少卿，著《密齋文集》。自珍與之交往論學頗頻，爲所折服者之一，乃以昭槤與之並論，其推重可見。但此箋末署「道光二年閏三月」，箋中始言「故和碩禮親王諱昭槤」，末又言「王沒矣，無以報王」，則昭槤當歿于道光二年以前，而官書雜著均明著其卒于道光九年，多方考察，未得其解，姑記此存疑。

與龔自珍同時的張祥河也是當時著名詩人學者。多評論人物，而于昭槤又盛贊其學識說：

> 禮親王昭槤以殘刻褫爵，其學問淵博，待賓客甚厚。吳中蔣香杜廷恩、畢子筠華珍皆延至府中，談宴爲樂。嘗見其自度曲，眞得元人遺意。（《關隴輿中偶憶編》）

清季李慈銘于人少所許可，于書又多加雌黃，獨于《嘯亭雜錄》則以褒立論，其讀書記中說：

> 閱《嘯亭雜錄》，所載國朝掌故極詳，間及名臣佚事，多譽少毀，不失忠厚之意。其中爵里字號，間有誤者，而大致確實爲多，考國故者莫備于是書矣。（《越縵堂讀書記》頁 1028）

《嘯亭雜錄》所記爲道光初年以前清代的典制、政事、武功、學術、文藝及人物掌故等。所記多爲親歷見聞，以論典制爲多，如《國初定三院》、《國初官制》、《本朝內官之制》、《盛京五部》、《王府官員制度》、《軍機大臣》、《內務府定制》等則皆有關官制；《宗室科目》、《本朝狀元宰相》、《兄弟鼎甲》、《老年科目》、《青年科目》等則皆有關科舉；《漢軍初制》、《八旗之制》、《駐防》等則有關軍制。這些記載，不僅記其沿革，尚有實行情況及利弊得失，而內容生動詳盡尤可補史書的不足。其記武功者有《緬甸歸誠本末》、《平定回部本末》、《臺灣之役》、《癸酉之變》諸篇。其記學術者有《淳化帖》、《金元史》、《文體》、《稗史》等則。其記政事則有《聖祖拿鰲拜》、《理足國帑》、《禁抑宗藩》、《郭劉二疏》及《軍營之奢》等則。《郭劉二疏》記郭琇疏揭高士奇之貪污好貨已多爲人知，而《軍營之奢》條足見政治之腐敗，官僚之奢靡。其記稱：

> 軍中靡費甚眾，其帑餉半爲糧員侵蝕，任其濫行冒銷。有建昌道石作瑞，曾侵蝕帑銀至五十餘萬兩。然其奢費，亦屬靡濫。延諸將帥會飲，多在深箐荒麓間，人跡之所罕至不與焉。有某閣部初至，石爲饋珍珠三斛，蜀錦一萬匹，他物稱是。……軍中奢靡之風，實古今之所未有也。

他如記恆恪親王弘晊「其俸粢除日用外，皆置買田產、屋廬，歲收其利」（卷六《恆王置產》）。又卷九《權貴之淫虐》條記權貴之惡行。這些不加曲諱的直筆使後人得窺眞相，也爲一般士夫筆墨之所不敢及。

此書記人物掌故特多，上起清初諸帝、文臣武將、文人學士，下至里巷人物，既詳記事實，持論也尚平允，如卷七《錢辛楣之博》條論錢大昕學術稱：

凡天文、地理、經史、小學、算法無不精通。所著《經史答問》數卷，其暢發鄭、賈之學，直接嫡乳，非他稍知皮毛之可比者。近時考據之儒，以公爲巨擘焉。又習蒙古語，故考核金、元諸史及外藩諸地名，非他儒之所易及者。……聞其歸後，曾著《元史續編》，採擇頗精當，惜未見其本焉。其所著小學諸書，翻切頗爲精當。

其他若干人物生平行事也多可從此書得其約略。

此書于社會風貌也有所記，如記京師之作口技者說：

京師有善作口技者，能爲百鳥之語，其效畫眉尤酷似，故人皆以「畫眉楊」呼之。余當見其作鸚鵡呼茶聲，宛如妖女窺窗。又聞其作鸞鳳翱翔，戛戛和鳴，如聞在天際者。至于午夜寒雞，孤床蟋蟀，無不酷似。一日作黃鳥聲，如睍睆于綠樹濃陰中，傅孝廉崧觸其思鄉之感，因之落涕，亦可知其伎矣。（卷八《畫眉楊》）

綜觀全書，記事翔實可據，不似其他筆記之泥沙混雜，但也難免有失誤處，魏源：《聖武記》曾評卷十《書光顯寺戰事》一則係「據其外祖父綽爾鐸之行狀，顚倒草錯，于地勢、賊情、軍事，無一相應。」但終瑕不掩瑜。

昭槤尚有《嘯亭續錄》五卷。其內容、體例與《雜錄》相仿。其記服飾者有《紅絨結頂冠》、《金黃蟒袍》、《大臣賜紫》、《黃馬褂定制》、《花翎藍翎定制》、《服飾沿革》等多條；其記樞廷機構有《批本處》、《上書房》、《南書房》、《上諭館》等條；其記學術文藝者有《本朝欽定諸書》、《小說》、《考據之雜》、《古史筆多緣飾》、《明史稿》諸條。所論學術尙稱有識，惟《小說》一則仍從有關世道人心立論。

《續錄》也一如《雜錄》，記人物掌故最多。如記王鳴盛之貪說：

王西莊未弟時，嘗館富室家，每入宅時，必雙手作摟物狀。人問之，曰：「欲將其財旺氣摟入已懷也」。及仕宦後，秦諉楚諉多所乾沒，人問之曰：「先生學問富有，而乃貪吝不已，不畏後世之名節乎！」公曰：「貪鄙不過一時之嘲，學問乃千秋之業。余自信文名可以傳世，至百年後，口碑已沒而著作常存，吾之道德文章猶自在也。」故所著書多慷慨激昂語，蓋自掩貪陋也。（卷二《王西莊之貪》）

王鳴盛爲乾嘉名家，與錢大昕、趙翼並重于時，無此記載，又何能知其言行卑鄙齷齪如此而遂其欺世盜名的願望。又記法式善的鄙吝稱：

性吝嗇，自諸生起家，終身未居要官，及沒時，家貲八萬，書史他物稱是，實良能也。予書室以紗糊窗，先生見，責曰：「何暴殄物力至此？」嘗與先生坐談至午後，出粽食之，其糖皆暗然若漆，而先生食之甚甘，亦可覘其儉也。（卷四《時帆之吝》）

法式善爲乾嘉學者、詩人，其生性如此，實難想象。

此書記商民之富有多則，如卷二《本朝富民之多》條記京師米賈祝氏的「富逾王侯」，懷柔郝氏的「膏腴萬頃」，市販王氏的「築室萬間」。卷三《安三》條記明珠家人安圖，「其子孫居津門，世爲鹺商，家乃巨富」。甚至大僚學官也致身于商業經營，如湖南學政褚筠心解任後，因圖利「以宦囊開凶肆」，人笑之而不顧（卷二《褚筠心》）。

昭槤對因殘刻革爵始終耿耿于懷，《續錄》卷三特著《性情之偏》一則，引述唐郭子儀杖死判官張譚、宋陳執中虐死婢子三人，漢魏相撻斃婢子諸事例以自況，並論稱：

> 諸公皆當世名卿賢相，其過失如此之甚，終未以此罷斥。何況懲治強暴，法雖奇刻，究未致斃，乃使先王封爵自余而失，深有所愧恥也。

此昭槤公然對處分不滿，當時或其書未刊，或文網已疏。

《嘯亭雜錄》所見刊本有光緒六年九思堂刊八卷，並續錄二卷。此本耀年序稱係于光緒元年春經醇親王「細加厘正，並原稿而刪節之、編次之，凡五閱月而成完書」。宣統元年中國圖書公司又鉛字排印《雜錄》十卷，《續錄》三卷。此排印乃據端方所藏精鈔本，據端方序說：

> 《嘯亭雜錄》一書，原版久毀，舊印罕見。滬上曾有活字本，則脱誤累累，不足依據。近得精鈔本，久置篋衍。適中

國圖書公司議搜集本朝掌故諸書，爲近世史作參考之用，因以藏本授之。

孫殿起《販書偶記》卷八附注此鉛字排印本稱爲最善。一九八〇年十二月中華書局排印正續錄爲一冊，收入《清代史料筆記叢刊》，何英芳點校說明敘版本流傳情況甚詳。中華本即以上海圖書公司鉛印正錄十卷、續錄三卷本爲底本。又補入啓功先生所藏《續錄》第四、第五卷抄本共一百三十七條，成正錄十卷、續錄五卷本，成爲接近昭槤稿本原貌的一種佳本。中華本有點校者所輯附錄二種：其一爲九思堂刻本多出之條目和大段文字。其二是昭槤的生平資料，都對研究本書和撰者有所裨助。

《春在堂隨筆》十卷(附《小浮梅閒話》一卷)　俞樾撰
附：《薈萃編》二十卷、《耳郵》四卷

撰者俞樾，字蔭甫，晚號曲園居士。浙江德清人。清道光元年(1821 年)生，光緒三十二年(撰主卒于是年十二月二十三日應爲公元 1907 年 2 月 5 日)卒，年八十六歲。道光三十年進士，歷任編修、河南學政，以事免歸。終身從事學術研究，曾主講杭州詁經精舍三十餘年，爲清代著名經學大師。著述宏富，著有《春在堂全書》四百六十四卷行世。

《春在堂隨筆》是俞樾雜著之一種。全書分卷列條，每條無標題，乃隨筆札錄而得。其「春在」之名因試詩中「花落春仍在」句爲曾國藩所激賞，「因顏所居曰春在堂」，是書卷一曾闡明此義。

是書涉及範圍較泛雜，大致可分幾類：

㈠記撰者科場經歷、生平遭遇、講學課士及著述等情況，並及個人游蹤與名勝遺跡。

㈡記撰者爲人題贈及序跋之詩文。

㈢記撰者經眼之名人遺墨及金石碑刻，間有考證，可供收藏家鑒賞所參考。

㈣記仕宦佚聞、學人著述，並及域外日人、西人的學行著述等。

㈤轉錄前人筆記說部若干則，如宋之《夷堅志》、明之《留青日札》、《西湖志》，清之《香祖筆記》、《柳南隨筆》、《藤陰雜記》、《鷗陂漁話》、《湖壖雜記》等。其中卷九評《柳南隨筆》記曹大家之「家」字讀「姑」爲泥于古音，而主張依今音讀若加。又卷六記《聊齋志異》鈔本；卷九載《續西游記》作者董說《楝花璣隨筆》鈔本，並辨明董說（若雨）明亡時方二十五歲，卒于康熙二十五年六十七歲，應屬清人，而以它書作明人爲非是，附記董說別名甚詳，可補《南潯志》的不足，此二條可供研究小說史的參考。

㈥記局刻經史情況頗詳，又記陳鶴撰《明紀》的編纂過程，有裨于版本目錄學的研究。

㈦記異聞異說，如卷四，卷六記諸暨包立身抗拒太平軍事，其中有一則雲得自浙江護撫蔣益灃奏疏。另記傳聞，多爲荒誕不經之說。

《小浮梅閑話》附隨筆後，不分卷，前綴小言稱：

> 余曲園之中，有曲池焉。曲池之中，有小浮梅檻，僅容二人

促膝。夏日，余與內子坐其中，因錄其閑話稍有依據者爲一編云。

《閑話》主要談演義小說而探求其題材依據，其中涉及之書有《封神傳》、《琵琶記》、《三國演義》、《西游記》、《隋唐演義》、《包公案》、《西廂記》、《西樓記》、《今古奇觀》及《紅樓夢》等。其涉及之人物有姜太公、西施、孟姜女、昭君、蔡邕、貂蟬、薛仁貴、楊業、狄青、包拯、宋江、方臘等。

是書考索演義小說本源，比其異同，可稱考證小說專著。于演義小說人物雖不必處處求其原始，但亦足備研究小說史之參考，附于《隨筆》之後，當稱貂尾。

《春在堂隨筆》收入《春在堂全書》內，有光緒二十五年刊本。另有《清代筆記叢刊》及《筆記小說大觀》第二集本。一九八四年江蘇人民出版社出版由張道貴、丁鳳麟標點本。

《薈萃編》二十卷，署曲園居士纂輯，是俞樾自清初文集中選錄若干小傳記事而成。書前有光緒七年自序稱其纂輯緣起乃見于錢儀吉、李元度、李桓等人所輯碑傳多屬名公巨卿，而「匹夫匹婦一節之奇，往往淹沒不著，誠私心悼之。游覽諸家文集，隨手摘錄，積久遂多，不忍遂棄，篋而藏之」，此可見輯者選錄要旨。又何庸于是書付印校閱後所寫《弁言》中更申明編者之用心云：

> 捃摭各書所有忠孝節義等事之可歌可泣者，薈萃成書。搜羅閎富，去取謹嚴，大要總以發人之善心，懲創人之逸志，不啻詩三百篇于溫柔敦厚中寓筆削褒譏之意。

是書凡二十卷，其前十四卷錄男子，僅一二處涉及女子。後六卷專錄女子。所錄清初人文集近三百種，如魏裔介、侯方域、汪琬、李光地、李容、黃宗羲、朱彝尊、王源、李紱、劉大櫆、全祖望、杭世駿、袁枚、沈德潛、朱珪、朱仕琇、盧文弨、朱筠、姚鼐、戴震、武億、周廣業、桂馥、嚴可均、錢大昕、施閏章、王士禎、潘耒、洪亮吉等名家文集均在搜羅之列。

所收錄人物大都爲明末清初人，雖非名公巨卿，但記事亦間涉及明清之際政局變化，其中某些隱逸之士亦或牽涉政局而有可供採擇之處；但編者所採集之文集今多具在，無須以此爲據，用者可循此以求索原集。

是書每則後均注明出處，此正學者輯書的佳處，以其便于稽求，非若說部家雜鈔眾書而不注明來源。每則後時有「曲園居士曰」，則係撰者發揮封建倫常觀念的議論，或引述類似事跡，無足取用。

《薈萃編》有申報館叢書餘集本，另有《申報館叢書續集·說部類》本及《筆記小說大觀》第七輯本。

《耳郵》四卷，署羊朱翁撰。羊朱者，俞字之切音。此亦爲俞樾雜著筆記之一種。俞氏時負盛名，經子著述甚富，或以此爲小道，故隱其名。其書序自識成書緣由稱：

> 余吳下杜門，日無長事，遇有以近事告者，輒筆之于書。大率人事居多，其涉及鬼怪者十之一二而已。其用意措辭亦似有善惡報應之說，實則聊以遣日，非敢云意在勸懲也。因耳聞者多，目見者少，故題曰《耳郵》，猶曰傳聞云爾。昔宋

張端義著《貴耳集》，取尊聞之義。文人好奇，鷗户蚓閣固有所受之矣。

此序頗近實，書名取法于張氏貴耳尊聞之意。其自陳「耳聞者多，目見者少」，正以明事之不盡有；其言「非敢云意在勸懲」，而正以所言爲因果迷信之說以寓勸懲。至若「吳下杜門」似發泄其因事落職的怨憤。最後明確揭出此書不過「文人好奇」之筆墨而已。

是書凡四卷，大抵以書節孝義烈，因果報應爲主，談鬼說怪者確乎不多。所記節孝義烈以婦女爲多，輯者雖對未婚守貞者微有異義，但所論終不出封建道德規範，而作衛道之言。其卷三有一則記天津混混之横說：

天津市中，無賴少年，往往于博場索規例錢，諸博徒亦樂應之。然其始得也，頗不容易。余寓天津時，有粗作人田升，日往來于博場，一日見有醉人昂然而至，上不衣，下不褲，止以尺布蔽下體。一入局中，便肆口謾罵，博徒群起，各執白木棍痛打之。然打者自打，罵者自罵，至體無完膚，氣息僅屬，猶喃喃不絕口。于是群嘆曰：好漢！好漢！以童便飲之，又以溫水滌其血污，負而歸之。開局之家，自此月有規例矣。斯人也，豈所謂北方之強者歟？

余少時居津，久聞此說，並目睹混混者流之蟹行街衢。俞氏記云聞之粗作人田升，而細核文字，與張燾《津門雜記》卷中《混星子》條第二段所記雷同，張記刊于光緒十年，俞著不詳成書年代。俞若剿襲張記，何必又云爲田升所見而返告，抑俞氏故作假托。若張依俞說則《耳郵》時無刊本，張似難見，姑存疑待考。惟俞氏一代經師，無論耳聞，抑或轉鈔，能注意社會底層，終稱難能。

是書有《申報館叢書續集·說部類》本及《筆記小說大觀》第三輯本。一九八六年岳麓書社出版合《耳食錄》爲一冊，由陳戍國點校。

《蕉軒隨錄》十二卷　　方濬師撰

方濬師字子嚴，號夢簪。安徽定遠人。道光十年（1830年）生，光緒十五年（1889年）卒，年六十歲。咸豐二年進士，歷官侍讀、廣西道員，並曾任職于總理各國事務衙門，爲近代洋務派官僚。同治八年就其歷年讀書心得，見聞所及，刪繁舉要，寫定《蕉軒隨錄》十二卷。

是書涉及範圍甚廣，經史詩文、政事典制、掌故遺聞、洋務吏治均有涉及，其中以清代爲多而不局限于清代。所記清代官制掌故頗多，如卷一《太必兔》條、《協辦內閣事》條，卷二《三品小京堂四品少卿》條，卷三《軍機處》、《清語官職》，卷九《官常》，卷十一《儲貳金鑒》及卷十二《侍讀》、《官場稱謂》諸條均可供研討清代官制的參考。

撰者生當近代，清朝國勢日衰，中外交涉紛然，又曾任官總署，遂于鴉片戰爭頗致非議，卷八《海洋紀略》一篇，集鴉片戰爭時期若干文奏及以後洋務見聞，材料雖不足，而議論純屬洋務派觀點。其于黃爵滋之嚴禁論雖曰「黃固正論」，但于許乃濟之弛禁論則又譽爲「許官粵東監司久，所議亦不爲無見」，並抨擊鴉片戰爭之起爲「事激則變」。林則徐勒繳鴉片本爲無可訾議的義舉，當時後世皆有定評，而方氏獨持異說云：

> 今乃勒繳煙土，彼商原爲謀利而來，利不獲而並其本沒之，激之甚而反相陵者勢也。文忠斯舉，不無遺憾！

方氏所說，究竟誰爲戎首，混淆是非，鴉片戰爭之發豈非由我激變，釁由我起？此固洋務派官僚爲侵略者辯護之讕言。

是書于清代若干重大案件曾據諭旨材料條貫始末，如王亶望之甘肅收捐監谷案、盧見曾之兩淮提引案、柏葰之戊午科場案等皆詳加臚述，可備參證。

是書記清代人物也有可供採擇者，如卷四《華爾》、卷七《記睿親王事》、卷八《閻百詩》、卷十一《勝克齋》等條皆是。惟卷四《徐文誥案》一條則大肆攻擊包世臣，始而斥包爲「文人欺世盜名」，繼而攻包所著《安吳四種》爲「其實迂謬不通」，更就徐文誥一案記事之歧異而譏包爲「掉弄筆頭之陋」。慎伯好作大言，固是一病，但讀其《安吳四種》能記及社會經濟、吏治政事，于考史者有所裨助，其議論亦可備一說。方氏抨擊不遺餘力，難免有自逞意氣之嫌，至其何至如此憤懣，尚難得其原委。

方氏于清代漢學宋學之論尚能持正，卷七《漢學宋學》條有云：

> 漢儒重師傳，淵源有自；宋儒尚心悟，研索易深。漢儒或執

> 舊文，過于信傳；宋儒或憑臆斷，勇于改經。計其得失，亦復相當。惟漢儒之學非讀書稽古不能下一語；宋儒之學則人人皆可以空談。其間蘭艾同生，誠有不能盡饜人心者。

書前有同治十一年李光廷序，記此書撰作緣起，尚有可觀。

孫殿起《販書偶記》卷十二著錄此書作：「蕉軒隨錄十二卷，續錄二卷。定遠方濬師撰，同治十一年退一步齋刊本。」我所讀此書也爲同一刊本，但僅隨錄十二卷，而無續錄二卷。此本扉頁有孫福清題「蕉軒隨錄十二卷」，李序也未言及有續錄之作，而細檢全書也並無續錄痕跡，然則孫記所云續錄，不知何指。

方氏《退一步文集》卷四有《復董韞卿書》，自謂《隨錄》仿《容齋五筆》，于當代掌故，搜羅較多，溫經讀史間有心得者，理足則言，不蹈漢宋門戶之見。方氏此言，僅得其半，掌故可備參證，經史則難言深致。

清人謝章鋌《課餘續錄》卷四著錄有《蕉軒隨錄》十二卷，並按稱：

> 定遠方濬師子嚴著，子嚴家世群從皆值中書，故熟于掌故。此書所記前輩遺事足廣見聞，至評騭文字，考辨經史則所得未深，多偏駁之言。其阿諛隨園，尤令人失笑。及門黎生覺人托揚州友人向子嚴家乞取寄閱。（《賭棋山莊集》）

李慈銘于方氏其人其書攻之尤力，同治十三年五月初四日，越縵讀《蕉軒隨錄》後記稱：

定遠人方濬師《蕉軒隨錄》十二冊。濬師由舉人、中書充通商衙門章京，得擢廣東道員。其人本不足齒，而復強作解事，妄談經學，中言詩文，諂附時貴，卑鄙無恥，文理又極不通，梨棗之禍，至于此極，乃嘆鬼奴之爲害烈也。（京師人稱通商衙門官員爲鬼奴，以其諂媚夷人無所不至也）至其贊呂晚村而詆黃黎洲、閻潛邱，極頌袁子才而痛詆王述菴、包安吳、潘四農，所謂虺蝮之性，迥殊好惡，非特蜉蝣撼樹而已。謂阮文達因諂事和珅，大考眼鏡詩，和授以意旨，得列第一，尤小人狂吠之言。（《越縵堂讀書記》下冊，頁1022）

余讀其書，于謝李所言，固有同感，但越縵則失于激切！

《鳳麓小志》四卷　　陳作霖撰
附：《運瀆橋道小志》、《東城志略》、
《金陵物產風土志》、《炳燭里談》三卷

陳作霖字雨生，號伯雨，晚號可園、可園老人。江蘇江寧人。生于清道光十七年（1837年），卒于1920年，享年八十四歲。清光緒元年（1875年）三十歲時成舉人，未求仕進，即以授讀、校書、修志、著書爲業。撰者博涉多通而著述閎富，一生著書數十種，其曾孫陳鳴鐘爲撰《可園老人著述目錄》具載其著述。

撰者是近代從事地方文獻纂輯與研究而卓有貢獻的學者。陳三立曾論其一生成就稱：「凡省府縣志局、書院、學堂、官書局、官報局、圖書館之屬，先生皆互董其役終其身，因以著書百數十卷，躋爲通儒」（《散原文集·江寧陳先生墓志銘》）。撰者曾自述生平撰

《可園備忘錄》。一九八五年撰者曾孫鳴鐘曾洗印一輯惠贈，並題稱：

先曾祖陳作霖先生《可園備忘錄》原稿本抗日戰爭期間散失，輾轉爲前國立中央圖書館所有。建國後，又歸南京圖書館珍藏。近年來集先曾祖遺稿，每以不得此稿爲恨。今荷來新夏教授垂注，並承南京圖書館惠予縮微制片，夙願得償，不勝雀躍。謹復洗一輯奉贈來新夏教授以志雲天高誼云。陳鳴鐘謹識于中國第二歷史檔案館，一九八五年十二月十四日。

《鳳麓小志》係《金陵瑣志五種》第二種，經始于光緒十二年。是年撰者就館于鳳凰臺山麓李宅。每當春秋佳日，輒與學生、兒子「陟躋岡阜，搜勝探奇，就父老以咨詢，感古今之興廢，歸即翻閱故籍，證以見聞，體系條分，」旋因事中輟。十年後，于光緒二十五年又在友人慫恿下，重加理事，「散者萃之，缺者補之」，經三月而成書四卷。撰者自序詳述全書內容云：

分志地、志人、志事、志文四大綱。爲考三、述二、記五、錄二，都十有二篇，命之曰《鳳麓小志》。其敘云：棲鳳山岡，散爲平麓，淮岸城隅，天然疆域，委巷通衢，縱橫南北，歧中有歧，無往不復，考街道第一。江南佛寺，創自赤烏，衍及典午，實繁有徒，華嚴樓閣，起滅須臾，夢幻泡影，理悟眞如，考古刹第二。一壑一邱，名流勝踐，築作林亭，賓朋游宴，琴契古心，酒開缸面，紗帽隱囊，逍遙自遣，考園墅第三。名臣宅第，高士山邱，詩酒幾輩，忠節千秋，始吳迄元，歲序悠悠，高山仰止，式靡振浮，述歷代名賢第四。勝代陪京，人文所寄，勛戚豪華，士民都麗，將有儒風，官稱仙吏，長安洛陽，續成後志，述明代名賢第五。山川氣厚，土有沃膏，不稼而圃，漢陰習勞，機心機事，恥爲桔槔，菜根能咬，以勵吾曹，記灌圃第六。春蠶吐絲，衣被天下，組織成文，以求善賈，軋軋之聲，喧傳彼舍，雲漢一隅，明星光射，記機業第七。山有林木，水有魚蝦，採捕人至，斤罟橫斜，載入城市，萬口一嘩，食貨所溉，煙火千家，記諸市第八。天生英豪，不矜細行，忠義激成，遑計身命，殺賊翻城，志在反正，九仞功虧，人難天勝，記倡義第九。圜法久敝，市廛苦貧，幣分貴賤，黃金白銀，機器所治，效法西人，損上益下，惠此編氓，記鼓鑄第十，溪山遨游，宮室建置，欲考源流，必資文字，樂石吉金，于斯附麗，古人有言，庶幾不墜，錄雜著第十一。流連光景，觸事成詩，托始唐宋，有明紹之，登高而賦，鳳臺尤宜，陸離斑駁，大放厥辭，錄詩歌第十二。

陳氏自序已概括全書主旨，一覽即可了然，頗得太史公立小序遺意。

是書以鳳麓爲限，所記以南京西南隅爲界。其考、述、記、錄各篇記述皆頗詳備，又有雙行小注補充解釋，均足供編纂南京地方史志參考，尤以五記更有史料價值。如卷三《記灌園第六》記南京西南城菜農四時經營狀況說：

> 金陵城西南一隅，……最宜于蔬。習是業者購得嘉種，躬親灌溉。老圃之利，較農爲優。其在春風始和，冰凍消釋，曰韭曰苔，乃始生殖，花散金黄，睫敷玉碧，入市炫新，三倍論值。南薰司令，梅雨連綿，匏壺豇莢，藤蔓引牽。架蕭束葦，散布田間，離離相次，若蠶簇然。秋意乍涼，新霜示警，瓜疇芋區，實重彌傾，倏屆嚴冬，劚瓢兒菜，掇雪裡紅，芹芽蘿蔔，色間白紅，其甘媚舌，不羨肥濃。每當晨露未晞，夕陽將落，擔水荷糞之人，往來若織，不肯息肩，力耕者無此勤也。

卷三《記機業第三》已爲多年來研討資本主義萌芽問題者所經常徵引。其敘述南京緞織業情況極爲詳盡，如記興盛說：「乾嘉間通城機以三萬計，其後稍稍零落，然猶萬七八千。」記行銷範圍說：「北趨京師，東並遼沈，西北走晉絳，逾大河，上秦雍甘涼，西抵巴蜀，西南之滇黔，南越五嶺，湖湘、豫章、兩浙、七閩、溯淮泗，道汝洛，冠服靴履，非貢緞，人或目笑之。」國內市場幾遍全國，衣被天下，確非虛諛。其記與機織有關行業有絲行、染坊、紙坊、機店、梭店、挑花行等不下十餘，無不是機戶的附庸。其他尙記及緞匹成色、緞機名目、絡工與織工身份等資料，不啻爲南京機織業的資料長編。

卷三《記諸市第八》記城西南隅的市集有：

一曰柴市：「或擔以人，或馱以驢，率于小西鳴陽街倉門口賣之。」

一曰魚市：「自鎮淮橋口至沙灣飲馬巷口，半里而近，夾道皆魚盆也」，而「每當南門乍啓，市聲沸騰，荊棘鉤衣，路如膏滑，非舉足便捷者不敢行，逮至日逾亭午，始能雅步從容，不與人畜爭路。蓋交易于以退焉。」

卷三《記倡義第九》記緞商吳長松潛伏城內，混入太平軍，竊取機匠衙機業總制職位，勾結反動勢力，組織陰謀集團，進行內部顛覆活動及太平軍鎮壓叛亂的經過。此可作考察反動勢力破壞太平革命之一證。

書前除自序外，尙有《例言》五則確定著作體例。附圖五幀即《城西南隅街道圖》、《鳳凰臺圖》、《愚園圖》、《織器圖》、《鑄造銀元制錢機器圖》，圖面清晰，可供參閱。書後有胡光國後序，徒事贊譽，無關理要。

是書爲中華書局印行《金陵瑣志五種》之一種，成書次序爲第二，因較其他著名，所以首列其書。原有光緒已亥（二十五年）可園刊本，另有一九六三年十竹齋重印《金陵瑣志八種》本。

《運瀆橋道小志》爲《金陵瑣志五種》之第一種，成書時間最早，原有光緒十一年冶麓山房刊本。另有一九六三年十竹齋重印《金陵瑣志八種》本。

《運瀆橋道小志》以南京城內運河爲主，記其周圍十里橋道方位，輯其舊聞，兼及人事。撰者于書前小識中言其書內容爲：

> 以水爲經，以橋爲緯，街衢四出，十里而遙，遠述舊聞，近稽時事。

是書以橋道方位爲綱，下列紀事爲目，目下以雙行小字爲注，輯錄史料，補充事跡，眉目清醒，內容詳備，得著作之要旨，利讀者之翻檢。

所記雖偏重地志，但也注意社會經濟狀況，如：

記商業則有果子行口之「肉膩魚腥，米鹽雜揉，市廛所集，萬口一囂」；江西會館附近有「苧麻、瓷器之肆環之」。

記手工業則有斗門橋坡下竹工之「削筋斫栝，比戶皆是」；驢皮巷之「攻此者比戶而居」；珠寶廊之「嘉道以還，物力全盛，明璫翠珥，炫耀市廛，冶琢之工，鱗比櫛次」。

記會館則有中州會館、安徽會館、全閩會館及江西會館等。

書前有馮煦、秦際唐二序，甘元煥、朱桂楨及顧雲題詞。書首列《運瀆橋道圖》有裨于循讀文字。

《東城志略》是陳作霖于光緒二十五年繼《鳳麓小志》之後所撰，志南京東城，其例仿《運瀆橋道小志》，即自序中所謂「山水街道考核綦詳，人物藝文未遑專錄」。

是書分《志山》、《志水》及《志街道》三篇，于東城之山水街道，皆考其源流，輯其遺聞，兼及人物軼事，略有雙行小注以補充事實，亦爲講南京地志之要籍。

書前有自序，敘纂輯緣由。有《東城山水街道圖》一幀，標橋道、里巷、祠寺等，頗稱清晰。

陳作霖先後撰《運瀆橋道小志》、《鳳麓小志》及《東城志略》三種以志南京南城、東西隅及城中情況，但仍未得南京全貌。入民國後，撰者之子陳詒紱（稻孫）依舊例撰《鐘南淮北疆域志》以補東北一帶。又據顧石公《盋山志》改撰爲《石城山志》以補西北一隅，至是全城面貌始備。後二書曾合稱《續金陵瑣志》二種。

《東城志略》爲《金陵瑣志五種》第三種，原有光緒二十五年可園刊本，另有一九六三年十竹齋重印《金陵瑣志八種》本。

《金陵物產風土志》約撰于光緒三十四年，記南京城與民生日用飲食有關的物產，兼及于風俗。志凡五篇即：《本境植物品考》、《本境動物品考》、《本境礦物品考》、《本境食物品考》及《本境用物品考》等。

《本境植物品考》記土質土宜及糧、蠶、菜、薪、炭、茶及花竹果木等物產，如記花農經營花卉情況是：

> 城内五臺山民善植梅。寶林寺僧善種牡丹、雞籠山後人善藝菊。城外鳳臺門花佣善養茉莉、珠蘭、金橘，皆盆景也。

其記糧食販運情況是：

> 鄉民胼胝耬犁，粗足衣食，田多而近郭者，碾米以入市，其聚處謂之行，皆在聚寶門外。或泊米船河下，不入行，行人徑與量概，升斗最準。

其記蠶農與絲行情況是：

> 南鄉之民樸勤，率以飼蠶爲業，朱門及横水橋人，比户皆然。每當春季，遍野綠陰，雨潤葉濃，羅紈爭膩，登梯采之，筐筥翦刀相屬也。繭成繅釜，負以入城，行户收買，謂

之土絲。

又記賣炭爲業者說：

木之至賤者莫如櫟。燒以爲炭，可以佐炊。南鄉朱門人業此者夥矣。承以橢圓之筐，植立爲束，亦驢馱肩挑，而鬻諸市。

《本境動物品考》篇記豬、羊、鴨、雞、魚、鳥等出產與制作。南京板鴨久已膾炙人口，此篇記之極詳云：

鴨非金陵所產也。率于邵伯、高郵間取之，么麂稚鶩，千百成群，渡江而南，闌地塘以畜之，約以十旬，肥美可食，殺而去其毛，生鬻諸市，謂之水晶鴨。舉叉火炙，皮紅不焦，謂之燒鴨。涂醬于膚，煮使味透，謂之醬鴨，而皆不及鹽水鴨之爲無上品也。淡而旨，肥而不濃，至冬則鹽漬日久，呼爲板鴨，遠方人喜購之以爲饋獻。

《本境食物品考》記食品、鹽、酒等名產，如記南京販賣下酒小吃稱：

尋常下酒之物，市脯之外有以油炸小蟹細魚者，或面裹藕炸之爲蝦餅，或屑藕團炸之爲藕餅，擔于市，搖小銅鼓以爲號，聞聲則出買之。

他如《本境礦物品考》之記雨花石、磚瓦、朱砂、煤等產物；《本境用物品考》之記刻書版、制扇骨、織緞、婦女飾品等行業，所記雖尚欠賅盡，但大抵能得其要。

書前有撰者小識，述撰書旨趣。書末有附言二則，一則言書中「蔬魚織業諸篇已見鳳麓，茲復重出弗刪者，蓋事既以類相從，辭即繁而不殺」，用以解釋書中若干篇段有與《鳳麓小志》重出者。另一則言此書爲所著有關金陵地志的最後一種，但僅四種，爲何又稱《金陵瑣志五種》，蓋第五種《南朝佛寺志》二卷乃孫文川（伯澄）所葺述，陳氏就孫氏遺稿編纂成書，間有辨駁，即注其下。原書例言中已聲明其緣由，而陳氏更于《金陵物產風土志》後申言此書爲瑣志之末，足徵陳氏不沒孫氏始事之功，而無掠美之嫌，合于瑣志五種乃爲便于流布，此又陳氏之深意。

是書爲《金陵瑣志五種》之第四種，原有光緒三十四年可園刊本。又有一九六三年十竹齋重印《金陵瑣志八種》本。

《炳燭里談》係陳作霖晚年紀其平生經歷見聞之隨筆，書前有自識記纂輯緣由稱：

> 平生所閱歷，耳目所見聞，有可欣者，有可羨者，有可慨嘆者，有可嘔噱者，偶一憶及，隨筆錄之，積久成帙。人情風土，信而有徵；酒後茗餘，借爲談助。

是書凡三卷，仍以南京爲限，記府第、橋道、庵寺、園林、遺跡、風俗、舊禮、人物、佚聞等。零散札錄，遠遜《鳳麓小志》諸作。若細加披檢，尚有多則可取，如卷上《洋字先兆》條記清末崇洋風氣稱：

> 道光年間，凡物之極貴重者，皆謂之洋。重樓曰洋樓，彩轎曰洋轎，衣有洋縐，帽有洋桶，掛燈名爲洋燈，火鍋名爲洋鍋，細而至于醬油之佳者亦呼洋秋油，顏料之鮮明者亦呼洋紅、洋綠。大江南北莫不以洋爲尚。

卷下《戲園》條記南京的戲班及戲園說：

> 江寧城中向無戲園。道光時有戲三班：一慶福，昆腔也，最重，謂之文班；一吉祥、一四喜，皆梆腔也，稍輕，謂之武班。神廟賽會，官衙慶賀則演之，紳民堂會乃絕無僅有之事。光緒中，儀鳳園之開，實屬創見。

撰者此書擁清觀點最爲明顯。卷上《小虎將軍》、卷中《哀江南曲》、《詩史》、《陽厝》，卷下《僞宮楹聯》、《湖南會館》等多則均對太平天國抱有敵意。他如卷上《佔易》、卷中《文廟靈狐》、《關帝靈簽》，卷下《狐借饌具》諸則迷信荒誕，毫不足取。

是書卷下有《傳志材料》一篇，自紀簡歷稱：

> 予生平不務進取，然役于公家者不外文學之一途。其庚子以前，則上江兩縣志局分纂、江寧府志局分修、崇文經塾教習、金陵官書局分校、奎光書院山長。庚子以後，則編譯官

書局分纂、南洋官書局幫總纂、元寧縣學堂總教習、上元縣學堂堂長、學務處參議、崇粹學堂堂長、南洋圖書館司書官、江蘇通志局總校兼分纂，皆他日傳志之材料也。

是書爲宣統三年刊本。另有一九六三年十竹齋重印《金陵瑣志八種》本。

歷史與演義

歷史是一個國家的靈魂，亡人之國必先亡人之史。中國之所以歷經多難而仍能巍然屹立者，有一條長流不息的歷史長河是很重要的原因之一。中國有一套自黃帝開始至清朝爲止，延續不斷，只有重複而無中斷的二十六史。但是這樣一套通貫古今的大書要求國人都去閱讀，實難行通。所以有些有識有學之士，以自己熟讀史書的功力，把許多史事和人物消化咀嚼，加以故事化、情節化和通俗化，改寫成演義，把演化出來的歷史大義普及到萬民之中，起到了一定的存史教化作用。我的一位鄉先輩和遠房姻親蔡東藩先生，僻居在一處名叫臨浦的小鎮上，教讀之餘，撰寫了篇帙繁富的歷朝通俗演義，爲一般平民提供了良好的歷史讀物。我生也晚，未能面謁受教，但聽父輩說，蔡先生對史書幾乎是倒背如流，會講故事，文筆也快，雖然生活條件很差，仍然寫作不輟。他寫這麼大套書，可經濟所得無幾，而經營這套書的會文堂書店卻發起來了。我學歷史就是從蔡先生這套書入門的。後來有不少史學同道也多受此書啓蒙。更有很多不專攻歷史的人也都從中得到古今歷史的大概。可惜現在很少人去系統讀一下，難怪某些專攻歷史，號稱斷代史家者連自上而下的朝代順序都數不下來了。當然歷代通俗演義在文學史上的地位和影響，與《三國演義》比還有一間之差。因爲《三國演義》以三國史事爲依托，把三國以前中國古代的人性和世事極巧妙地融合起來，作了入微的刻畫而使其更為膾炙人口和家喻戶曉。

《三國演義》是寫漢晉之間魏蜀吳三國九十六年（從黃巾起義到吳亡）的人與事，是一部歷史小說，通常論說《三國演義》中的歷史成分是「七實三虛」。那就是說有七分歷史實際，三分虛構夸張，這應是歷史和歷史小說相區別的一種標準。過去曾有人主張歷史小說和歷史劇只是藝術虛構，與歷史無關。它們不承擔傳播歷史知識的任務。如果這樣，那麼這些運用歷史題材的歷史小說或歷史劇就不要再戴「歷史」的帽子了。這只能說有此主張者既不懂歷史，又不懂藝術！近年來，歷史題材走紅一時，司馬遷、唐玄宗、武則天、白居易、宋徽宗、清康雍乾三帝、紀曉嵐、林則徐、慈禧以及最近九城轟動、人口交贊的《宰相劉羅鍋》中的劉墉、和珅等等，其中有的作品起到傳播歷史與享受藝術的作用，有的則標舉「戲說」，甚至蓋上「不是歷史」的印記，但卻又使用歷史人物與情節，眞怕有可能造成某些歷史的誤導。《三國演義》之能起教化行遠的原因，就在于它有「七實三虛」的內涵。清初大詩人王士禛曾說過：「前輩謂村中兒童聽說三國事，聞昭烈（劉備）敗則顰蹙，曹操敗則歡喜踴躍，正此謂也。禮失而求之野，惟史亦然。」（《香祖筆記》卷十）可是小說終究需要識字才能閱讀。為了更廣泛普及歷史知識，就需要形象式地傳播，于是有人就根據小說編成戲。京劇中有許多三國戲都是根據《三國演義》的人物和情節進行藝術加工的，如《長板坡》就本于《三國演義》的四十一回後半和四十二回前半；《群英會》就本于《三國演義》第四十五回至四十八回；《刮骨療毒》就本于《三國演義》第七十五回。作為有歷史癖的人來說，常常習慣性地要查對一下歷史，盡管歷史也有不實不盡，甚至模糊不清之處，但大背景、大動作總不致離題太遠。所以我過去曾和幾位同好合寫過一本題名《談史說戲》的書，其中寫了好多出三國戲與三國史關係的小文已收入我的《依然集》中，如《群英會》中的祭風是虛構情節，但草船借箭卻是由裴松之注《孫權傳》引《魏略》中所記的木船取箭的故事演化而來。又如《刮骨療毒》除了小情節有所加工外，基本脈絡與《三國志》卷三十六《關羽傳》所載略同。可戲總是單折零篇，不易全面尋求藝術創作與歷史現實的聯繫與異同。

近年，《三國演義》被全面改編爲歷史劇，搬上熒屏，這對向全民普及歷史知識是一大功德，隨之也引起一些人對歷史眞實的探問，有些人想了解事情的來龍去脈，有些人對電視劇中的歷史內容似懂非懂，或知其然而不知其所以然，想要尋根究底。其中也確實有許多值得玩味尋思的地方，如《三國演義》有英雄、梟雄和奸雄之說，這實是暗寓羅貫中對三國國德的評論。過去讀者于此往往一掠而過，人云亦云，從不根究。但從《三國志》與裴注，以及《世說新語》中細加辯證詮釋，就能明其出處來源，又如張飛是否眞是魯莽漢，周瑜氣量是否小得會氣死等等，如能條舉例證，出之以簡潔文字，雖貌若識小之錄，實則爲考史辯證之篇，這類文字當然爲放言高論治史者所不屑爲，那只有等待那些兼通文史的達人們出而爲之了。

一流作者一流書

喜歡讀書，總想讀到好書。好書的標準很難界定，因爲每人口味不一，愛好不一，既不必強求，也無法強求。有喜歡嚴肅音樂的，也有喜歡搖滾音樂的。讀書也是一樣，我就比較偏重于讀嚴謹認眞的著作。但是每訪書于書市或博覽會之類的地方，有些書貌似一本正經，但稍加瀏覽，就有名實不符之感。我習慣性地看看作者，也了無所知。進而環顧四周，往往發現不少應邀編些題目嚇死人的書的人。招徠的共事者，不敢說是烏合之眾，卻也像草臺班子演幕表戲，主持者大致說一下「戲路」，類似「出思想」，至于寫什麼，唱什麼，那就請各位好自爲之。試問這樣的書能經得起看麼？即作者是「名人」，也難被社會公認爲一流作者。當然，出版社的急功近利，營造陋風，也難辭其咎。

書多人雜，肉眼凡胎，實無人力物力來遍讀群書。于是，不得已爲自己劃了個圈，即專讀一流出版社出版的一流作者的一流書。我的一流標準並非陳義甚高，只要是對讀者負責，而不倚門賣笑的書就稱得上一流。按這一標準再逛書市便時有所得。遺憾的是我心目中的一流作者一流書往往較多地集中在爲讀書人熟知的老字號裡，如商務、中華和人民文學等屈指可數的出版家。

我曾參與過一些古籍整理工作，這方面的書收集得較多。有時翻看書架，更對一些老字號增強了信任。如人民文學出版社出版的

《中國古典文學讀本叢書》和《中國古典文學理論批評專著選輯》兩套書，其中如夏承燾的《金元明清詞選》、繆鉞的《杜牧詩選》和郭紹虞的《詩品集解》等，選注者都是蜚聲海內外的學術前輩。一看其名，先有了一大半信任；再讀內容，又決非一般坊間倉促成書的選本可比。有的學者更是精益求精，如蕭滌非的《杜甫詩選注》初稿作于一九五七年，一九六二年底定稿，由人民文學出版社排印，但清樣被莫名其妙地壓了十多年，直到一九七八年又作了再次修改後始問世。爲什麼蕭注本截止于一九九六年尚能數次印刷達168260冊呢？這只能用「一流作者一流書」來解釋。

夏、繆、郭、蕭諸老無疑稱得上是一流作者，他們的書無疑是讀者願讀的一流的書。不過一流作者的一流書如果沒有條件提供給社會，那依然逃不脫「藏之名山」的傳統厄運，所以需要有良好的出版條件。在這一方面，我們的許多老字號確乎有所貢獻，如中華有金燦然、李侃和趙守儼等，人民文學出版社有馮雪峰、巴人、樓適夷和聶紺弩等等都是些既有管理魄力，又有學識法眼的老板，也只有這些人方能識別一流作家和一流書。他們不隨時尚搖擺，不求一時鬧哄哄的暢銷，而致力于福壽綿長的長銷。他們能從一流作者手中挖一流作品（一流作者的作品不見得都是一流作品），也能不棄無名地善于從一流作品中發現一流的作者，即使是後學新進。我常在想，如果把高明的出版家、一流作者和一流書組成一條生物鏈，那該有多少好書擺滿了書市，有多少好書送到讀者手裡，倍受教益。我多麼希望像人民文學出版社類老字號肯于當這條生物鏈的龍頭，以促使學術振興，出版繁榮。

我的書齋

——邃谷樓

邃谷樓是我沿用了半個多世紀的書齋名，但並不是我最初的書齋名。

我從十六七歲開始認眞讀書以後，總想有間自己專有的書房，但是由於家境不甚富裕，我和祖母同住在一間臥房內。祖母很疼愛我，理解我，知道我想要個專用的讀書處，所以盡量縮小自己的地盤，讓我能在棲息之室中劃出一個角落。這個方不逾丈的角落裡，除一張小床外，只能安放一張二屜桌和一個僅僅只有四層的小書架，這就是我書齋的胚胎。既是書房，不可以無名，便用一小條宣紙，親筆寫了「蝸居」二字，作爲我的第一個書齋名貼在床頭上，並且自我解嘲地以爲我這個讀書人已經有了自己的專用書齋了。

十八歲那年，家境稍好，全家搬進一座樓房，租住了有三個居室的一層樓，依然不太寬敞，難以給我一個單間；但是，我發現樓層間斜豎著的樓梯較寬較高，形成了樓梯底下一間約有八平方米的梯形小黑屋。我忽發奇想，便向父母申請這間小屋，得到了入住的批準，于是我離開一直寵愛我的祖母而搬入「新居」，一張木板單人床塞進樓梯的低層，進出需要爬進爬出。這養成我後來不愛隨時往床上躺的習慣。在樓梯下的高層部分，不僅可以直立伸腰，還能從上到下掛一幅書畫。小黑屋這頭有高度的地方，可以一横一豎地置一桌一架，床板的外端便是座位。我非常知足，因為我已從「蝸居」爬出來，雖然「新居」終日點燈像深谷那樣昏沉；但是，我終究能在自成一統的天下裡，顛倒晝夜，隨心所欲地運作，成為讀書生涯中的一大樂趣。有了獨有的書齋，自然應該有個能登大雅的齋名。我從昏沉的樓梯底下苦思冥想到幽暗的深谷，又把平淡的深字換成比較深奧的邃字，而且這間黑屋是佔有從樓下到樓上的空間，至少有點樓味，于是便果斷地定名為「邃谷樓」。一年之間，我讀書寫作于此，頗有所獲，我感謝邃谷樓的恩賜。我日益需要有一篇像樣的文字來闡述邃谷樓的立意。于是，在一個秋風送爽的夜晚，我操筆撰成《邃谷樓記》一篇，反復闡說齋名的寓意。日後雖在文字上對它略有更易，但主旨不變。我非常珍惜我讀了幾年古文後用古文寫就的這篇處女作，所以我要把它的初稿存檔于此，其文曰：

非谷而曰谷，何也？惟其深也。無樓而曰樓，何也？惟其高也。惟高與深，斯學者所止焉爾。邃谷樓者，余讀書所也。沉酣潛研，鑽堅仰高，得乎書而體乎道，邃然而自適焉。晦翁朱氏詩曰：「舊學商量加邃密」，朱氏之為是詩也，時方與象山辨致知格物之同異，稱商量且以邃密為言，喻其深也。今余以邃名谷，又以邃谷名樓，蓋亦示志學端倪而專攻史學之志略爾！古有愚公谷，以人名谷者也，人而以愚名，又以愚公名其谷，是以返樸之意為寄耳！戰國有王詡者，居鬼谷，因號鬼谷子，終其身傳九流之學，當時人丐其余潤，即以其術鳴于世，後人之奉為大匠焉。唐有李願者，隱盤谷，其後復有司空圖者，居王官谷，皆負高世之志者。宋詩人黃庭堅號山谷，亦以谷自況其胸襟者，皆以虛谷之懷蘄乎深造者耳！余既以讀史爲治學入德之門，無中外古今，演繹也，抽象也，悉不得離乎邃密之意而又自勖以虛谷之懷，由是而得窺班馬劉章毫末則幸矣！余居北既久，頗締交燕趙之士，得有同道數人，共聚于邃谷樓，或抵掌高論，相與馳騁于典籍，辯析其異同；或促膝談往，舊事復資于談柄，斯余所以躊躇而滿志也。章氏實齋嘗稱史所貴者義也，而所具者事也，所憑者文也，固已爲治學者立大綱矣。余性不敏，而學譾陋。其事粗知，其文則未，其義則愈益遠矣！今而後深自勖于事以期其貫通，于文則務其樸質，于義則宗之于求眞求實。若是，于學方庸或可得，而邃谷之稱亦庶幾無負，余又焉得不勉乎哉！

這雖是我的一篇「未冠」之作，但一生以它爲座右，而至今猶自視爲可共一生的佳什。我曾不顧書法的拙劣，用墨筆把它寫成斗方掛在書齋的牆上，並在左右配以朱熹的「舊學商量加邃密，新知探求轉深沉」聯語。我的書齋似乎已是融合得很好的渾然一體了。

盡管我的書房隨著歲月的推移、藏書日增和職業的需要而逐漸有所改善，從小黑屋到亭子間，從亭子間到書房兼臥室，又從兩用書房到有單獨功能的書齋，並配備了電腦之類的現代化文具，至此可以說已頗具規模了；但是，我卻一直懷戀著那間三角形的黑屋子，因爲我的第一篇學術隨筆《佛教對白話文的影響》（原文已佚，僅記題目）和日後作爲我大學畢業論文的《漢唐改元釋例》初稿都產生在這裡。這間黑屋子也是我走上漫長的學術人生的第一間書房，所以我常常向一些熟悉的朋友戲稱這是我的「龍興」之地。

我的書齋，不管在哪個時代、改善到哪種層次，總有一些少年伙伴、中年朋友和老年至交不時相聚，或校正文字，漸成專著；或談往憶舊，隨登箋簿。後來專著大多成稿，並相繼問世，唯隨札一直散亂無緒。文革時期，這些隨札也未逃脫被任意撕毀和焚燒的厄運。迨勇士凱撤，我心神慌亂地收拾燼餘，幸存什五，乃貯之敝篋而無暇顧及。八〇年代以來，公餘之暇，整理寸簡片紙，重讀隨札，回首前塵，平生知己半爲鬼，而生者也垂垂老矣。黯然神傷，遂退居邃谷樓中，將殘札逐篇刪定編次。近年又就讀書一得，懷舊念故，閱歷世態，感悟人生諸方面，時有隨錄，共得隨筆數百則，始則擇刊報端，繼而編次成書，用以問世。綜計一生，在邃谷樓中著書三十種，成文數百篇，雖非金玉，終當敝帚。反顧既往，邃谷樓中抵掌促膝之情景，歷歷難忘，往事如新。興念及此，又何可忘三角形黑屋書齋爲我一生致學肇端之功？特成一文，借以見人間滄桑雲爾！

卷三　論　書

手寫紙書

由於東漢以來造紙術的改進和推廣，手寫紙書逐漸趨向取代簡書和帛書。三國時已有較多的人用紙寫書，但是帛書仍然流行，並且成爲一種高貴的書寫材料。魏曾經分別用紙和帛各寫曹丕的《典論》一部，作爲對吳的外交禮物，帛書《典論》送給孫權，紙書《典論》則送給張昭。從接受人的不同身份看，帛書顯然是珍本，而紙書則是流行本。

晉代手寫紙書更爲流行，有一句「洛陽紙貴」的成語就是說西晉著名文學家左思寫成《三都賦》後，由於文辭優美，許多人傳抄，洛陽的紙張因之漲價。可見，紙已被普遍使用，並且已經是一種商品了。當時紙不僅寫書，西晉學者陸機還用紙寫過一套《平復帖》的書法作品。《平復帖》距今一千七百餘年，現還珍藏在故宮博物院。這是世界上現存最早的紙本書法作品。東晉以後，官方文件大量用紙。公元四〇四年，權臣桓玄廢晉安帝，自立爲楚帝以後，曾正式下令廢除簡書，改用經過防蠹藥物處理過的黃紙，這是最早明令用紙寫書的規定。從此，中國文化的傳遞便進入了手寫紙書時代，簡牘逐漸被淘汰，縑帛則多用作書畫藝術品的材料。

從出土文物考察，晉紙規模已逐漸定型，約合今二十五厘米寬，三十八厘米長。紙寫書是把幅度相等的紙粘連在一起，由末尾向前卷，前後加簽和軸，成卷軸式，即稱「卷子本」。現存古卷軸絕大多數是二十世紀初在敦煌莫高窟中發現，共有從四世紀至十世紀間的紙寫本萬卷。其中精華部分近萬卷被英國的斯坦因和法國的伯希和先後于一九〇七年、一九〇八年盜去，剩下的萬餘卷現存北京圖書館，三〇年代由著名學者陳垣先生主持編成《敦煌劫餘錄》。敦煌寫本絕大部分是佛經，還有一些經史子集和文書契約。除漢文外，還有一些少數民族文字的寫本。其他地方也發現過手寫紙書。

中國最早有確切年代的紙寫文書是西晉泰始九年（公元 273 年）所寫，解放後在新疆出土。

中國最早的紙寫佛經是西晉咸寧四年（公元 278 年）的《陀羅尼神咒經》，現流失國外。

中國最早的外族文字紙寫物是一九〇七年斯坦因在敦煌附近長城古烽燧遺址發現的粟特文書信。這是居住在中國西北和前蘇聯中亞細亞一帶粟特人所使用的文字。這批書信約寫于西晉永嘉年間，即公元三一三年前後。

中國最早的漢文紙寫書信是解放後在新疆哈拉和卓發現，寫于前涼建興三十六年（348 年，前涼仍保存晉建興年號，這年是前涼永樂三年）的。

中國最早的紙寫書是一九二四年在新疆鄯善出土的《三國志》殘卷，寫于陳壽完成《三國志》後不久，這個殘卷包括《虞翻傳》

和《張溫傳》的部分內容，計八十行、一千零九十字，原卷已流往日本。一九六五年初，在新疆吐魯番又發現晉人抄的《三國志》的《孫權傳》和《臧洪傳》殘卷，計四十行、五百七十餘字，抄寫時間比前者爲早。

從隋到唐前期，手寫紙書比較流行，是卷軸式墨寫，直到八、九世紀，由於雕版印刷術的發明和使用，手寫紙書的狀況有所改變。宋代處于手寫紙書向印本紙書全面轉化的時代，但手寫紙書並未完全取消，在宋朝目錄學家尤袤所編的《遂初堂書目》中就著錄有多種寫本書。

印本紙書從唐以來，日益發展改進，手段增多，內容益富，獨尊地位日益穩定。但是，這不等于說手寫紙書日趨消亡。相反地，手寫紙書卻日益珍貴，受到人們珍重。如從版本學角度看，稿本、寫本、鈔本、傳鈔本等等手寫紙書成爲珍藏圖書。各朝重要大型著述也往往手寫。明朝的《永樂大典》總字數達三億七千萬字，在永樂五年（1407 年）和嘉靖四十一年（1562 年）先後抄過兩部。清代的《四庫全書》共七萬九千三百零九卷，一共抄了八部。這兩部書當時都無印本，而以僅有寫本顯示其尊貴的地位。

手寫紙書在保存和傳播文化上具有重要而不容忽視的歷史價值。

版本瑣談

一、版本

「版本」的名稱，正式出現在宋初。開始專指由雕版印刷而成的圖書；後來，範圍逐漸擴大，便泛指雕版印刷以前的簡策、縑帛和紙的寫本，以及雕版印刷以後的拓本、石印本、影印本、活字本等等形式的圖書。于是，版本便成爲一切形式圖書的總稱而沿用下來。

從泛指含義來說，我國圖書之有版本應從簡策開始。漢成帝時劉向校書的「一人持本」即指簡策這一版本而言。劉向在書錄中所說的中書、太史書、太常書、臣向書、臣參書、大中大夫卜圭書、射聲校尉立書等就是指各種不同的簡策本子。一九七三年馬王堆漢墓出土的帛書《老子》甲乙本就是兩種不同的傳鈔寫本。曹丕用紙、帛寫《典論》和詩賦分贈張昭和孫權就是不同載體的兩種寫本。北齊顏之推的《顏氏家訓》中就舉出河北本、江南本、江南舊本、江南古本、江南書本和俗本等多種名稱。這些是雕版印刷推行前的所謂「版本」。有了雕版印刷以後，「版本」的範圍迅速擴大。

雕版印刷的開始期，現有漢朝說、東晉說、六朝說、隋朝說、唐朝說、五代說和北宋說等七說，一般都承認唐朝說，即大概起源于七世紀初。現存最早的雕印品實物是唐懿宗咸通九年（868 年）雕印的《金剛般若波羅密經》，可惜被帝國主義分子竊去，現收藏于倫敦博物館。現存國內最早的雕印品是一九五三年在成都唐墓中發現的《陀羅尼經咒》，大約是唐肅宗至德（756-758 年）時的印件。後來，雕版印刷術被廣泛應用，就把印本書稱爲版，未雕版的寫本稱爲本。所以葉德輝在《書林清話》中就說過：「雕版謂之版，藏本謂之本。藏本者，官私所藏未雕之善本也。」到了宋代，版本的名稱便成爲雕印本的專稱，而把未雕本稱爲寫本或藏本。宋人的著作中都這樣使用這些名稱，如葉夢得的《石林燕語》中就說：「世既一以版本爲正本，而藏本日亡。」朱熹在《上蔡語錄》跋中也說他曾「得吳任臣寫本一篇，後得吳中版本一篇」。看來，「版本」一名專指雕版印刷之本。可是後來著錄者在著錄印本的同時，也不可避免地會著錄印本以外的各種型式的圖書，于是，「版本」之名，漸漸地不專指印本，而成爲包括印本和印本以外一切型式圖書的總名稱了。

二、裝幀

圖書的版本可以按照刻書情況和圖書本身形態的不同來加以區分稱呼。這種稱呼漸漸成爲習慣術語。它大致從刻書時代、地點、單位、刻印質量、版式、顏色、裝幀形式等等方面來區分。這裡只談談按裝幀形式不同而區分的稱呼：

㈠簡策本：這是最早的正式圖書版本形式。劉向《別錄》和班固《漢志》中開始著錄，如《尚書》的中古文、歐陽、大小夏侯等不同的簡策本。這種裝幀形式是以末簡爲軸從左向右卷。後世發現的簡策可按其時代稱戰國簡、秦簡和漢簡。有的按其出土地點來說如汲冢（書）本。

㈡卷子本：指用帛或紙所寫並卷成一卷的圖書。有的可冠以時代，如稱唐卷子本。後世有照卷子本復刻的，如清人黎庶昌《古逸叢書》中有據唐寫卷子本刻印的書，也可稱復唐卷子本。

㈢梵筴本（折子本、經折裝本）：從宋元豐刻印《崇寧萬壽大藏》到清雍正時刻印的《龍藏》都是梵筴本，形似後世的折子，所以也可稱爲折子本。又因爲它是由於諷誦佛經，把卷子折疊起來的形式，所以又稱經折裝本。後世江浙一帶一直把這種折疊式的折子俗稱爲「經折」。

㈣旋風裝本：這是在梵筴本基礎上改進發展的一種裝幀形式，就是在折子的首尾用一張標紙粘連一起，翻閱時周而復始，像旋風一樣，所以稱旋風裝本。宋人也有稱爲旋風葉子的。

㈤蝴蝶裝本（簡稱蝶裝本）：這是宋代的主要裝幀形式，就是把每一葉印有字的一面反折向裡，使版心向裡，各葉折好疊起，用糊粘書腦，再用標紙包裝起來即成，類似現在的地圖冊。這種書可以保護版心，四周即使損壞也不影響版心；但翻閱時需要經過兩個空白的背面，即翻二次才看一葉書，比較費時。它在翻動時像蝴蝶的雙翅揮動，所以稱蝴蝶裝，簡稱蝶裝。

㈥包背裝本：它和蝶裝的不同就在于它是把有字的一面向外折，使書口向外，再用書皮包裝。它和線裝形式差不多，只是不穿孔釘線而用糊粘。後世平裝書即取形于此。

㈦線裝本：這是公元十五世紀左右（明中葉）在已有基礎上改進採用的一種裝幀形式。它把書葉整齊後用線裝訂，既便翻閱，又不易破散。所以這種形式代替了以前的各種形式而一直爲後世所沿用。

㈧平裝本、精裝本：這實際上就是包背裝的一種改進。它們是目前通用的裝幀形式。精裝本比平裝本精美價昂。有時把由裝幀精美、開本大而價格高的書改爲簡裝和開本小而價廉的書稱爲簡裝本、袖珍本。

隨著圖書的廣泛應用現代化技術，不斷出現特種圖書（縮微圖書、直感圖書、機讀圖書等）。于是版本由於裝幀形式的變異，將會逐漸增加縮微本、膠片本、磁帶本、電視唱片本等新的稱呼。

三、活字與聚珍

唐朝發明雕版印刷推動了圖書事業的發展，而宋代的活字印刷則使圖書事業得到第二次躍進。宋人畢升發明的是泥活字。它是我國對世界文化史的重大貢獻。後來，使用的材料又擴展到木、銅、鉛、錫等，從而使活字本成爲圖書版本中的一大門類，並按其用料而給以不同的名稱，如：

㈠泥活字：畢升發明泥活字見于沈括《夢溪筆談》的記載，但世無流傳印本，所以有人懷疑泥活字的眞實性。幸而道光時安徽翟金生以畢生精力自制泥字，自印自撰的《泥版試印初編》和黃爵滋的《仙屏書屋詩錄》，復活了泥活字，以事實回擊了懷疑論者。

㈡木活字本：元人王禎《農書》中的《造活字印書法》就講到木活字。過去有藏書家說宋寧宗嘉定十四年印的范祖禹《帝學》是現存最早的木活字本；近人考證，此說不足信，應以元代西夏文《華嚴經》爲現存最早本。

㈢銅活字本：明朝弘治以後盛行的一種活字，曾印過《藝文類聚》。清朝康熙時曾用銅活字印過《古今圖書集成》一萬卷這樣的大書。

㈣鉛活字本：約在明弘治、正德年間出現，但當時不受重視。明人陸深所撰《金臺記聞》曾記此事，沒有見到過印本，但後世印書主要用鉛字了。

㈤錫活字本：據王禎《農書》所載，大約始于元初。這種活字已改刻爲鑄。這是一個重要發展；但因用墨不易，未能流行。近人考證認爲明弘治年間無錫華氏會通館所印各書就是錫活字本，並說它是我國現存最古的漢文活字印本。又有人說，清道光末年廣東佛山唐姓書商曾造過三副錫活字二十多萬個，並解決錫不吃墨的問題，印過《文獻通考》，但未見過此印本。

㈥聚珍本：這是清代武英殿木活字本的專稱。武英殿原設有話字版處，向系銅字。後因年久殘缺過半。乾隆中葉。因擬印四庫應刊書樣本，于是就有金簡建議，用棗木鐫二十五萬多個木活字。乾隆帝因活與死相對稱，不夠吉利，就按活字拼版像許多小珍寶聚攏起來的意思，改稱「聚珍」，因此這批由武英殿負責排印的木活字本就專稱「武英殿聚珍本」，印一百多種書。後來各地多仿刻，如福建、廣東照原式仿刻，浙江、江西、蘇州等地則縮小刻成小版。這些仿刻本稱爲外聚珍本，是刻本；武英殿印本則稱內聚珍本，是活字本。

活字本的鑒別與雕版不同。它的特點是：欄線、界線不甚銜接，行線時有時無；行氣不整，字有時歪斜倒置；字體筆劃粗細不一，墨色有輕有重；字與字間無交叉；書口上下欄線整齊；版面無斷裂痕。掌握了這些特點有助于鑒定，但要注意爲數不多的影刻活字本。

四、說善本

《史記》中所說「金匱玉版」的「玉版」，應該說是最早的善本書。而圖書之有「善」稱，可以最早見于《漢書·河間獻王傳》：「從民間得善書，必爲好寫與之，留其眞。」它可能指內容比較完整的圖書。河間獻王求書之志可嘉，但留下原件，給原主一複制件則不可取。

隋朝立國日淺，但注重圖書事業，文帝建國後，就接受著名學者牛弘的建議，「分遣使人，搜訪異本，每書一卷，賞絹一匹，校寫既定，本即歸主」。這裡所謂異本至少有一部分夠得上善本，只是沒有標明而已。但文帝的「本即歸主」要比河間獻王講道理得多。煬帝也很重視圖書，他曾按書的質量分爲上中下三品，裝上不同顏色質料的卷軸以示區別，這也包含著善本與一般的不同處理。

善本之稱的正式提出，並擬定標準當自宋始。宋人葉夢得在所撰《石林燕語》中曾說：「唐以前，凡書籍皆寫本，未有模印之法。人以藏書爲貴，書不多有，而藏者精于讎對，故往往皆有善本。」葉氏提出了善本書的兩條標準，一要時間早，二要經過校讎。精校固不待言，即所謂唐以前寫本，以流傳稀少，從了解古書古貌和考察我國文化成就等方面看是應加珍惜的。

宋人周煇的《清波雜志》說：「慶曆間，四庫書搜補校正，皆爲善本。」陳振孫的《直齋書錄解題》中也說：「元和姓纂，絕無善本。頃在莆田，以數本考校，僅得七八，後又以蜀本校，互有得失，然粗完整矣。」這兩段話都著重在「校正」。

清人講究版本，他們把善本的重點放在宋元舊槧上，尤其對宋版書，有一部分人已達到了迷信的地步，甚至對宋版書以頁論價。著名版本學家黃丕烈更自號佞宋主人。至于所謂百宋一廛、皕宋樓等等藏書樓也都爲了炫奇夸珍。有的人把宋版書視若拱璧，不輕示人。清人陳其元的《庸閑齋筆記》中所記王定安珍藏宋版孟子的故事正是對迷古者的絕妙諷刺。當然，宋版由於刻印時間早，比較接近舊本，錯訛相對較少，傳本數量又不多，應該加以珍惜，不過也應考慮宋版書本身亦有高下，當時即有杭本最精，建本最下的看法（其實，建本中也有佳者）。有些宋版書不加校正，易有訛誤缺脫，宋人已有所感，司馬光在給劉道原的信中就說：「今國家雖校定摹印正史，又校得不精，只如沈約敘傳差錯數版亦不寤，其他可知也。」（《司馬溫公集》）

這是當時人的所見所言，應是可靠可信的，而清人對迷信宋版事也有持異議者，如清初的王士禛提出了擇善而從的標準說：「今人但貴宋槧本，顧宋槧本亦多訛誤，但從善本可耳！」（《居易錄》）

嘉道時人光聰諧曾引司馬光對宋版的意見來提醒當世那些「矜言宋槧」的人：「觀此當亦爽然自失。」（《有不爲齋隨筆》）同時，著名藏書家張金吾還制定了對待宋元舊版的標準：「宋元舊槧有關經史實學而世鮮傳本者上也。書雖習見，或宋元刊本，或舊寫本，或前賢手校本，可與今本考證異同者次也。書不經見而出于近時傳寫者又其次也，而要以有裨學術治道者爲之斷。」（《愛日精廬藏書志》）

張金吾的主張是在宋人時間早、經校讎的兩條標準外，又加了一條需有參考價值的標準。這是在佞宋風氣盛行時的一種平實之論。宋本可貴，自不待言，但以後的版本也不能認爲全部低下。明本一般認爲較差，尤其萬歷以後，亂改古書，雕印質量較差；不過，如王延喆影刻《史記》以及套版印花等書不能不說是善本佳刻。清初時間雖晚，不過如林佶四寫之類的精刻本也是極爲精美的善本。所以，對于可作爲善本的古本舊刻，應從形式和內容，也即學術和工藝各方面去考察，不能持彌古彌善的態度，也不要一概而論。

提出善本書標準比較完整的是清人丁丙在《善本書室藏書志》中所定的四條，即：⑴舊刻：宋元遺刻，日遠日鮮，幸傳至今，固宜球圖視之。⑵精本：朱氏一朝，自萬歷後，剞劂固屬草草，然近溯嘉靖以前，刻書多翻舊槧。正統、成化刻印尤精，足本、孤本所在皆是。今搜集自洪武迄嘉靖，萃其遺帙，擇其最佳者，甄別而取之。萬歷之後，間附數部，要皆雕刻既工，世鮮傳本者，始行入錄。⑶舊抄：前明姑蘇叢書堂吳氏、四明天一閣范氏二家之書，半系抄書。至國朝小山堂趙氏、知不足齋鮑氏、振綺堂汪氏多影抄宋元精本，筆墨精妙，遠過明抄。寒家所藏，將及萬卷，擇其尤異，始著于編。⑷舊校：校勘之學，至乾嘉而極精，出仁和盧抱經、吳縣黃蕘圃、陽湖孫星衍之手者，尤校讎精審，朱墨爛然，爲藝林至寶，補脫文，正誤字，有功于後學不淺。

丁丙是清季四大藏書家之一，他的善本標準仍不出時代早、校刻精的範圍，不過，他對精本舊抄持一種擇佳取尤的態度還是可以取法的。

清末張之洞的《善本三義》提出三條是爲幫助初學者選書而定的。辛亥以後繆荃孫在《蠹魚篇》中定了四條標準：⑴凡刻于明末以前的爲善本，明以後不算。⑵抄本不論新舊都稱善本。⑶批校本和有名人題跋的都列善本。⑷日本及朝鮮重刻中國古籍不論新舊都爲善本。

這四條標準當時被人奉爲金科玉律，實際純從形式著眼，忽略內容價值。所定標準並不恰當，如說「明以後不算」，那麼清初的精刻本該如何處理？又如抄本因無刻本而藉此流傳，自有價值，但抄本中也雜有惡抄，有爲牟利謀生而速抄多誤者，有雜抄成書而毫無條理者，有本存刊本而反抄炫奇者以及有些內容毫無意義者。這如何能說「都稱善本」呢？

近年來爲編《全國古籍善本書總目》，對善本書曾從歷史文物性、學術資料性和藝術代表性三方面進行考察，訂立了九條標準、四項附注。這是在總結過去諸說基礎上，集思廣益所訂。它較全面而準確地規定了善本的標準，爲致力古籍版本及圖書工作者提供了重要依據。「善本」從工藝和學術價值來看，自不容輕視，但也不能不考慮到某些雖歸入善本而珍藏的書未必都佳，而淪落于一般書叢中的書也未始沒有精本。近代學者李詳在其讀書筆記《媿生叢錄》卷一寫了一段很有見地的話，他記稱：

> 桂未谷《札樸》言：往客都門，與周君書昌同游書肆，見其善本皆高閣，又列布散本于門外木板上，謂之書攤，皆俗書。周群戲言，著述不愼，但恐落在此輩書攤上也。詳謂書賈皆徇時好鬻書，置高閣者未必非俗書，落書攤者亦有精

本，能從書攤而物色之，故無害其爲書攤本也。

桂未谷是桂馥，周書昌是周永年。二人都是乾嘉學派的大名家，對著作的不同遭遇發出了感慨。李詳字審言，民國時有聲學林，他的高閣未必非俗書，書攤亦有精本的高論，不僅寬慰那些著作受到不公正待遇者之心，也對一些迷信「善本」者進一言。

且說《容齋隨筆》

《容齋隨筆》是我早年讀過的一部著名筆記，也是學者間經常涉及的一部著名筆記。它以篇帙繁富，內容充實，可資考證而受讀書治學者的青睞，但一般人不會感到興趣的。可是有一段時間裡，不時有人向我問起《容齋隨筆》其書，或函詢，或面質，甚至有打長途電話者，似乎這是一部民間暗地傳鈔的秘本那樣。我也有點惑然不解，為什麼有這麼多人懷著一種好奇心想知道這部書呢？稍後我才知道，原來這是毛澤東喜歡閱讀的一部筆記書，所以才使這部書有了名人效應。

《容齋隨筆》是宋人筆記中頗具名聲而流傳廣遠的一種。作者洪邁主要生活在南宋前期。他曾做過地方官和文學侍從之臣，最高官階是端明殿學士，死後謚為「文敏」。他的父親洪皓曾奉命使金，因堅貞不屈而被譽為「時之蘇武」。他的弟兄也都有名于時。《宋史》對洪邁的評論是「邁文學尤高，立朝議論最多」。這可以算是當時定評。洪邁讀書甚廣，又手勤善記，前後四十年不輟，寫成了《容齋隨筆》共五集七十四卷，前四集各十六卷，第五集僅得十卷。

《容齋隨筆》涉及很廣，凡文史哲藝皆所包容。對史實、人事多所考訂評論，詞章典制也廣為記述，很有益于增拓知識，並可資談助，更以其具有可備考證的價值而為學林所重。隨筆初集于宋孝宗淳熙年間由洪邁自刻于婺州，書傳宮內，得到孝宗的贊譽，鼓勵了洪邁續寫的志趣。洪邁身後，由其從孫洪汲于宋寧宗嘉定中爲刻全書于贛州。

歷來對《容齋隨筆》多有佳評，宋人何異稱其書「可以稽典故，可以廣見聞，可以證訛謬，可以膏筆端」。明人李瀚稱，覽其書就能「大豁襟袍，洞歸正理，如躋明堂，而胸中樓閣四通八達也」。清人洪憬更以其書與《夢溪筆談》、《困學紀聞》並重而贊其「考據精確，議論高簡」。作爲中國傳統文化典籍總匯的《四庫全書》收其書，並于《提要》中總評其書說：「南宋說部終以此爲首。」此皆足以見《容齋隨筆》之爲人所重。

這樣一部信息量豐富，考證精詳，文筆流暢，又多爲短篇易讀之作，自然具有一種對讀書人誘惑的魅力。因此，就難怪博涉多通的毛澤東對這部曾經讀過而猶存記憶的《容齋隨筆》，雖在病中而仍然要求讀的緣故，因爲他終究還是一位讀書人。

《四庫全書》與儒藏

佛家有佛藏，道家有道藏，而儒家獨無儒藏。如果以儒家思想爲指導而結集爲群書之府可稱「儒藏」的話，那末，清乾隆朝編纂的《四庫全書》雖無「儒藏」之名，卻有「儒藏」之實，而且它的創意也與「儒藏說」有著某種關聯。

編纂《四庫全書》創議于乾隆三十七年，而開始于乾隆三十八年二月四庫全書館的設立。時論此事的重要推動者是朱筠。朱筠（1729-1781年）字竹君，號笥河，曾官安徽、福建學政，善于獎掖人才。他的建議不僅要求廣徵遺書，還要整理國家藏書，特別是從《永樂大典》中輯佚，「分別繕寫，各自爲書，以備著錄」。乾隆帝接受這一建議，進而決心編纂一部囊括古今一切主要著述的巨型叢書——《四庫全書》。

實則，從《永樂大典》中輯書之議並非始于朱筠。康熙時的大官僚徐乾學曾在爲高士奇所刻《編珠》而寫的序言中就有此議，並拜托高士奇向康熙進言落實。乾隆元年，史學家全祖望成進士入翰苑後就著手對《永樂大典》分類抄輯。近代學者錢穆稱全氏此舉「開以後清廷纂輯《四庫全書》之遠源」。朱筠不可能不知道這些情況，他綜合這些意見和活動而提出正式建議。至于《四庫全書》的編纂能很快地推動，更與當時「儒藏說」的社會影響有關。

《儒藏說》是與朱筠同時的周永年在乾隆前期所提出的一篇宣

傳性文字。周永年（1730-1791 年），字書昌，藏書豐富，學識淵博，曾主持過《四庫全書》子部的編纂和有關提要的編寫。《儒藏說》反復闡述了儒藏的正名、立意、作用和意義，並提出條約三則，具體規劃了珍善本書的刊行流通、典藏辦法、經費籌措與管理、貧寒者的資助等問題。周永年還給友人李南澗、俞潛山、孔從谷、韓青田等寫信宣傳「儒藏說」，反復陳說先藏後刻以廣流傳，以便保存的道理，熱切期待能有「儒藏」而與佛道二氏爭長。其友人劉音便撰《廣儒藏說》，發揚周氏主張說：「佛老之藏，在在有之，故雖經變故，一失九存……乃吾儒之書，反茫無歸宿之處，豈非藝林之缺陷也哉！」劉音大聲疾呼：「願天下潛心于吾道者，共相贊助，毋生疑阻焉。」周永年無論在《儒藏說》，還是在與友人書中都自稱是受明人曹學佺的直接影響。

曹學佺（1574-1647 年），字能始，號石倉。明末官四川按察使、廣西右參議。南明唐王建政權于福建時，任禮部右侍郎、尚書。唐王失敗後自殺。曹氏好學嗜書，收藏繁富。他沉浸典籍，深以佛、道二氏有藏而儒家獨無爲憾，曾慨嘆說：「二氏有藏吾儒何獨無藏？」他決意修「儒藏」以與佛、道二氏成鼎立之勢，乃採擷四部，按類分輯，歷時十年，以明亡身殉，書遂中輟。曹氏之「儒藏」雖未編成，但「儒藏」思想卻產生影響而有所發展。從曹氏之倡導到《四庫全書》的編纂，時經百餘年，終於使儒家有一套以儒學經典爲主體的大書，或可稱之爲「儒藏」的問世。這應是中國古代圖書事業史上的大事。

《四庫全書》收書三千四百六十一種、七萬九千三百零九卷，尚有存目六千七百九十三種、九萬三千五百五十一卷，二者共收書萬餘種、十七餘萬卷。這是一九六四年中華書局整理本仔細統計所得種卷數，較清人所記準確。它在數量上超居于道、佛藏之上。佛藏中宋初開寶藏收書一千零七十六部、五千零四十八卷；明清之際民間嘉興藏收書二千零九十部、一萬二千六百卷；建國後的《中華大藏經》第一、二編共收書四千二百餘種、二萬三千餘卷。道藏中宋眞宗《天宮寶藏》收道書四千五百六十五卷；元初《玄都道藏》收道書七千八百卷；明英宗、神宗的《正統道藏》正續共收道書一千四百七十六種、五千四百八十五卷。儒藏《四庫全書》不僅篇卷多，而且它還涵蓋了道、佛典籍于子部類目之下，氣勢不可謂不壯。

不要再嚼甘蔗渣

小時候在江南故鄉最喜歡吃的水果是甘蔗，長長的甘蔗截成幾段，用嘴撕掉皮，一塊塊地嚼，一口口地甜汁沁入心肺。幾段甘蔗禁不住鐵嘴鋼牙，很快只剩下口角流香，但意猶未盡，不得已只好把堆在桌上的甘蔗渣，重嚼一遍，仍然能嚼出一絲絲甜味，自我安慰一下；但已無原有的那種原汁原味了。當然這是孩提時代的一種幼稚行爲，長大以後，就不再干這種事了。可是，在圖書出版界裡卻還有那麼一些喜歡嚼甘蔗渣的人，甚至把別人嚼過的渣一嚼再嚼，直嚼到索然無味還在嚼。

只要到書市，或者形形色色的書展上，就像陷在四大小說名著的書海之中，左看《紅樓夢》，右看《西游記》，東看《三國演義》，西看《水滸傳》，無不爭奇斗艷，亂人心志，影影綽綽好像有無數大嘴在爭嚼甘蔗渣。于是訪書興味毫無，只能落荒而逃。不僅人人能讀的小說如此，就是只有很少很少人能用能看的大部頭書如《四庫全書》之類似乎有人在搶嚼甘蔗渣。

《四庫全書》的良窳功過，可以仁者見仁，智者見智。但由於它是一部大叢書，有足供參考之處，過去分藏七閣，後來遭到毀損，于是被人視作珍善，深庋密藏，非一般人所能見。所以當初臺灣四庫一出，許多圖書館都東擠西壓，籌款購進，盡量入藏；但入藏後利用率並不高，只是充實了館藏。這對一個有規模的大館確實應有這樣一套書。接著，因爲大本四庫的銷售情況不錯，于是上海又印行了小本四庫，價錢便宜得多，但卻有不少議論。高校圖書館界有不少人士持異議，認爲臺灣已經嚼過的甘蔗，何必再去嚼渣？結果銷路大不如前。日前曾有一位高校圖書館長還托我尋找機會準備削價出讓小字本，從而也可約略看到飽和程度了。

最近輾轉聽到上海又在籌劃出光盤版《四庫全書》，逖聽之下，一則以喜，一則以憂。喜的是電子出版物進入古籍領域，使更多的古籍得以流傳、保存；憂的是重複出版光盤《四庫全書》究竟有多大實際意義？化費這樣多的人力、物力是否値得？《四庫全書》在中國藏書文化史上有其一定的地位，但作爲學術研究的唯一依據則是應該審愼考慮的。修《四庫全書》時，去取是有其基本原則的，結果是採錄與禁毀幾乎相等。編纂工作又是政府行爲，缺乏對版本的認眞比勘選用。一種沒看過的東西看一兩次就夠了，好曲還不唱三遍呢！如要看就想看比現在的更好些，更完善些。因此，在可能條件下，不妨移步而不變形，將原本訂正一下，完善一下，增加些便于使用的附件，把乾隆水平提高到當代水平，昭示海內外，不亦善乎？

電子讀物有其價廉易存的優越性，但這是共性，具體到出什麼書時成爲個性了。當前應該充分了解買方市場，因爲使用《四庫全書》的群體終究很小，《四庫全書》又是一套不需要從頭到尾通讀的書，偶而有需，查查圖書館的紙本足矣。再說，用《四庫全書》的人中目前已會讀電子出版物的究有多少。既然若干大館已經飽和，那不是還可以伸向中小館和個人市場嗎？須知中小館實際上能有這些經費嗎？又能有多少需用它的讀者？至于能用光盤《四庫全書》的個人又有多少人有讀光盤的設備和場所呢？他們都有買得起馬配不起鞍的苦惱。市場調查，確不可少！

清代康雍乾三朝官方整理古籍例目

一、古籍的校證和注釋（包括匯注）

《十三經注疏》四一六卷　乾隆四年武英殿刊本，附有考證。

《相臺岳氏本古注五經》五卷　乾隆四十八年武英殿翻刻本。五經指《易》、《書》、《詩》、《左傳》、《禮記》。雖稱翻刻，亦附考證。

《周易折中》二二卷　康熙五十四年依古本經傳分編，李光地等纂。乾隆二十年又由傅恆等撰《周易述義》十卷。

《書經傳說匯纂》二四卷　康熙六十年王頊齡等纂。書成于雍正八年，有世宗序文。

《詩經傳說匯纂》二十卷、序二卷　康熙十年王鴻緒等撰。書成于雍正五年，有世宗序文。乾隆二十年又由傅恆等撰《詩義折中》二十卷。

《春秋傳說匯纂》三八卷　康熙三十八年王掞等纂。

《周官義疏》四八卷　乾隆十三年撰。

《儀禮義疏》四八卷　乾隆十三年撰。

《禮記義疏》八二卷　乾隆十三年撰。

以上《周易折中》至《禮記義疏》統稱《御纂七經》。

《二十四史》　乾隆定爲正史，附有考證。

《通鑒綱目》五九卷　康熙四十六年「御批」。

《評鑒闡要》十二卷　乾隆三十六年劉統勛等錄。

二、古籍的匯編、新編、摘編及續修

《律呂正義》五卷　康熙五十二年撰。

《律呂正義後編》一二〇卷　乾隆十一年撰。

《通鑒輯覽》一一六卷　乾隆三十三年傅恆等纂。敘事從上古至明末，並附南明唐、桂二王事跡。由乾隆核定，並有評論。

《續通志》五二七卷　乾隆三十二年劉墉等纂。「紀」、「傳」從唐至元，「略」從五代到明末。

《續通典》一四四卷　乾隆三十二年劉墉等纂。從唐肅宗至明末。

《續文獻通考》二五〇卷　乾隆十二年劉墉等纂。改編明王圻《續文獻通考》，從宋寧宗起至遼、金、元、明五朝。

《子史精華》一六〇卷　康熙六十年吳士玉等撰。摘錄子、史書中名言雋語。

《明名臣奏議》三五〇卷　乾隆四十六年纂。此書對原文有刪改。

《廣群芳譜》一〇〇卷　乾隆四十七年纂。此書係增補明王象晉《群芳譜》。

《天祿琳瑯書目》十卷　乾隆四十年撰。略仿《郡齋讀書志》體例，記昭仁殿所藏宋、金、元、明善本。

《性理精義》十二卷　康熙五十六年李光地等撰。此書就明胡廣《理性大全》刪繁舉要。

《朱子全書》六六卷　康熙五十二年李光地等纂。此書將朱熹文集、語類整理刪節，分爲十九類。

《數理精蘊》五三卷　康熙五十二年梅玨成撰。

《歷象考成》（原名《欽若全書》）四二卷　康熙十三年胤祿等纂。

《歷象考成後編》十卷　乾隆二年纂。

《秘殿珠林》二四卷　乾隆九年撰。

《佩文齋書畫譜》一〇〇卷　康熙四十七年孫岳頒等撰。

《石渠寶笈》四四卷　乾隆九年撰。

《西清古鑒》四〇卷　乾隆十四年撰。

《西清研譜》二五卷　乾隆四十三年撰。

《錢錄》十六卷　乾隆十六年撰。

以上六種爲文物譜錄。

《歷代賦匯》一四〇卷、外集二〇卷、逸句二卷、補遺二二卷康熙四十五年陳元龍等纂。分類輯錄先秦至明諸賦。

《古文淵鑒》六四卷　康熙二十四年徐乾學等纂。選錄上起《左傳》，下迄宋代古文。

《唐宋文醇》五〇卷　乾隆三年纂。

《唐宋詩醇》四七卷　乾隆五年纂。

《全唐詩》九〇〇卷　康熙十六年彭定求等纂。共收唐、五代二千二百餘家詩四萬八千九百餘首，並附唐、五代詞及作者小傳。

《全金詩》七四卷　康熙五十年纂。

《唐詩》三二卷、附錄三卷　康熙五十二年纂。

《四朝詩》三一二卷　康熙四十八年張豫章等纂。其中宋詩七八卷，八八二人，金詩二五卷，三二一人，元詩八一卷，一一九七人，明詩一二八卷，三四〇〇人。

《歷代題畫詩類》一二〇卷　康熙四十六年陳邦彥等纂。

《歷代詩餘》一二〇卷　康熙四十六年沈辰垣等纂。選錄唐至明詞一五四〇調、九千餘首，附作者裡貫並詞話。

三、叢書、類書、工具書的編纂

《四庫全書》七九三〇九卷　乾隆四十七年紀昀等纂。共收書三四六一種，分經、史、子、集四部，從不同途徑求書，選用底本，並作了輯佚，爲我國最龐大的叢書。

《四庫全書總目》二〇〇卷　乾隆四十七年紀昀等纂，對所收書三四六一種、存目書六七九三種，共萬餘種書，每種撰寫提要，評介內容，爲了解古籍提供了方便。

《古今圖書集成》一萬卷　始纂于康熙，完成于雍正，陳夢雷、蔣廷錫纂。此書分六編、三二典、六一〇九部，各部先匯考，次總論，有圖表、列傳、藝文、紀事等目。

《淵鑒類函》四五〇卷　康熙四十九年張英等纂。此書博採明嘉靖以前文章事跡，供詞藻、典故之採擇。

《康熙字典》四二卷　康熙五十五年張玉書等纂。凡十二集、一一九部，共收字四七〇三五，每字均詳其音訓。

《駢字類編》二四〇卷　康熙五十八年張玉書等纂。收二字詞語，皆齊句首，共採詞藻一六〇四，分十三門。

《佩文韻府》四四三卷　康熙四十三年張玉書等纂。分韻一〇六，齊字尾歸韻，所採詞語以經、史、子、集爲序。

《歷代紀事年表》一〇〇卷　康熙五十一年王之樞等纂。上起帝堯，下迄元末，編年系月，條列大事。

《歷代職官表》七二卷　乾隆四十五年撰。以清代官制爲綱，列歷代官制于下，記述沿革並附考證。

四、古籍輯佚

《尚書精義》五〇卷　宋黃倫撰

《周官新義》一六卷　宋王安石撰

《春秋釋例》一五卷　晉杜預撰

《舊五代史》一五〇卷　宋薛居正撰

《五代史記纂誤》三卷　宋吳縝撰

《續資治通鑒長編》五二〇卷　宋李燾撰

《崇文總目》十二卷　宋王堯臣等撰

《直齋書錄解題》二二卷　宋陳振孫撰

《澗泉日記》三卷　宋韓淲撰

《古今姓氏書辨證》四〇卷　宋鄧名世撰

《牧庵文集》三六卷　元姚燧撰

《四庫全書》中所謂「大典本」者，即自《永樂大典》中輯佚。所輯計經部六六種，史部四一種，子部一〇三種，集部一七五種。

以上所列爲舉例性質。

（附記）

一九八一年冬，李老一氓在一次講話中曾談到清代康雍乾時期整理古籍的氣魄，要求中華書局寫一簡單的有關資料。一九八二年初，中華書局編輯部和副總編輯趙守儼先後函請我寫一個康雍乾三朝整理古籍的例目。守儼是親自聆聽過李老講話的，所以在來信中提出了一些具體要求，供我參考，如：

⑴「李老所說應指那一時期官修的詩文總集、類書、工具書如《全唐詩》、《全唐文》、《古今圖書集成》、《淵鑒類函》、《康熙字典》等」。

⑵「不屬于官修者不必收」。

⑶「這份材料似毋須太繁，只要有書名、主編人、編纂時間，大體分分類就夠了。可收可不收者，不妨收入；稍有遺漏了也沒關係。卷帙浩繁的重要書最好不漏。」

⑷「宣揚清代武功的書，雖系官修，卻是那時的當代史；明史，對清初來說也不算古籍，因此不要。」

根據守儼的這些提示，我即就記憶所及，粗略地核對了一些目錄書，草成此一例目。草成後我認爲康雍乾整理古籍有以下幾項特點：

⑴整理範圍廣，涉及到經史子集。

⑵整理篇帙大，有多至數萬卷者。

⑶整理前代典籍文獻，重加選錄纂輯，予以匯編者多。

⑷重視纂輯便于運用古籍資料的工具書。

⑸開展輯佚工作，增大古籍數量。

清學者對小說的異見

古典小說頗見重于清代，無論文人武夫，抑或里巷市井，都喜歡閱讀說部，所以「士大夫家几上，無不陳《水滸傳》、《金瓶梅》以爲把玩」。一武夫因欽命任荊州將軍而痛哭流涕，以關瑪法（老爺）死于荊州，辭不赴任，雖語涉不經，但亦可見小說影響之深。甚至有學之士亦多將議論形諸筆墨。清代學者對待小說大體有兩種看法：

一種持肯定態度，又可分爲兩支。劉繼莊、王士禎是從理論上作肯定：劉繼莊爲清初備受當時著名學者萬斯同、朱彝尊推崇的有學識見解的大學者。他把唱歌、看戲、看小說等等視比儒家之六經，在所著《廣陽雜記》卷二中說：「余觀世之小人，……未有不看小說、聽說書者，此性天中之《書》與《春秋》；……」《書》與《春秋》儒家經典中史的部分，那麼小說便是平民百姓的歷史課本。王士禎是名重一時的學術領袖，他更進而證實小說並非完全虛構而是「演義小說亦各有所據」。他在所著《居易錄》、《香祖筆記》中多處論小說之有所據，並作出結論說：「野史傳奇往往存三代之直，反勝穢史曲筆者倍蓰。前輩謂村中兒童聽說三國事，聞昭烈敗則顰蹙，曹操敗則歡喜踴躍，正此謂也。禮失而求之野，惟史亦然。」（《香祖筆記》卷二）

另一支是以金聖嘆爲突出代表的實際宣傳者和推廣者。金聖嘆名喟，後易名人瑞，是一位以偏僻怪誕、穎敏絕世而聞名的才子，清人若干著名筆記中都有內容大體相似有關他的長段記載。王應奎《柳南隨筆》卷三稱「一時學者愛讀聖嘆書，幾于家置一編」；梁章鉅在其《歸田瑣記》卷七的《金聖嘆》條亦說「今人鮮不閱《三國演義》、《西廂記》、《水滸傳》，即無不知有金聖嘆其人者」，並引錄《柳南隨筆》。亦可見聖嘆普及小說之功。

有不少學者則對小說持否定態度，清初撰《國榷》的談遷，在史學上享有大名，但他在《北游錄》中說：「觀西河沿書肆，值杭人周清源云，虞德園先生門人也，嘗撰西湖小說。噫！施耐庵豈足法哉！」亦可見其對小說所持之深惡痛絕的態度。昭槤《嘯亭續錄》卷二至立《小說》專條以抨擊小說，稱「余以小說初無一佳者」，並以小說內容與實際不符來貶低小說的價值，如「水滸傳官階地理，雖皆本之宋代，然桃花山既爲魯達由代郡之汴京路，何以三山聚義時，反在青州。北京至汴不過數程，楊志奚急行數十日尚未至，又紆至山東鄆城，何也？」如此拘泥印證，未免獲膠柱鼓瑟之誚。更有以扼腕腐心的態度詛咒普及小說之金聖嘆，董含《三岡識略》卷九《才子書》條說：「其終以筆舌賈禍也，直哉！」甚至與顧炎武並有歸奇顧怪之稱的歸莊也攻擊金批《水滸》爲「此倡亂之書也」（《柳南隨筆》卷三）。

小說雖遭到這些抨擊，但清代小說仍然保持應有地位，不僅前代小說流行，而且還有不少文人撰寫小說，長篇如《紅樓夢》、《儒林外史》、《鏡花緣》，短篇如《聊齋》、《閱微草堂筆記》等等，形成與宋詞、元曲、明傳奇那樣的清小說的文學主流。

《史籍考》的遭遇

《史籍考》是章學誠以其目錄學理論指導實踐的成果。他從乾隆五十二年在河南巡撫畢沅的資助下，于河南開封開始創制《史籍考》，參加纂修的人員，除章學誠外，還有洪亮吉、淩廷堪、武億等。在這一工作開始之初，章學誠撰寫了《論修史籍考要略》一文，為全書編寫中的收書範圍、分類標準、編寫方法和有關注意事項等重要問題作了大致的規定。不久，因為畢沅移督湖廣，全書修撰工作又移至武昌繼續進行。由於章學誠等幾位學者堅持不懈的工作，至乾隆五十九年，《史籍考》一書已粗具規模。正在全書即將轉入修改階段的重要時刻，這一工作卻因畢沅降授山東巡撫並停止了對該書修撰工作的資助而陷于停頓。為此，章學誠曾先後向當時擔任要職的阮元、朱珪、謝啓昆等呼吁援助，嘉慶三年（1798年）在浙江巡撫謝啓昆的幫助下，章學誠攜稿至杭，並在錢大昭、胡虔、陳鱣、袁鈞、張彥曾等著名學者的協助下，借助于文瀾閣的豐富藏書，重新開始了對《史籍考》的修改和增訂。經過兩年的辛勤努力，全書內容較武昌原稿已增四倍，卷數也由原先之百十來卷增至五百餘卷。正在此時，謝啓昆調任廣西巡撫，章學誠以老病未能從行，這一工作遂又告輟。此後不久，章學誠病逝，這部未完之作也隱晦不聞。直到道光中，該書之武昌原稿和杭州增訂稿才輾轉流入當時的漕運總督潘錫恩手中。潘以原書「採擇未精，頗多複漏」，因又邀當時著名學者呂用賢、許瀚、劉毓嵩、包慎言等從道光二十六年（1846 年）開始對全書進行了刪複、補略、校舛等工作。兩年後，這部三百卷的史學目錄巨著終於完成並于當年將該書手寫本以及章學誠的武昌初稿、杭州修改稿和潘氏全部藏書三萬卷一起貯于潘氏涇縣故里。但不幸的是，十年之後，潘家藏書失火，《史籍考》清本「與藏書同歸一炬，並原稿亦不復存」（清潘駿文：《乾坤正氣集跋》）。這部經由十數位學者盡六十年之力編就的目錄學巨著遭到了亡佚的命運。

《史籍考》亡佚後，保存在《章氏遺書》中的《論修史籍考要略》、《史考釋例》和《史籍考總目》等三篇文章就成了探求《史籍考》內容的可貴文獻。

說兩部導讀目錄

開列書目大多是若干學有所成的學者應邀而作，或爲指導學生讀書、科研之所需，其性質都屬于導讀目錄。梁啓超、魯迅和胡適諸先生都開過這類書目，對後學有引入門徑的作用。不過在他們以前就有兩部值得注意的導讀目錄。一部名《書目答問》，是張之洞任四川學政時應諸生要求，在學者繆荃孫的協助下所編，特別注意數量和得書的難易，共收書二千餘種，比較切合實際，受到讀書人的歡迎，後來江人度、范希曾、葉德輝等人爲之箋補，使該書聲名鵲起，近代目錄學家余嘉錫先生還用此書作爲目錄學課程的主要教材，更使許多文科大學生都熟知此書，琉璃廠古舊書店的學徒也由老板指定《書目答問》爲必讀書。

另一種導讀目錄，不太爲人注意，名氣遠遜《書目答問》，那就是清代音韻學家龍啓瑞所撰的《經籍舉要》。龍啓瑞（1814-1858）字輯五，號翰臣。廣西臨桂人（今桂林）。道光二十一年狀元，照例授官修撰，名重一時。他是最早提出太平軍起義前廣西危機四伏局勢的人，他在《上某公書》中說：「竊念粵西近日勢情，如人滿身瘡毒，膿血所至，隨即潰爛，非得良藥重劑，內扶元氣，外拔毒根，則因循敷衍、斷難痊愈，終必有潰敗不可收拾之一日」。龍氏的觀察和分析，果如其言。

道光二十七年，他在任湖北學政時，曾在幕友劉傳瑩協助下，爲應考諸生纂《經籍舉要》這樣一部推薦目錄。《經籍舉要》按經史子集編次，每部收書數十種，共收書百餘種。在四部編次之後，又按作用分爲六類，即約束身心之書、擴充學術之書、博通經濟之書、文字音韻之書、詩古文詞之書及場屋應試之書，分別收書數種至十數種，共收書七十餘種。前後統計達二百餘種。龍啓瑞在卷末識語中曾申明其著述目的說：「右所舉各書，皆于諸生有益，所宜置之案頭以備觀覽。其爲目多而不繁，簡而不漏，由此擴而充之可進于博通淹雅之域。即守此勿失，亦不致爲鄉曲固陋之士」。

這種自我估計頗嫌過高。撰者的目的是備諸生入門作階梯，而不是什麼專門著作，所以其體例不甚統一，有的僅列書名、撰者，有的則注明版本，有的更寫有敘錄，頗爲讀書之助，如經類所著清胡渭所著《禹貢錐指》下即寫有敘錄說：「是書于古今地理，考證詳明，援引諸書尤繁富而有斷制，乃學人所最宜究心者。」有的類尚附有雙行小字，如集類下注稱：「古人文集，浩如淵海，今就其有益于德業者著之。」不免有道學氣。《經籍舉要》雖在質與量上都難與《書目答問》相敵，但它終究是較早的一部有導讀意義的推薦目錄，而且其中還有不少可以參酌的治學觀點，爲治目錄學者不可不一讀之書。

漫話地方志

一

地方志是我國具有悠久歷史的一種著述體裁。它記載著某一地區的自然、歷史、地理、社會、經濟、文化等等內容，是蘊藏著豐富歷史資料的寶庫。它的起源甚早，但究以哪部著作作爲起源的標志，目前學術界尙有多種說法，不過它有二千多年的發展歷程是無疑義的。不僅如此，地方志還有持續發展的特點，幾乎各個朝代都給它以應有的重視，隋唐以來尤爲顯著，如隋大業年間，「普詔天下諸郡，條其風俗、物產、地圖，上于尙書」（《隋書·經籍志》）。這是政府明令修志的最早創意。從而巨帙方志相繼出現，如見于《隋書·經籍志》著錄的就有《諸郡物產土俗記》一百五十一卷、《區宇圖志》一百二十九卷、《諸州圖經集》一百卷等。唐代方志著作也較多，其見于兩唐志著錄的就有《括地志》五百五十卷、《元和郡縣圖志》四十卷、《十道圖》十卷等等。其中《元和郡縣圖志》是一部對後世影響較大，具有一統志性質的著名方志。再從本世紀初在敦煌石室發現的唐修《沙州圖經》和《西州圖經》的鈔本上，還可看到早期方志的樣式——即以圖爲主而附加文字說明的「圖經」型。這些都爲後來方志體例的漸趨定型起了先導作用。

宋代學術比較發達，地方志的撰著也較興盛，著述體例大體定型，內容門類包含較廣，長篇巨制相繼出現，如《太平寰宇記》二百卷（現缺一百一十三、一百一十九卷）、《輿地紀勝》二百卷和《方輿勝覽》七十卷等。它們不僅篇帙大，編纂體例也日臻完備，如《太平寰宇記》在記載地理之外，又編入姓氏、人物，風俗數門，詳細地記錄了人物的官爵，所撰詩詞以及人事活動，大大地豐富了地方志的內容，並爲後世地方志的編寫體例樹立了基本模式。同時，南宋已開始有續修制度，如臨安一地就先後于孝宗、理宗、度宗三朝續修《臨安志》。在前後百年的動蕩年代，一地之志竟能重修三次，可見當時對修志工作極爲重視。元朝仍踵行其事，而纂修《大元大一統志》又開明清一統志纂修的先河。

明清以來，方志修撰工作有了更顯著的發展，幾乎遍及州縣鄉鎮。清代修志成就尤爲突出。在現存的方志中，清修方志約佔總數80% 左右。據一種統計，清修方志達六千五百餘種，平均每年有二十多種新志。它上起全國一統志及各省通志，下到府州縣鎮鄉，旁及鹽井、土司司所和分縣等等，無不有志。其數量之多，層次之廣，可稱空前。官修方志的制度也陸續建立。如康熙十一年曾詔各地分輯志書；雍正七年，爲了修撰《一統志》，又嚴命各縣修志；不久，還明令規定各地六十年修志一次。這些對推動方志編修工作起了一定的作用。清代還有較多學者投身于修志工作，如謝啓昆的《廣西通志》、阮元的《廣東通志》、章學誠的《永清縣志》、洪亮吉的《涇縣志》、孫星衍的《三水縣志》和李兆洛的《鳳臺縣志》，下至清季郭嵩燾的《湘陰縣志》、王闓運的《湘潭縣志》和繆荃孫的《江陰縣志》等。這就使若干清修方志具有了較高的學術水平而成爲人所稱道的名志。與此同時，學術界還展開了方志學的研究，探討方志的性質、體例和規制等等問題。如章學誠在《方志立三書議》中，主張「志屬史體」，「志乘爲一縣之書，即一國之史也」（《永清縣志》七）；而戴震則認爲「志以考地理，但悉心于地理沿革則志事已竟，侈言文獻，豈所謂急務哉！」這些都表明清代對修志工作的重視。

辛亥革命以後，修志工作雖不如清代之盛，但仍不斷有纂修之舉，如河南在一九四九年前共續修七十八部，山東在一九二九至一九三七年間共修八十四種。方志學的專著也相繼問世，如李泰棻的《方志學》、王葆心的《方志學發微》、黎錦熙的《方志今議》和傅振倫的《中國方志學通論》等都對方志的體制、源流、纂著方法進行了研究。一九二九年底，南京國民黨政府內政部頒發了《修志事例概要》二十二條；一九四六年又頒布了《地方志書纂修辦法》，規定「省志三十年纂修一次，市志及縣志十五年纂修一次」。這些規定雖未實行，但其中某些內容尙有可資參考之處。

總之，回顧兩千多年方志編撰的歷史，不僅編制有大量的各類方志，而且還開拓了方志學的研究領域，這是前人留給我們的一份豐富遺產。對于這份遺產既應愼重地繼承與吸取其足資借鑒與參證的合理部分，也應嚴肅地批判與指明其不足之處，給予恰當的評論。

舊志主要採取官修制度，所以它必然需要極爲明確地爲當時的政治服務。它不僅在體例上給予封建統治者以特殊地位（如《畿輔通志》首立《聖制紀》），而且還借方志資料作施政的參考，地方官吏要「以之斟酌條教，風示勸懲」（李兆洛：《鳳臺縣志》序）。其他如體例混雜，草率從事，倉卒成書也大大降低了方志的參考價值。但是，正由於它數量大，歷史久，也仍有不少可資參證借鑒的地方。

首先，舊志保存了較多資料，其中若干眞實性較強的記載多據檔冊、譜錄、碑傳、筆記等而來，可以反映當地自然、歷史、社會、經濟、文化等方面的風貌，爲後世提供有價值的資料。

其次，舊志可供了解某一地區的基本情況。一地之志記載當地各方面基本情況比較周備，如有一志在手，則當地面貌可得其大概。這正是封建時期地方官吏下車伊始即索觀郡志的道理所在。

其三，舊志體例雖多陳舊，但因舊志類型多，修撰者也各有所見，所以仍可從中選取若干有裨制定體例、條目的借鑒資料。

正因如此，所以我們還應對舊志有所揚棄地加以整理。

二

五十年代以來，我們在整理舊志方面作了刊印、類編資料、編制目錄等工作，取得了一定的成績；但更主要的工作則是創編新志。新編方志既不是舊志的續編，也不是舊志的重編，而是在總結舊志的基礎上進行創編。在五、六十年代，這項工作曾有所開展，據不完全統計，截至一九六〇年六月，全國已有二十多個省區、五百三十個縣進行修志工作，其中二百五十個縣已編出初稿。公開出版的有湖南的《湖南近百年大事記述》和《湖南地理志》二卷、湖北的《浠水縣簡志》、山西的《祁縣志》和河北的《懷來新志》等，其未公開而油印流傳的也很多。這些都爲新編地方志工作起到了篳路籃縷的摸索探討作用。近年來，創編新志工作在經過一段滯緩的路程後又重新恢復發展，全國各地由省至縣紛紛開展，並有多項列入國家科學規劃項目之中。現已鉛印出版的有《如東縣志》、《蕭山縣志》等。因而如何創新地編寫新方志已成當務之急而亟待共同商榷。

我認爲新編地方志應從指導思想、政策要求、論述資料和文字結構等方面加以注意。

一部志書內容廣泛，涉及到自然和社會諸方面，從而就需要有一個從搜集資料、調查訪問到鑒別整理，終而成文的過程。面對這樣千頭萬緒的繁複現象，如果沒有正確的立場、觀點和方法，那麼編寫新志的工作勢必會莫知所措，難以著手。我們修志的目的就是爲建設社會主義現代化國家服務。這就勢必要以指導我國革命與建設的正確理論——馬克思主義、毛澤東思想爲指導思想。這是在創編新志工作中必須堅持的首要一點。

政策要求也是修志工作中應加考慮的重要方面。一個時代、一個政權都有自己的各項政策，並以之處理各種複雜的事物。編志工作更需要用有關政策來再認識某些問題，例如：如何在寫志時評價歷次政治運動就可以反映我們的政策水平。在編寫工作中要掌握政治分寸的問題，不能以感情代替政策。關于民族問題應正確反映各民族的歷史和現狀，把各民族對祖國歷史發展所做的貢獻都進行實事求是的描述和評論。對歷史人物只論業績，不論民族。對歷史上的民族糾紛和隔閡無須回避。如果不寫歷史上發生過的民族壓迫與歧視，就顯不出社會主義民族政策的偉大與正確。對人物評論更需注意政策。地方志對人物既寫正面人物，也寫反面人物；既寫推動歷史的，也寫阻礙歷史的。寫前者爲使他流芳百世，寫後者爲使他遺臭萬年。這就是對人的褒貶問題。

論述首先要注意全面性，使所寫志書從自然到社會各方面情況都能得一橫斷面剖析性反映，成爲提供全面資料的一部書，其次要有時代特點。我們時代的特點是經過艱苦奮斗才有蓬勃發展的，所以不僅要寫成就，更重要的是還要寫獲得成就的艱苦歷程。第三要注意地方特點，這是由我國國情所決定。我國幅員遼闊、人口眾多、地區差異性大：城市與農村不同，沿海地區與內地不同等等。所以新編地方志從制訂體例篇目到搜集資料、整理定稿都不能忽略地方性這一特點。如果一部志書能從全面性、時代性和地方性三方面進行系統的論述，那將會獲得一定成就的。

地方志還有一大特點，那就是需要有豐富資料作基礎，要以足夠的資料來反映面貌。如何判斷一部志書的資料質量呢？首先是看資料搜集的範圍廣不廣、夠不夠。是否已對文獻資料、口述資料和實物遺跡都加以徵集和考察過。搜集到資料就要鑒定考辨，作出判斷，加以選用。對選用資料應該從作者、時代、可靠程度、使用準確等方面來考察。

在結構與文字上，首先涉及到體裁問題。在實際編寫工作中不要過多地糾纏于史志異同問題上。我認爲一部志書要諸體並用，即以志爲經而並用表、傳及紀。要做到廣採諸體，綜合表述。凡文中所用名稱、紀年、地名、標注等都應事先制定劃一規範，不要在一志之中五花八門。文風要求嚴謹樸實，簡潔流暢、通俗易懂而且附錄齊備。

如能注意到上述幾點，就能以擬定的寫作提綱爲依據，以豐富可信的資料爲基礎，經過艱辛的勞作而寫成一部可爲兩個文明建設發揮作用的信志。

《三字經》雜談

一

《三字經》、《百家姓》、《千字文》是宋元以來社會上廣泛流傳的系列識字教材，現在大部分六十歲以上的人都讀過這些書。這些書雖是識字教材，但除《百家姓》主要是記誦姓氏外，《三字經》和《千字文》都超出《四言雜字》、《六言雜字》和《農莊日用雜字》等單純識字書的範圍，而兼爲進行封建思想教育的課本。《千字文》據說是梁周興嗣綴字成文的杰作，以不重複的一千個字將自然現象、歷史名物、修身處世和優美景物等內容加以概括描述，的確有其特色，但終因語意比較深，文字不重複，不易很快記住理解，反不如《三字經》的後來居上，有更廣泛的誦讀覆蓋面。我是讀過《三字經》的，啓蒙老師是我的祖父，他就從《三字經》入手教我識字，因而「人」是我第一個認得的字，而「人之初，性本善」也是我最早能背誦而終生不忘的句子。

從《三字經》入手識字大概由來較久，據明代理學家呂坤在其《社學要略》中就說過：「初入社學，八歲以下者，先讀《三字經》以習見聞；《百家姓》以便日用；《千字文》亦有義理。」可見《三字經》既爲識字，也爲增廣見聞的教材。它是放在「百」、「千」之前首先地位的讀物。近代學者章太炎說：「觀其分別部居，不相雜廁，以較梁人所集《千字文》，雖字有重複，辭無藻采，其啓人知識過之。」（《重訂三字經·題辭》）社會上習慣用語的三、百、千，正是《三字經》本身作用和蒙學教育約定俗成次序的反映。

二

那麼，《三字經》產生于何時，作者又是誰呢？歷來眾說紛紜。

清人夏之翰在爲王應麟所編《小學紺珠》寫序時說：「迨年十七，始知其（《三字經》）作自先生（王應麟），因取文熟復焉，而嘆其要而該也。」《三字經注解備要》的原敘中也說：「宋儒王伯厚先生《三字經》一出，海內誨子弟之發蒙者，咸恭若球刀。」這些說法肯定了《三字經》的作者是宋元之間的學者王應麟。

但是，還有些不同的意見，如章太炎則認爲：「《三字經》者，世傳王伯厚所作，其敘歷代廢興訖于宋，自遼金以下則明清人所續也。」（《重訂三字經·題辭》）章氏持一種審慎態度，以「世傳」立論，類似稱「舊題」，表明存疑之意，其稱明清人所續乃以所解釋內容中有非王氏所能舉者。

有些人則根本否認王應麟所撰說。如明清之際的屈大均就指明《三字經》作者爲順德人區適子說：「童蒙所誦《三字經》乃宋末區適子所撰。適子，順德登州人，字正叔，入元抗節不仕。」（《廣東新語》卷十一）另一位廣東學者番禺凌揚藻也主張爲區適子所撰。王廷蘭的《紫薇花館雜纂》曾引此說：「《三字經》者，國朝喬松年《蘿摩亭札記》稱有王相者爲之注，謂是王伯厚所作。然其云『十八傳，南北混』，恐尙在伯厚之後。及觀凌揚藻《蠡勺編》云乃南海區適子所撰。」（《紫薇花館集》）在清人筆記中也多言及，如褚人穫《堅瓠集》以史實疏誤與王應麟學識造詣不合而否認《三字經》爲王所編。

作者雖然尙難定論，但有一點可以肯定，《三字經》大約產生于宋代，從宋元以來經過不斷補充並日益普及。

三

《三字經》的清初本有三百八十句一千一百四十字，後來比較通行的本子有四百一十六句一千二百四十八字。全書主要包括學習態度、封建倫常、日常事物、歷史知識和勤奮人物等內容。其中敘史部分最有特色，它用了百餘字把歷代統系，按事件人物，縱橫交錯，順次而下地加以簡括說明，寫意般地勾劃了幾千年的歷史輪廓。這本僅僅千餘字的小書就以白描筆法和三字句式傳播封建社會人們所需要的基本知識和道德規範要求，並使之廣泛流傳，經久不衰。

《三字經》的內容包含兩部分：它既有從傳統文化中擷取到的有用知識，又有宣揚封建倫常，進行教化的說教。這樣就既滿足了群眾的需求，又符合封建統治者的利益，因而成爲全民族的流行讀物。同時三字句體裁，合乎人們誦讀的語言習慣，表現出抑揚頓挫的節奏而爲人所樂用。內容與形式的並重正是《三字經》之所以產生深遠影響原因的所在。

四

《三字經》流行後，爲了更好地理解內容就有人爲之作注和圖解。現能見到的有明人趙南星的《三字經注》和清人的大量作品，如王相的《三字經訓詁》、王琪的《三字經故實》、賀興思的《三字經注解備要》和尙仲魚的《三字經注圖》等等。這些注釋和圖解都比原文增加多倍，實際上是根據《三字經》的原型作更深入的宣傳普及工作。如《三字經注解備要》塡充了大量注解材料，即如「三才者，天地人」僅六個字，但《備要》不僅講「三才之道」、「三十三天」、「色界十八天」，還記歷代沿革，各地建置、三山五岳、五湖四海以及人情世故，不啻是地理、修身課本。《備要》的撰者還從「正統」觀念出發，將「魏蜀吳，爭漢鼎」改爲「蜀魏吳，……」又如《三字經圖注》版式則分兩層樓，按文字故事繪圖注明，如「香九齡，能溫席」和「融四歲，能讓梨」，都各有一圖，表明黃香之孝和孔融之悌。孔融圖旁又注稱：「融四歲，時有饋梨者至，融獨後諸兄而取最小者，或問之，曰：『我小兒當如是。』其後兄弟一門爭死鉤黨之禍。」另于「融四歲」文下夾注：「孔子廿七世孫，漢北海太守。融字文舉，魯人。」這些圖注對于了解《三字經》文意和增強《三字經》生命力都起到重要作用。上兩種書都由清代南京刊印蒙學書最多的書坊李光明莊刊印，可見其流傳之盛。另外如連恆的《增補注釋三字經》、許印芳的《增訂啓蒙三字經》和蕉軒氏的《廣三字經》等都起著類似作用。與此同時，清代爲在滿、蒙族人民中普及，還有崧岩富俊譯的《蒙漢三字經》和陶格敬譯的《滿漢三字經》二書的刊行。

五

隨著時代和社會的發展與變化，《三字經》的基本資料和體裁被廣泛地利用。從太平天國直至解放以後，《三字經》這一傳統文化模式在不斷地發揮其應有的作用。

《太平天國三字經》是洪秀全親自指導，由盧賢拔、何震川等所撰，它利用《三字經》形式，以嶄新的內容宣傳教義和革命，流傳面很廣。全文共三百五十二句一千零五十六字，主要內容講解上帝會的教義和皇上帝的的威力，指斥歷朝歷代的統治，提出革命要求和紀律，應是初期的革命宣傳品。

清末江瀚編《時務三字經》，宣傳變法維新，普及科學知識，對帝國主義的侵略指斥尤烈，揭露帝國主義的宗教侵略是「宗徒逃，教蔓延，開兵端，數百年，迄于今，禍中國，惟愚民，受其惑」，這本書主要反映了當時「中體西用」思潮。

《共和新三字經》，一名《中華民國共和三字經》是辛亥革命後不久刊行的一種革命宣傳品。作者想以此書作青少年的革命啓蒙讀本，自稱「是雖戲述成編，目的最新，字句淺顯，適合兒童之閑課。」全書共三百零四句九百一十二字，插圖二十二幅。內容明確劃分革命與改良的界限，論證必須革命的道理，如說：「犬守夜，雞司晨。不革命，曷爲人？蠶吐絲，蜂釀蜜。不革命，不如物。」並揭發清廷賣國和曾國藩等人鎮壓人民反抗的罪行。

《重訂三字經》是章太炎于一九二八年爲提倡讀經而作，其出發點是攻擊新式教育，所以在《題辭》中公開宣稱：「余觀今學校諸生，幾並五經題名、歷朝次第而不能舉，而大學生有不知周公者，乃欲其通經義知史法，其猶使眇者視、跛者履也歟。今欲重理其舊學，使人人誦詩書，窺紀傳，吾之力有所弗能已；若所以詔小子者則今之教科書固弗如《三字經》遠甚也。」而對《三字經》原作又認爲「諸所舉人事部類，其切者猶有未具，明清人所增尤鄙，于是重爲修訂，所增入者三之一，更定者亦百之三四」。重訂本書尾記全書句字是「都五百三十二句，一千五百九十六字。」章氏重訂不是簡單地續補，而是借此表達自己的思想和主張，所以除了補充一些地理人事知識外，主要是爲提倡讀經而補入大量有關經史子集的知識。他雖然表達了反對科舉的態度，將梁灝廷對奪魁的故事改訂爲荀卿稷下講學的故事，但對清朝僅以「清太祖，興遼東，金之後，受明封。至世祖，乃大同，十二世，清祚終」八句作客觀敘述，遠非辛亥革命前怒斥「夷狄」和「載湉小丑」等等激烈態度了。

在土地革命時期，江西老區的列寧小學也編有「三字經」教科書，向小學生講述革命道理，如「人之初，本自由，都平等，是一統。私有制，壞大同，從此後，階級分。有了那，寄生蟲，只吃飯，不作工」，分析階級的形成；又如「天地間，人最靈，創造者，工農兵。男和女，總是人，一不平，大家鳴。」講明工農兵作主，男女要平等的道理（趙希鼎《瑣談〈三字經〉》，一九六二年三月一日《光明日報》）這對推動土地革命是有影響的。

此外還有不少專業三字經，早的如清人余懋勛編的《三字經》，以二千七百餘字講述上古至明的歷史。程思樂的《地理三字經》和《醫學三字經》、《歷史三字經》等都是在《三字經》影響下所產生的作品。

六

在《三字經》以後出現的注解、增訂、改編等等作品都沒有像《三字經》那樣流傳廣泛而經久。這不能不引起對這一具體文化現象的思考。

《三字經》之所以能夠有如此深遠影響，首先是它本身所具備的特點。張志公的《傳統語文教育初探》一書中曾作過專門的探討分析，認爲在內容上，「有些觀點當然不見得正確，但是也有些話說得很不錯，成了多年傳誦的格言」。雖然里邊有「學而優則仕」、「顯親揚名」、「光前裕後」那套封建統治階級的哲學，可是所講的故事多數是有啓發性的，要求作有用的人，也不無鼓勵兒童上進的作用，在體裁上，「《三字經》的語言是相當通俗的，……除了個別的句子外，沒有勉勉強強硬湊字數、硬押韻的毛病。從句法上看，可以說得上是靈活豐富，包羅了文言裡各種基本的句式，既有訓練兒童語言能力的作用，又使全書的句子顯得有變化、樣式多、不枯燥」。正是這些才使得《三字經》具有一定的生命力，而更重要的是它把內容和形式巧妙地結合成一體。

傳統文化的形式往往被人按照各自目的加以利用，《三字經》的三字句也和舊詩詞形式一樣，既可以爲進步和革命的內容所用，也可以塡充保守和倒退的內容。因而對于傳統文化的抉擇主要是內容，而形式只是如何善加利用而已，毋須多加挑剔。當然，形式內容的和諧統一無疑將是我們所樂于接受的，也是我們所期望達到的。

我們既不能對傳統文化採取虛無態度，也不能持保存國粹的態度，即如《三字經》有封建糟粕，但也有有益的內容。因而對于任何一種具體文化現象都應細心而審愼地去披揀。根本問題在于「爲我所用」，要從傳統文化中吸取爲全民族所喜聞樂見的精華充實到社會主義文化寶庫中去；同時還應廣泛吸取，擇善而從，以建立全民族所共有的社會主義文化。

《津門雜記》的書訊

地方風土雜記，通都大邑多有之。《津門雜記》即記天津風土人情之作。撰者張燾，字赤山，自號燕市閑人。原籍浙江錢塘。據《雜記》自序內容推測，其人大約在道光、咸豐間生于北京，幼年侍親僑寓天津，博學多才，工書善繪，知醫術，識外文，在誦讀之餘，仿《都門紀略》、《滬游雜記》體例，采寫耳目見聞，身所經歷的地方時事。日積月累，于光緒十年成《津門雜記》一書。

《津門雜記》三卷，「凡城邑、河渠、衙署、祠廟以及海防軍政，國俗民風，數十年之興廢因革，自巨及繂，燦然明備」。天津地方風情大致得見，其卷上錄吳惠元《天津剿寇紀略》、楊愼恭《天津縣謝忠愍公哀詞並序》及牛元愷《天津縣謝忠愍公誄》等三篇，均與咸豐三年太平軍北伐進逼天津史事有關，其記事純爲維護封建統治，對于賣國奸商張錦文則有譽揚而無訾議，但從中也可見當時清朝官紳對太平革命的抗拒。

《津門雜記》一書記天津社會情態比較細致具體。如巫婆頂神、混混豪橫、租界特權以及社會娛樂場所、各種節令時習等等，均足資參考。所收詩文也偏重于紀事寫實。所收乾隆時人楊一崑的《皇會論》、《天津論》描寫天津民風土俗，頗稱盡致，尤爲研究社會史的重要資料。這部書疏于考證，編次凌亂，取材也欠精審，實符《雜記》之名，但津地此類著作較少，仍不失爲有用之書。體例與內容也與一般筆記無異，惟其書尾的推薦廣告獨具一格，值得一讀，特附于次：

> 津門爲畿輔咽喉之地，五方雜處，地狹人稠，富麗繁華，埒于燕市。泉唐張赤山作客于七十二沽間，歷有年所，見聞既熟，紀載斯成。近撰《津門雜記》一編，鏤版行世，並托申昌書畫室代銷。暇時取而讀之，覺其中探奇訪舊，問俗采風，摭下里之歌謠，錄名人之撰著，可資掌故，足當臥游。洵乎史乘之外篇，冶游之寶錄也。爲書數語，以廣流傳。光緒十一年乙酉端陽後二日申報館主人識。

這則圖書廣告既表明作者水平，又指出圖書的價值，更說明讀者的受益點，的確是一篇好書訊和提要。販書事俗而文不俗，頗具雅致。附于書後，推薦招徠，允具雙美。

目前書訊文字多用套語，這則圖書廣告誠有可備借鑒之處。

題華長卿《蜑言集》

香港即將回歸祖國，許多人都想知道一些文獻記載，特別是當時人的詩文中有何反映。南方詩人曾寫過不少史詩性的作品，記錄了鴉片戰爭的史事，但尙未見直接觸及香港問題者。我想這樣一件屬于古今之奇變的大事，北方詩人不可能無動于衷，只是未能深入挖掘而已。天津爲北方一大口岸，鴉片戰爭時的白河投書以及後來的天津條約、北京條約又無不與天津有關。于是我在天津的地方文獻中盡力搜求，終於意外地找到一本薄薄的天津詩人華長卿的《蜑言集》。

華長卿是清嘉慶、道光時人（1804-1881），中過舉，做過縣訓導之類的小官。在二十多年裡，他寫詩一千七百餘首。因財力有限，只能把道光十八年至二十三年六年間所寫「不能已于言者」的五十首刊印。這五十首詩幾乎都是針對鴉片戰爭前後的時事而寫，詩人自己也認爲「非效無病之呻吟，半屬有感之諷喻」。但是詩人卻題名爲《蜑言集》。「蜑言」者，僞言之意，詩作都是當時的紀實之言，而詩人偏說這些是假話，更能見到詩人激憤不平之氣。這本詩集很快于道光二十五年在江寧條約簽訂地南京刊行，恐怕也包含著對奇恥大辱永志不忘的深意。

《蜑言集》主要紀鴉片的毒害、戰事的榮辱成敗。開卷第一首是道光十八年所寫《禁煙行》，那正是煙毒泛濫，嚴禁論提出的時候。詩中描寫吸毒之害是「珍饈果腹色如菜，鮮衣被體神似丐」。詩人力主嚴禁，熱情地贊譽鴻臚寺卿黃爵滋的嚴禁論說：「鴻臚一唱人鬼驚，秦鏡照膽空中明」。第二年，詩人又寫《後禁煙行》譴責禁煙運動中的腐敗現象，他祈求禁煙的成功，能有「海門烽火望全掃，永禁千秋萬古煙」的效果。另一首《南風行》長詩深刻地描寫了英軍騷擾東南沿海，直抵大沽的過程。他以「梅花香裡夢林逋」的詩句表達對因禁煙受到貶斥的林則徐。他揭露英軍北侵的詭詐行動說：「煙焰薰天賊計譎，粵東轉戰趨閩浙。……揚帆萬里逐秋濤，乘風直到津沽口」，他斥責琦善聽從鮑鵬的建議，在大沽口取媚外人的行爲：「幸有奇謀出微弁，海濱亦學鴻門宴。對席何勞犬豕爭，犒軍不憚牛羊獻。開門揖盜禮僬僥，兩紙蠻書萬手鈔」。道光二十一年，詩人寫《諸將五首》非常氣憤地斥責弈山、弈經、楊芳等人的腐敗怯懦道：「海氛今復熾，痛哭五羊城。不戰亡香港，忠魂赴上游。……老將猶耽色，庸臣祗愛錢」。當時詩作中提出「不戰亡香港」，不僅是實錄，亦具鮮見的膽識。他揭露奕經等無恥的冒功行爲：「颶風銷海市，靈雨靜邊塵。金鑄公侯膽，瀾翻太守唇。論功膺上賞，慚愧義旗民。」二十二年，局勢日益嚴重，英軍長驅直入，燒殺搶奪，無所不爲，詩人在若干首詩中噴射出憤怒的火焰。他在《負尸行》詩中指斥由於「將軍畏敵如畏虎」所造成的百姓「死尸堆累山邱積」的惡果。特別値得注意的是《七月二十一日紀事》一詩，更是動人肺腑之作。這時已是兵臨南京城下的危急時刻，他敘述戰況是：「沽上何人撤水師，粵東從此開邊釁。劫灰定海與寧波，廈門香港烽煙過，乍浦寶山及上海，可憐京口哭聲多」。他看到英人的狂傲與清朝官員的卑躬屈膝：「老夷盤踞居中坐，我朝將相左右個」。他還寫了和林則徐西行詩的詩篇，惋惜林的命運：「西向流沙萬里程，浮雲富貴一身輕。……玉關生入知何日，衰柳吹殘暮笛聲。」這也是對林則徐的一種評價。

《籧言集》爲鴉片戰爭保存實錄的貢獻已在同類詩作之上，而能一再涉及香港，更足見詩人的卓識，可惜長期遭到埋沒。挖掘這些地方文獻資料，不僅使賢者得彰，亦以見史源之無窮，要在不時探求以豐富歷史。

中國早有一部《漢文典》

前一陣子，看到報上有一則關于上海辭書出版社推出《漢文典》的廣告，當時只感到何其似也，而不甚在意。近日讀二月十八日《中華讀書報》書評版的新書快遞欄，見載有一條有關《漢文典》的出版信息，文字雖然不長，但重點非常突出，原來這是由瑞典漢學家高本漢編寫，四位專治漢語史的中青年學者奮戰四載譯校的古漢語工具書。並推薦「此書的編譯出版對我國語言文字學研究會產生重要影響」等等。

學術本無國界，不同的人寫相同和類似內容的著述是無可厚非的。我不是大國沙文主義者，也不是國粹主義者，對外國人研究中國學問歷來是歡迎的，何況是一位國際著名的瑞典漢學家呢？我沒有讀過高氏的原著，也不知道書名究竟是外文還是中文。所以我對這些都不妄加議論。把國外名著譯入本國，擴大很多不懂外文者的眼界，眞是功德無量的善舉！但爲中譯本命名時，是否應該考慮避免與中國已有書名重複使用。早在本世紀初，中國就有一部由商務印書館正式出版的有關漢語史專著《漢文典》，不知這四位專治漢語史的學者是否見過這部著作。中國這部《漢文典》的著者是先祖來裕恂先生。我並不想以此揚祖德，也不想借祖宗的光爲自己貼金，更不想因同一書名來和外國人爭勝。我只是想向譯者進一言：爲譯著命名時，如果是從外文譯過來的，那麼最好看看同類著作的國產品中有沒有重名者，因此在爲高著《漢文典》取漢譯書名（如果不是高著原著）時，至少也應注意到曾經一版、再版以至就在四位漢語史家開始譯高著的當年，中國《漢文典》已以《二十世紀初中國文章學名著》的名義由南開大學出版社正式出版了該書的注釋本。

先祖是本世紀初的留日學生，一生從事國學研究。留日時因憤日人以《漢文典》爲名的關于漢學的「專著」，「類皆以日文之品詞強一漢文」，或「只刺取漢土古書，斷以臆說」，其書「非徒淺近，抑多訛舛」，乃「詳舉中國四千年來之文字，疆而正之，縷而析之」，著成《漢文典》一書，以便爲學習漢學的人「示一程途」。

中國這一部《漢文典》著筆于光緒三十年，完稿出版于光緒三十二年（1906），四年之後的一九一〇年高本漢才到中國來研究漢語。二十年後的一九二六年高本漢才出版《中國音韻學研究》。中瑞兩部《漢文典》能不能比較，其異同優劣如何，我不是漢語史家，也沒有讀過高本漢的原著，無資格說長道短。我只是想讓人知道在高著以前，中國早已有了一部《漢文典》。中國的這部《漢文典》分文字與文章兩典，其《文字典》分三卷，講述字的起源、功用、六書及形音義之學等等；其《文章典》分四卷，講述文法、文訣、文體與文論。初印于光緒三十二年，爲上下兩冊，一九四九年復合爲一冊重印。一九八一年，全國寫作學會又將其列入《文章學理論叢書》，並由南開大學高維國和張格二位先生詳加注釋，歷時十年，于一九九三年二月出版問世，這正是四位譯者開譯的那年。

書名雷同，並非大節，譯者就書譯書，無意中重複了一下已有的書名，也可能因讀書未遍，又無暇瀏覽報刊所致，實屬情有可原；但譯者如能獨出機杼，盡量不重複已有的書名而另立新名，庶可免讀者求書時的困惑，豈不更好！

題《販書偶記》

小偷偷了人家財寶從不計較失主身份，而某些學人用了別人的知識成果，還要掂量一下作者的份量，這種心態頗費琢磨。我也算廁身于學人之列，溷跡于學人群中，有一部書時常見諸于不少學人案頭，但也不止一次聽到某些人談到這部自己已受益多多的書時，總喜歡加上「這部書是琉璃廠一個書商編的」後綴語，嘴角上也隨之顯出一付鄙夷的神態。這部書就是《販書偶記》，它確是出于一位書商之手。

這位名叫孫殿起的書商不同凡響。他雖是學徒小伙計出身，經營過通學齋書肆，但他是大版本目錄學家倫明先生親手培養，自己又踩著艱辛漫長道路走過來而成為一位當之無愧的目錄學家的。他一生經眼圖書數萬種，數十年如一日地逐一記錄，依類排比，積稿盈尺。一九三六年，他整理積稿，撰成《見書偷閑錄》（即《販書偶記》）。這是一部流傳較廣，影響較大的版本目錄學專著。全書按四部分類，分類分卷都較細，如清人別集五集即分順治康熙卷、雍正乾隆卷、嘉慶卷、道光卷、咸豐至民國卷，並附雜詠、時文、閨秀、方外等，可借以見文化進展程度。

《販書偶記》主要為補續《四庫全書總目》之不足，所收圖書基本上是《四庫全書總目》所未著錄者，如有與《總目》重出，或《偶記》本身有前後重見者，均係版本、卷數有所不同。是本書所著錄者，絕大部分爲有清一代著述，兼有辛亥革命以後至一九三五年以前的有關古代文化的著作，其間也著錄少數爲《總目》所失收的明人著作。《販書偶記》所錄爲單行本，如有與叢書重出者也必係初版單行本和抽印本。《販書偶記》于所著錄的圖書下盡量注明作者、籍貫、刊刻年月，間或注簡要內容和題跋文字。它所收錄雖以刊本爲主，但也間記近代學者的稿本和鈔本，如高郵王氏父子和王仁俊等的底稿本；也記有外籍人士著作，如卷九有日人物茂卿所著《韓非子》爲日本舊鈔本。

《販書偶記》刊行于一九三六年，因印數不多，版已毀失，流傳不廣。一九五九年八月，中華書局上海編輯所又重印發行。其後，孫殿起的外甥雷夢水又對孫著的書名、作者名、刊刻年月及卷數修改補充了一千三百餘條，並刊行增訂本。孫殿起自一九三六年初編刊行後，繼續對經眼圖書逐一記錄，積有六千餘條。一九五八年七月九日，孫氏逝世，其甥雷夢水據已有資料整理編輯而成《販書偶記續編》，仍署孫殿起錄，示尊重前人辛勞，並于一九八〇年由上海古籍出版社排印出版。《續編》體例，一依前編，其分類僅子部減省數術一類，于外籍人士著作則列于各類之末。

《販書偶記》正續編幾爲治文史之學人案頭所必備；凡即類求書，因書究學者，亦爲不時翻檢利用之書。編者以數十年心血，澤及後學，導讀引路，功德非淺，尊之爲版本目錄學家，誰曰不宜？閱其書進而問學術之津者，如猶嗤作者之身份，是傖兒之不若矣！此固尊重知識，尊重人才之至意。

題《津門十景》

一城一地，總會有山有水，天長日久，就有些可供觀賞的勝景，或是崇山峻嶺的自然景物，或是巨刹寶寺的人間佳構。……所以在中國地方志中大都有名勝一門，古跡一類，描述當地的八景、十景。這些記述可供後人作指南資料，引發游興；也保存了之所以成爲勝景的論證依據，最近，天津也有「津門十景」之議，公眾議論，專家探討，沸沸騰騰，呈一時之盛。

中國人對數字多喜歡偶數，因此就有「八景」、「十景」之稱。我看勝景愈多愈好，但不要事先定額。如果有了定額，而當地既無出色景觀，又乏歷史依據，爲了湊數，往往把一個土臺子上的一座破亭子也可定「××（一定要編造一位絕色美人）梳妝臺」，列爲一景。眞不如先定景後定數爲好。如果天津確有不少値得稱景的，那麼標擧「津門十二景」，也不爲過，否則，「六景」、「八景」又有何意義。精一點總比濫一點好。

歷史上稱「八景」、「十景」者多偏重于名勝古跡，可借以發思古之幽情，但一律非古不景，似乎也不符合今之視昔亦猶後之視今的道理。我看前人既爲我們留景，我們也應爲後人留景。所以「津門十景」的選定既要有歷史上的名勝古跡，也應該有當代人美的塑造和智慧的結晶，如此方無負于名城之爲當代之名城。

評選景觀是一項美的評比，首先必須是使人賞心悅目而賦有美感的景觀，不論是自然的、歷史的或現實的。其次是應能表達出人類智慧的結晶。自然風景固然有非凡的魅力，但如果在山水之間有人的創造更會有鼓舞力量，大同懸空寺的自然環境非常幽雅沁人，但配以一木支寺的絕世神品，又曷能不使游人嘆爲觀止。歷史景觀固然可以赤壁懷古，興「浪淘盡千古風流人物」之嘆，但現實成就也既是今人，又是後人心向往之的所在。天津近年來的市政建設中的古文化街和蝶式立交橋也已是津門來客到此一游的勝地，現在「津門十景」沒有拘于一端而博納古今正是依此原則而後選定的。

過去「八景」、「十景」的評選，似乎都是靠文人墨客的筆墨點染。一石一木經過名人品題，或詩或詞，或書或畫，立即聲價陡增，若再有帝王顯宦的摩崖題字和好事者的附會傳說，則更增色彩，定爲一景而無疑。「津門十景」係由公眾推薦評選，專家勘察擇優而定，似已得津人之共識。這不僅是民主度的問題，也是既爲供大家看，就要大家評的道理所在。

十年風雲　一代佳志

天津市修志十年，無論從哪方面講都有可觀的成績，當然也不可免地經歷了許多困難和曲折，有停滯緩慢的時候，也有奮進拼搏的時候，而後者是天津修志事業的主流。如果要加以概括的話，那就是「十年風雲，一代佳志」。十年風雲，很多同志都經歷過，無需多說；但是，爲什麼說「一代佳志」而不說「一代名志」呢？我認爲當代人論斷當代志書只能說是部好志，也就是「佳志」。至于是否流傳後世，得到名志的肯定，猶待未來評說，我們只是竭盡全力修部「佳志」而已。佳志是名志的扎實基礎，雖然佳志不一定都成爲名志，但名志一定是當時的佳志。我所說「十年風雲，一代佳志」是一種留有餘地的說法。

天津的修志事業有不少特色值得注意。它不僅符合我國兩千多年的修志規律，而且有突破、有創新。首先從量的成果來看，這項浩大工程已面世的各類志書，其字數已逾億字，如合將要陸續完成和出版的，估計總在五億字左右。在用竹簡的簡書時代，可以說已不止是著作等身。現在學者很難說著作等身，只能當誇讚之詞來用；但是，就修志者來說，豈止等身。這個量的成果在全國省市級也是排得上座位的。其次是層次完整，層次全是中國修志事業的優良傳統，全國有一統志，各省有通志，下有府州縣志，以至于鄉鎮志、少數民族的土司志、山水志、寺院志，可以說應有盡有。天津的修志事業確實做到這一點，不僅有《天津通志》，還有《天津簡志》。日本史志學界很注意《天津簡志》這部書，有位學者曾作過專門的比較研究。各區縣有區縣志，各行業、部門有志，鄉鎮街有志，還有《盤山志》那樣的名勝志，形成一整套的系統工程。不僅如此，我們還重印了風俗小志、論文選編、專門性研究論文和譯著，還做了舊志整理工作，所以不僅是繼承，更有超越。從全國修志事業來看，天津是一個值得研究和解剖的標本。

天津修志事業有一個非常值得重視的問題，那就是以一種極其認眞謹嚴的態度去對待。天津修志事業從草創以來，我大都側身其間，聽到過許多意見，看到過許多做法，也親自參與過具體工作，給我印象極深的就是認眞謹嚴的態度。我們都知道志書具有官書性質，新編縣志是修社會主義新志，當然也是官書。許多學者對歷代志書都有微詞，如譚其驤教授就曾批評過舊志是地方官員和一些士紳的例行公事，舊志中確有這種弊端。天津在新編縣志工作中明確地提出了一個問題，那就是地方志要以學術著作的標準對待它，要求它。這個思想對天津的修志事業有非常重要的指導意義。有了這樣一個較高起點的目標，修志人員就要向這樣一個目標去努力，去追趕。

天津修志在理論指導、篇章結構和內容論述諸方面都作了很大的努力。從《天津通志》各分卷看，不可避免地有差異，但都能從已有的志書中取長補短，建立起從實際出發，能反映歷史與現狀的框架，做到縱不斷線，橫不缺項。從已面世的志書看，可以說達標了。在理論方面，包括思想和各項政策，牽涉著方方面面，如民族政策、宗教政策等等。修志不僅要消滅明顯的「硬傷」，還要注意隱形的「軟傷」。天津某縣有個很著名的武術家，這個人在四十年代曾因其武術成就應邀赴日，並受到天皇接見。這件事孤立看是可以考慮入志的，初、二稿也都寫進去了，後來發現忽略了當時正處在中日戰爭這一歷史背景。日寇蹂躪著中華大地，這個武術家卻去接受天皇召見，豈不是類似溥儀訪日嗎？于是就刪掉這條記事。八十年代初，志書中「左」的痕跡也在反復修改過程中消除了。在搜集資料上，既有揚有棄地採用歷史文獻資料，也很注意口碑資料的發掘，與文獻資料印證後，把確實內容寫入志書，化口碑爲文獻。如漢沽區在記載地震災害時沒有單純依賴官方調查報告中的資料，而是逐一去核查實際傷亡人數，大概相距有萬人之差。這樣就使當時地震的眞實情況得以入志，使一代信志終成一代信史。這種口碑調查得到的是一句話，做起來卻是千辛萬苦的。新志斷限上限根據事物發展而定，沒有什麼太多問題。而下限要劃定年頭，與定稿出版往往有三五年甚至十來年的差距，如下限斷在一九八五年或一九八七年，而出版則在一九九五年，這些年中，地方官換屆數次，政績難以見志，地方的長足發展得不到反映；如果隨時增續，則志書永無封口之日。于是，我們另立一篇下限外的《政事記要》解決了志書結構中有所不足之處，後來許多地方也多採用此法。

天津修志工作中的評審制度是很值得發揚和堅持的。我參加過多次分志和區縣志的評審會，其嚴肅認眞的態度，大大超過某些學術會議的評稿。在志書評審會上，交鋒尖銳，直言不諱，大至于觀點，小至于文字、標點，可以說無所不提，而聽意見的人都能虛懷若谷，善于對待各種意見，使志書盡可能消滅它的疵點，在絕大程度上保證了志書的質量。在文字上，天津的志書基本上做到既不忽視文采，又能樸實無華。

我想提兩點希望：一是《天津通志》是種叢書形態，本身很有價值，又能及時提供，使各行業各方面的情況能全面反映出來；但行業間、領域間難免有相互重疊處、交叉處，不能成爲渾然一體。我們應該尊重現在叢書形態的《天津通志》以及修志同志所付出的勞動，但我又非常期待在日後完成通志叢書的基礎上，集中人材，以十年磨劍之功，再總纂一部渾然一體、自成體系、居于目前通志和簡志之間的《天津通志》，使後人既能得天津的全貌，又可節數以億計文字的翻檢之勞。嘉惠後世，莫過于此。二是天津是一個有修志傳統的地區，從明朝建衛以來就有過《三衛志》等，可惜已亡佚。現存最早志書是清康熙時的《天津衛志》。以後有府志、縣志、續志、新志、志略、志要等等，總有十幾種，另外有《楊柳青小志》、《津門雜記》之類，各縣也都有不止一種的舊志。這麼大一筆遺產決不容忽視。舊志是傳統文化中很重要的一份寶貴財富，整理後的舊志也是新編志書的一個重要組成部分，最近市志編委會與南開大學地方文獻研究室已有所協議，共同進行天津舊志的標點整理，完成後按《天津通志》的規格印成《天津舊志整理卷》二册，讓天津人既能從新志中看到現實社會的橫斷面，也能從舊志中看到歷史的成就，使天津的歷史、地理、經濟、風俗、人情和人物都能體現出來，使天津的修志事業躍登全國修志工作的前列。

卷四　書　序

《近三百年人物年譜知見錄》後記

在《近三百年人物年譜知見錄》即將問世的時候，我懷著誠摯的敬意，憶念這部書的創議者、我的學術前輩——南開大學圖書館故館長馮文潛（柳漪）教授。早在五十年代初期，我正擔負著中國近代史的教學工作，不時到校圖書館去翻讀一些清人年譜。當時，馮老建議我：這類書看的人不多，也無需人人都去看，你既然在看，何不把清人年譜清個底數，順手寫點提要，積少成多，將來也能爲人節省翻檢之勞（大意）。馮老還表示可爲搜求與轉借圖書提供方便。我原有這方面的朦朧想法，便接受了這一建議，經過了五六個寒暑，終於寫了八百多篇書錄，近五十萬字。那時，馮老的健康狀況已不甚好，但仍然興致勃勃地翻看了初稿，囑咐我修訂和爭取爲人所用。不久，馮老就在一九六三年因病謝世。現在，我謹以此書紀念馮老。

《近三百年人物年譜知見錄》經過增訂，寫成了定稿後，很快就遭到散失的厄運。十多本手稿僅剩了二冊，另外還有一些雜亂的卡片和原始記錄，已經不易復原而不得不棄置一旁。一九七〇年，我到津郊學農。臨行，亡友韋紹英義重情長地來送行，並諄囑重新編纂《知見錄》。幾年的耕讀生活和回校後等候分配具體工作的時間，爲我整理殘篇斷簡、重新查書提供了方便。一九七五年，我終於又一次完成了定稿。可惜紹英已在一九七三年過早地離開了他所喜愛的學術事業。我在完稿的喜悅中也交織著對故友的不勝懷念之情。

《近三百年人物年譜知見錄》雖已再一次完稿，但是否完善，還不敢說。我很想請人看看，可是一則由於內容枯燥，二則由於朋友們繁忙，一直不能實現這一願望。一九七六年初，同事劉澤華竟在主持《中國古代史》編寫工作的繁忙情況下，欣然應邀通讀了全稿，提出了很好的建議，鼓勵我堅持增訂完善。他是通讀全稿的第一人。

馮老是我的前輩，紹英是同輩人，而我又比澤華痴長了幾歲。也許這是一種巧合，《知見錄》正是在這三位老、中、青學者的不斷關心、支持和幫助下完成的。

《近三百年人物年譜知見錄》雖已著錄八百餘種，但還很不完備，不僅有知而未見者，尙有未知者。一些稿本、抄本和或附于集首卷尾、或刊于報章雜志者，則搜求不易而缺漏尤多。但爲了能爲他人稍節翻檢之勞，先將已有部分匯爲初編；俟續有所得，再成續編。我殷切期望初編問世後，能有更多同志補正，惠告線索，俾獲增補完善。至于編寫體例、書錄內容以及其他等等，亦不免有不足和錯誤，甚望讀者批評指正。

《林則徐年譜新編》序

半個世紀以前，我還在讀中學的時候，每逢「六三」禁煙紀念日，總會談到這樣一位重要歷史人物，他就是以清除鴉片毒害而震驚世界的林則徐。他的偉大業績不能不引起我想更多地了解他，這一願望直到四十年代讀大學時才得到實現。那時，我讀到一本由魏應麒編寫的《林文忠公年譜》，可惜這本書內容不夠充實，讓人感到如此重要人物，卻只有這麼薄薄一本譜傳，似難相稱。

五十年代之初，我從事中國近代史的教學與研究，重檢魏編，益感有拾遺補缺、訂訛糾謬的必要，遂採取書頁簽條辦法，讀書偶有所遇，就在魏著有關書頁上標注粘列，積之日久，一書已滿，無從著筆，乃另求一本，如法炮制，一書又滿，遂決心重編林譜。適當其時，中華書局將《林則徐集》清樣送我審讀，其內容繁富，可供採擇者俯拾皆是。此不啻助我信風，于是《林則徐年譜》的編纂乃揚帆啓碇。

六十年代，我被投閑置散，終日皇皇，憂思愁慮，東書不讀，沉湎煙酒，行之經年，意興蕭索。自忖若就這樣混過餘生，實有未甘，審視案頭林譜殘稿，亦難以割棄。一日，忽仰屋而思，林公偉業被冤，萬里赴戍，猶遍歷荒漠，爲民造福，寄情詩文，怡然自得，我何得自廢如此？于是渙汗精神，重理舊業，蟄居斗室，伏首書案，歷時年餘，終成《林則徐年譜》初稿三十餘萬字，復檢校群籍，細加訂正，清爲二稿。當時因難付棗梨，只得貯之敝篋，不意在「文革」之初，清稿竟遭丙丁之厄。不久，我被遣放津郊學農，家具衣物多以低價處理，而殘篇斷章皆捆載偕行。《林則徐年譜》幸存草稿，雖點劃斑駁，猶能辨識，于是在耕餘燈下再加清正，遂成三稿。居鄉彈指四年，蒙恩召還故園，身處逍遙，《林則徐年譜》又得參校訂正，是爲第四稿。計檢校圖籍凡一百六十八種，成文三十四萬餘言。時事紛擾，何敢言出版，惟效龔史公，作名山之藏而已！

八十年代，百廢俱興，《林則徐年譜》終於在上海問世，新知舊雨，頻加音問，慰我辛勞。我也如釋重負，似乎覺得已無愧于先賢的偉績，也無負于當年的私願。尤感忻喜者，廈門大學楊國楨先生所撰《林則徐傳》也同時在首都出版。我居北而譜印于南，楊居南而傳梓于北，一時有「南傳北譜」之說；又有以出版者地屬南北而有「南譜北傳」之說。說法雖異，而一譜一傳，將使林公之行事益彰。

拙編雖自以爲廣加採錄，而陸續出現新資料仍時有聞見，除隨時自加采登訂正外，友朋補缺正誤之件復紛至沓來，如譜載林妻鄭氏卒年據魏編訂爲道光二十八年十月十九日，山東圖書館駱偉先生將館藏海源閣藏札中林則徐致楊以增函一件見告，其中明確記載鄭氏卒于道光二十七年十月十五日，訂正了傳統臆說。又如林則徐謝世月日，史傳均作十一月，拙編據悼恤諭、遺折等定爲十月十九日。後據林氏後裔福州林紀燾教授函告：林則徐文藻山舊家內木主牌內載林公生卒年爲「生于乾隆乙巳年七月二十六日子時，卒于道光庚戌年十月十九日辰時」，所說乃得確證。故宮藏有林公手札七十餘件，幸得劉北汜、劉九庵諸專家多方關說，俾我通讀。後復俯采愚見，將全部手札影印成冊，倩我弁言，使林公手跡流傳海內。陝西蒲城中學劉仲興老師素昧生平，遠道抄寄王鼎墓志石刻原文，藉以訂正王鼎卒年。林公後裔子東女士及林則徐紀念館楊秉綸館長均告以世傳《文忠公年譜草稿》疑非眞品。華東師範大學吳格、蔣世第二先生，蘭州師範大學朱太岩先生及福州文管會官桂銓先生等見贈書札詩文鈔件及拓片等，域外友人日本愛知大學圖書館館長石井吉也惠寄林公手書楹聯複制件。其他或商榷是非，或提供線索，或假以圖籍，或出示家藏，諸友盛情，實難盡述。于是增訂意趣，油然而興，遂屛絕俗務，一意增訂，眾擎易舉，時僅經年而全書告竣，計參閱書刊達二百二十九種，較原譜增益六十種，成文四十五萬字，較原編增近十萬字。書成之日，反復摩挲，情難自已，遂快飲佳醪一盅。迨頭腦清醒，細讀全書，猶有未盡如人意者多處，是學之無止境而我心則尙存更新之遠圖也。

十年一瞬，有關資料頻有聞見，方家研究成果亦復迭出。我則壯心未已，每有所見，輒采登于冊，不意竟有數萬字之積累，私心竊喜，遂有新編《林則徐年譜》之動念。去秋應邀參加福州召開之林公誕辰二百一十年紀念會，以文會友，頗多收益，新編之念，粗具輪廓，而林公賢裔凌青先生與子東女士弘揚祖德，更頻加關注，林則徐基金會復慨贈出版基金，于是新編之志益堅。北歸之後，不間朝夕，廣事搜求，博採眾言，精雕細刻，約以期年，六十萬餘言之《林則徐年譜新編》當可告成于一九九七年香港回歸祖國之日。林公鴉戰遺恨，從此湔雪；我則摩挲《新編》以祭林公。林公有知，歆其來格！

《中國地方志》序

中國的古籍數量，從未有比較準確的統計數字。古人常以浩如煙海、汗牛充棟來形容它。近人曾用綜合各類古籍的約數來計算，少則六七萬種，多則十五六萬種，二者差距甚大。如果說八九萬種應是一種比較保守的數字，而地方志的近似統計數則是八千餘種，恰佔古籍總約數的十分之一，不能不說是一座極爲豐富的文獻資料寶庫。

中國地方志不僅數量多，而且歷史長，雖然學術界對它的淵源尚有多種說法，但它有二千年的發展歷程當無疑問，可稱得起是歷史悠久。它又有連續性，幾乎各個時代都給它以應有的重視，特別是自宋代方志體制漸備以來，到元明各朝更日趨興盛，而清代尤爲突出，編修志書六千餘種，佔志書總數的百分之八十以上，年平均量達二十餘種，成果可謂卓著。民國以來也仍不絕如縷。

由於地方志的編修歷來都含有官修性質，因而它多與行政層次比附而行。上起于全國一統志，各省通志；下至于府州縣志；旁涉于山川、土司、鹽井等專志；細及于地方雜記小志，無不呈現一地一區的橫斷剖面。設有一編置案，則舉凡沿革建置、疆域區劃、山川名勝、人物藝文，均獲備覽，自然地成爲地方百科全書。

歷代學者對地方志的認識、研究大約始于晉。唐以來日益深入，迄清大致成一體系，章學誠可稱巨擘焉。民國以來，有關方志學專著即有多種問世，推動其發展而巍然自成專學。晚近以來，海內外學者頻加探討，方志學之健全、建立當指日可待。

中國地方志正因其數量多，歷史長，持續久，層次全，所以它保存的資料亦頗豐富。無論其編撰體例及文獻資料，雖有其難符時代要求者，但不乏大量可供採錄之資料。近年于研究編纂、整理刊行諸方面，頗有成績。尤以檢獲所得資料更有裨于經濟建設之參考，其例不勝枚舉，其成效也已爲社會所認識，不再以其爲一方之史而忽視之。

近年以來，修志之業勃興，新編志書，碩果累累。據近年出版的《中國新方志目錄》著錄，自一九四九年十月至一九九二年十二月，「全國已編纂出版（含內部印發）的省、市、縣級新方志和其它新方志共九千五百餘種」。其尚未問世者當可于世紀交替之際陸續完成，縣縣有志之繁盛，自可拭目以待。至新志之資治、教化、存史等效用更昭昭在人耳目。

一九九三年冬，我應邀赴臺，獲識商務印書館張連生總經理，雖系初識，而傾蓋如故，相談甚歡，乃有撰寫《中國地方志》之議。我于方志與方志學之研究前後殆四十年，惟以俗務煩擾，難期有成，匆匆荒廢，僅于十年前成一《方志學概論》；五年前成一《中國地方志綜覽》；三年前復有《志域探步》之作。有編有著而有待訂補者尚多。乃以三書爲基礎，訂誤補缺，尤詳于近數十年志業情況，俾海內外同道得獲信息。惟今夏北方酷熱，獨坐靜處，汗猶涔涔，臂黏紙濕，進度緩慢，遂斥資裝置冷風，方克落筆。歷暑日近三月，始告脫稿。多年設想，得遂初衷，亦無負于連生先生之友情厚望。苟有錯謬缺漏，至祈有道指正。

《中華幼學文庫》總序

幼學之名，始見于《禮記·曲禮上》：「人生十年曰幼，學。」《孟子·梁惠王下》也說過「夫人幼而學之」的話。又因爲它是啓人之蒙昧，故又稱蒙學。它的發展史實在不短，從周秦時就已開始。求知要讀書，讀書必先識字，字且不識，遑論其他。所以幼學必先從識字入手。根據現存的最早一部古代目錄書——《漢書·藝文志》小學部分的記載，漢前識字課本已有十家三十五篇，最早的是《史籀篇》，接著有《蒼頡篇》、《爰歷篇》和《博學篇》。漢代合三篇爲一，總名爲《蒼頡篇》，又稱三蒼，時又有《凡將篇》和《訓纂篇》之作，但均已亡佚，僅後世輯有片段。現能見到的最早識字課本是漢元帝時史游所撰《急就篇》，以三、四、七言押韻，主要記名物，偶或涉及倫理道德。繼起者爲南朝梁周興嗣所撰《千字文》，全文千字，四言叶韻，極富文采。其內容包括社會歷史和倫理道德。唐代的幼學教育發展更爲完整、系統。它包括識字、知識、道德三大內容，出現了一批如《太公家教》、《女論語》、《兔園冊》及《蒙求》等幼學讀物。直至清代，基本模式無大改變，僅僅隨著時代和社會的發展，幼學讀物的品種有所增加，如宋代增加了《百家姓》、《三字經》、《十七史蒙求》、《名物蒙求》、《千家詩》及《書言故事》等；明清時期，又沿著唐宋的路子，陸續出了一些新的蒙學書，如《小兒語》、《弟子規》、《鑒略》、《幼學瓊林》、《龍文鞭影》及《昔時賢文》等等以應不同需求，其中《三字經》、《百家姓》、《千字文》和《千家詩》幾乎是人們公認的入門必讀書。這些讀物不論其內容，學習順序和使用時的施教方式都是適應正規教育需要的。

與正規教育之路並行的幼（蒙）學教育，還有一條業餘教育之路。它的讀者不限年齡，不拘身份。男女老幼都可以選擇這條識字途徑。這種所謂幼學教育不是從年齡立意，而是指掃盲性質的啓蒙教育。這是一條非正規的業餘教育之路。它的主要讀物就是因地制宜、因事制宜以不同字數編排的各種「雜字」。「雜字」雖然在正規教育中也作爲不準備走仕途的子弟的一種讀本，但歷來沒有受到應有的重視。可是，它確是傳統幼學教育中很重要的組成部分。其數量很多，有全國通用的，也有地方獨有的。內容深淺不一，範圍不同。作者大多佚名，可能以其爲小道，但大文學家蒲松齡卻撰寫了一本三十一章一萬四千字的《日用俗字》，（已收入《蒲松齡集》），講了很多作人的正確道理，是雜字中的上品。

對于這些傳統幼學教育讀物，歷來在一些學者文人的著述詩文中時有涉及，但進行較爲系統的研究則爲時較晚。我先後讀過常鏡海先生的《中國私塾蒙童所用課本之研究》和張志公先生所著《傳統語文教育初探》，深感欣悅。這是兩本內容豐富，說理透徹，論述系統的佳作，象把一團亂髮梳理成一條光油油的大辮子那樣惹人喜愛。但是按他們所附書目去求書還很不易。不過，在「文革」掃四舊的年代裡，這些讀物卻被作爲批判對象，大量印行，幾乎泛濫成災，從反面給了不少人以傳統幼學教育，萬萬沒有想到無心插柳，竟然成林。近些年，在弘揚傳統文化的美麗旗子下，公私各種渠道大印特印，不管內容錯漏，裝幀粗劣，「三百千」云云，充斥市場。這是弘揚，還是糟蹋？不能不引起人們的困惑。我總想爲什麼不認認眞眞，堂堂正正地整理出一套可供保存文獻，以應去粗取精之需的傳統幼學教育資料呢？可是，在出版事業回翔于低谷之際，有誰肯于樂此不疲地爲朦朧的希望付出勞動呢？又有哪些出版界的朋友和明智之士肯挑起這付成敗難卜的重擔呢？

柳暗花明又一村，似乎是一句安慰話，但有時又似是幸運之神的有意安排。素來不熱衷于過眼煙雲的暢銷書而獨鍾情于長銷書的南開大學出版社的有關人士卻注視到這一冷漠的角落，正策劃編制一套傳統幼學教育讀物，並眞誠地邀請我爲主編。這眞是意料未到的東風。這些讀物雖然有其一定的歷史與時代的局限，但它卻反映了歷史上不同時代文化教育的某些側面；這些讀物的內容雖然不全爲現實所需要，但披沙揀金也頗有可供借鑒之處。應該說這是我國傳統文化的一處寶藏，因爲它不僅是千百年來世代相傳的群眾讀物，而且在宋時已傳入日本，清初又傳到東南亞，歐洲和北美。現在某些國外大學仍將其作爲漢語專業的初級讀物，最近還被聯合國教科文組織列入「兒童道德叢書」之中。于是，我約了幾位能合作的朋友共議其事，選取各時期爲較多人熟悉的代表作和流傳稀少的版本，經過校勘、標點和整理，編出一套《中華幼學文庫》，力求達到傳統幼學讀本的善本標準，把它獻諸當代社會，傳留後世子孫。

三、百、千、千因流傳較廣，本子較多，所以搜求選取比較容易；但是，我一直主張要把雜字列入以求完整。可是「雜字」類讀物原未受到重視，收藏者少，亡佚者多，在確定收列雜字一類時，的確遇到相當困難；但聲應氣求，終有芳草。經老友楊大辛先生和「雜字」收藏家王慰曾先生的協助，不數日而自王先生處取得數種。其中天津味十足的天津雜字，尤富地方特色，內容亦趣味盎然，實爲難得。我也曾因合作共事關係而識張志公先生哲嗣國風，復自志公先生處獲得幾種，最爲可感的是其中有明萬歷時刊印的雜字。這展露出志公先生喬梓慷慨借書的讀書人本色。天津師範大學圖書館的高鴻鈞先生相識多年，也慨允復印其館藏雜字等件，這在過去也許不算什麼，可現在卻是了不起的義舉。眞是意想不到，原以爲難度最大的雜字搜集工作，因眾人添柴而大有所獲，所得資料不止可編一冊，還能編二、三冊。也是一個意想不到，原以爲《百家姓》沒有什麼尋覓材料的問題，不想理應收錄的《皇明千家姓》這一種極富時代特色的代表作（只有北京圖書館入藏），卻在「文革」時因系明初刻本被某權貴索去，至今不知下落。無可奈何，只能付諸闕如。

我當過幾種書的主編，毀譽不一。但有一條是共同的，那就是「主」得太多，又刪又改，又增又減，往往落個吃力不討好的結局，可悲也夫！不久前，我讀到韓錫鐸先生主編的《中華蒙學叢書》。這是一部有四十餘人參加，收書七十餘種，每種加有說明和注釋，共達三百萬字的巨帙。費時耗神，自在意中，尙未遍讀，未敢雌黃；唯獨對韓先生序中有一段話頗有領悟。韓序有云：「審稿時對部分書稿雖然作了某些加工，但畢竟不能越俎代庖，只能文責自負了。」這眞是得道之言，應該擇善而從。因此，這一套文庫的各種應當由各編校者「文責自負」了。

第一輯五種是各編校者冒酷暑的揮汗之作，頗著辛勞，但幼學讀物數量眾多，豐富多彩。我希望二輯、三輯也能隨之而與讀者見面。這些讀物雖爲啓蒙所用，但是，隨著時代發展，社會變化，語言故實與現實生活距離日遠，青少年、大學生也許未必能全部讀懂，所以選材時盡可能選入些注本，另在卷首撰寫《前言》，正文加了標點和必要的注釋與校勘，希望對讀者有所幫助。爲使海內外炎黃子孫共浸潤于中華傳統文化遺產之中，立繁簡二體，各取所需，用心當蒙讀者諒察。此書不僅可供幼學者閱讀，也可備老人作兒時的回憶，即爲人父母者若能有分析地以此教讀子女，則尤勝于遺金于子孫。

寫序本不容易，寫總序尤難。我寫過一些連自己都不滿意的序，總感到館閣味太濃，像穿著一領舊長衫倘佯于彎曲的古道上。所以我在寫這篇總序時就想灑脫一點。但是，東施效顰，自己仍感到有點像放大了的小腳那樣。不過，最後還是把它放在《中華幼學文庫》第一輯前面，作爲序。我在序末不想說什麼「如有不足之處……」之類的套話，因爲我們確曾盡力克服不足。但是我們卻眞摯地希望讀者挑剔苛求，那將鞭策我們走向「十足」的佳境。

《冷眼熱心》序

隨筆之體，大多爲學者出其學術緒餘所作，或讀書偶得，或閱世觸感，或懷舊念故，而讀者往往于不經意處有所受益。其卓然成家而爲後世所稱道者，若宋洪邁之《容齋隨筆》至《五筆》，清王士禎之《池北偶談》、《居易錄》、《香祖筆記》、《分甘餘話》等；梁章鉅之《樞垣紀略》、《浪跡叢談》、《歸田瑣記》、《退庵隨筆》等，雖爲識小而未遺其大。我素慕其意而未遑著筆，及年近耳順，公私諸端，稍理頭緒，研餘片暇，每操禿筆，蘸殘墨，札所得所見于別錄，忽忽十數年，不知老之已至。今年適古稀，檢視敝篋積稿，殆二百餘篇，略加編次，取八十餘篇，乃成此集，大要爲三類：

載籍浩瀚，涉獵難遍。神昏目瞀，僅得大要。偶冷眼一瞥，時有所悟，乃筆之于冊，視作枕中之秘。又數經刪訂，日月積累，頗得多篇。

人海紛擾，情牽夢縈，難有寧日。冷眼靜觀世情百態，陷溺塵寰不得自拔者多多，遂使垂老之年猶困惑于俗務。乃詮釋人生，坦陳心態，又得多篇。

知人論世，或趨于時論，或囿于識見，往往偏頗而難得其中。冷眼觀察，求歷史人物以公允，發親人故舊之幽微。行之于文，復得多篇。

括此三類八十餘篇，大率皆我晚年冷眼觀書、窺世、知人之作，推原其本心，尚非旁觀妄言者流。觀書所悟，貢其點滴，冀有益于後來；窺世所見，析其心態，求免春蠶蠟炬之厄；知人之論，不媚世隨俗，但求解古人故舊之沉郁。斯固可謂冷眼熱心之作，亦我食草出奶之本旨。適諸篇成集，亟待命名，久思未得，忽念當以愚衷本旨，告讀者，乃題書名曰：《冷眼熱心》，祈知我者諒其冷眼，識其熱心，幸甚！幸甚！

也無風雨也無晴

——《依然集》代序

大約在十四五歲的時候，遠在故鄉的祖父屢次來信要我讀點宋人的詞。不久，他又寄來幾十首他親自選集的宋詞，婉約與豪放的都有。我卻比較喜歡讀蘇、辛的豪放派詞，特別是蘇東坡的詞。雖然他的「大江東去」已是膾炙人口的名作，我也能流暢地背誦，但我更喜歡他的《定風波》。隨著歲月的推移，經歷了重重風波，我越來越喜歡這首詞。它似乎伴隨我走過漫長而艱難的人生道路，也扶持我度過也有風雨也有晴的若干時日。幾十年匆匆地過去了。在沒有紛擾和半夜靜思的時候，我也還不時地重溫少年時曾經讀過而至今猶在記憶的《定風波》：

> 莫聽穿林打葉聲，何妨吟嘯且徐行。竹杖芒鞋輕勝馬。誰怕？一簑煙雨任平生。料峭春風吹酒醒，微冷。山頭斜照卻相迎。回首向來蕭瑟處，歸去，也無風雨也無晴。

詩詞往往可以聯想多義，也無妨以意逆志。這首蘇詞給人一種恬淡無爭，怡然自得的慰藉。人生終有過風風雨雨、如晦如磐的日子；也有過晴空萬里、躊躇滿志的時刻。不論怎樣，一旦料峭春風吹酒醒，往往會有些微微的冷意，或許打一寒噤。那時，既厭煩去聽囂雜的打葉聲，也已視肥馬若敝屣。眞想不如去過「一簑煙雨任平生」那樣的生活，以求回歸自我。什麼風雨，什麼晴空，似乎都已虛無縹緲，只剩下迎面的夕陽斜照，輝映著一位簑翁竹杖芒鞋，吟嘯閑行。人生果能如此，夫復何求！

不管我對坡公的本意是否理解得對，但是，這首詞確曾給我一種解脫，無論在明槍暗劍、辱罵誣蔑的風雨中，遭受天磨和人忌；還是在幾度閃光的晴朗時，傲嘯顧盼，我總在用這首詞的內涵使我遇變不驚，泰然自處，也許人間還有不少坡公的知音正用這首詞在對待人生榮辱與無聊閑言。因爲這種境界多麼令人心醉！

「也無風雨也無晴」，確能給人一種澹泊寧靜的情趣而回歸到依然故我的純眞境界，更使我想到宋代另一位詞人周密《酹江月》中的「如此江山，依然風月」的恬靜。縱然世態冷暖炎涼，可那只不過是一時的風雨與晴空，歸根結蒂，還要回復到依然風月的本眞去。誤墮塵寰的我終於擺脫掉風雨的紛擾和晴空的照耀，蜷縮進飄廬蝸居去尋行數墨，過著「也無風雨也無晴」的日子，平平淡淡，依然故我地笑對人生。

江山依然風月，人生依然故我。積塵掃土，遂成一集，無以名之，乃題曰《依然集》。

《楓林唱晚》序

我喜歡楓樹，我更喜歡楓林，因爲只有它才能在肅殺凋謝的秋天獨佔顏色，給人們成片的耀眼火紅和一種熱辣辣的舒適。秋天是一年中的四分之三，如果人能活到百歲，那麼已過古稀之年的我，也算進入了人生的秋天。我熱愛生活，也留戀人生，我要像楓樹那樣，總能浸潤在火紅火紅的生活中。

我最早知道楓樹是讀唐朝詩人張繼的《楓橋夜泊》，雖然它給我一種神情凝重，色彩清新的感覺，但總嫌「江楓漁火對愁眠」的消沉和郁悶。也許江邊的楓樹不免稀疏而點點漁家燈火又那麼閃爍搖動，如果所見是成林的楓樹，也許就會是另一種情思。後來從讀外國史地書中知道楓葉一直隨著加拿大的國旗飄揚，成爲加拿大的國家象徵。我向往著能親眼看看這個楓樹之國，終於在半個世紀以後，我親履了這片土地，並親嘗了楓糖那不含糖的甜蜜。可惜滯留在那裡的時候是春天，未能看到紅透了的楓葉。

我最早欣賞到楓葉的美和楓林的魁力是在半個世紀以前。那時，我還是北京一個大學生，秋季入學後不久，就聽到同學們經常談論著西山紅葉的美麗，也有些同學在周末成群結伙地騎著自行車去西山看紅葉，游罷歸來，還滔滔不絕地回味那成片楓林的耀眼。我被這種誘惑力牽縈著，一直想親眼看看楓樹葉子究竟紅成什麼樣子，成片的楓林又是怎樣的動人情景；但是，由於家境不太富裕，我連一輛二手貨的自行車都置辦不起，只能遙望西山，發揮自己對楓林紅葉的想像。第二年的秋天，一位家境富足的要好同學，買了一輛新車而把替換下來的舊車送給我騎，這是我一生中的第一輛自行車，興奮異常，頭一件要辦的大事就是騎上車到西山看向往已久的楓林，我盡力快速蹬車，雖然是一段很長的路程，卻好像很快就看到遠處西山紅葉正等待我這位傾心的朋友。待到臨近的時候，只見一叢叢楓樹若斷若續地連成一片的楓林，眞能蕩滌淨胸中的穢氣，看看其他樹木已在逐漸凋零，腳下已是步步可以踩黃葉，紅黃二色的對照，不禁油然而生萬物興衰之感。草木逐漸枯萎，獨楓葉猶以朱顏尚濃的風情傲視群山，與霜菊並成秋日雙杰，點綴喧囂的塵寰。從西山返校，我的視線所及，依然是成片楓林的耀眼，情難自禁地不斷掀動思緒。以後，雖然曾去過幾次，終不如第一次印象那麼深刻。

三十年後，我闖過了擾擾人生，一切歸于恬靜，在一個天朗氣清的秋日，我借著去西山憑吊有位紅學家認定的曹雪芹故居的機會，再一次去探尋楓林，也許是季節的錯落，楓林好像稀疏散落得難以喚醒我的最初夢境。我擔心會失去第一次對楓林美好的戀情，從此不再去探尋，以期永遠留住美好的憶念。我似乎時時漫步在火紅的楓林中，若夢若幻，淺吟低唱：抒發著讀書的一得，詠嘆著世情的冷暖，感悟著人生的底奧，數說著人物的遺聞，追憶著山水的游蹤，逸興遄飛，每以禿筆殘墨率爾成文，敝帚自珍，貯之筐篋，積久成冊，念其多成于楓林雲霧之間，乃題曰《楓林唱晚》，或可供知我者共享此晚晴云爾！

《一葦爭流》序

《詩·衛風·河廣》云「一葦杭之」，《疏》稱：「言一葦者，謂一束也，可以浮之水上而渡」，其意以一束葦即可得一小舟之用。魏文帝是曹氏建業之主，當黃初六年東巡，「臨江觀兵，戍卒十餘萬，旌旗數百里」，慨然賦詩曰：「猛將懷暴怒，膽氣正縱横，誰云江水廣，一葦可以航」，睥睨江東，氣吞天下，躍躍然有渡江南下以求一統之勢，所賴者亦惟以一葉小舟渡航耳。菩提達摩由南而北，路經金陵與梁武談法不契，于是即就蘆叢中成葦一束，並以之渡江入嵩山少林而得道，創中國禪宗之始。坡公游赤壁，或悟達祖一葦可航之意，于是在《赤壁賦》中大吐豪放之氣而吟詩曰：「縱一葦之所如，凌萬頃之茫然」，其意亦以乘小舟即可凌波萬頃。一葦雖小，其用實宏，固不得以其小而忽其用。

我學寫隨筆歷十餘年，每成一文，猶掇葦一支，惟一時難以成束，而私衷則無日不期其成束。歲月積久，成文已近百篇，似可聚爲一束，但尚感纖弱無力，不足以當小舟之任，乃復不計時日，傍電腦而坐，敲打不輟，日掇拾于蘆叢，終於撰成《冷眼熱心》、《路與書》、《依然集》、《楓林唱晚》、《邃谷談往》等五種，自以爲當可成一堅實小舟，雖不如魏文之成霸業，達祖之悟大道，坡公之縱豪氣，而我之一葦或亦能浮沉于隨筆巨波中順流而下，顧猶以未能爭流而渡爲憾耳！

一九九八年春，戴逸教授應邀爲廣西人民出版社所策劃之《學者隨筆叢書》中《歷史卷》主編，依每學科十人之例，網羅及我。同卷諸君子莫不學識優長，而我徒增馬齒，益感惶悚難安，唯竭盡全力，祈能比肩並進。乃按編輯條例規定，自成書中遴選若干篇，以示始基之歷程；復增新作若干篇，以見近年之進益，合成一冊，俾一葦將不僅局于順流而下，更望其或能爭流而渡。環視叢書諸家作者近百，濟濟多士，正罄其所學，出以美文，亦猶百舸之爭流；反顧自我，不過一葦，惟小舟固不甘于目送百舸，于是奮起一篙，以小舟而躋于百舸，爭流而前，庶乎渡江有望。時書方成冊，尚無以名之，遂以《一葦爭流》爲名以明志。幸知我者不以一葦而笑其渺小，更不以爭流而嗤其爲蚍蜉，則愚願足矣！

《紀曉嵐全集》序

一

清乾嘉時期有一位居高位、享盛名、執學術牛耳、爲士林宗仰的著名學者、文人——那就是紀昀。他雖以博聞強記著稱，但更多的卻是流傳于人口的一些詼諧風趣的逸聞，有些甚至已近戲謔。這些逸聞的總主旨是刻畫他的聰慧捷悟，是一種善意的喜愛，而並非惡意的嘲弄，甚或其中包含著鄙棄自視天亶聰明的乾隆帝的微言。這些逸聞加之于一位翎頂袍褂的封建顯宦身上似乎有點扭曲形象，但卻不是一般庸官俗吏所能企求得到的。五十年前，我第一次聽到紀曉嵐這一名字，便是從先祖爲我講說紀曉嵐與乾隆帝間一些應對諧趣而來。這些逸聞的輾轉相傳，歷久不衰，證實紀曉嵐無疑是一位口碑在民，具有廣泛影響的人物。我對紀曉嵐眞正價值的認識卻是在四十多年前。那時，我正負笈京華，從目錄學家余嘉錫先生攻習古典目錄學。《四庫提要辨證》正是余師萃畢生精力的杰作，仰高鑽堅，默然潛研，而《四庫全書簡明目錄》又是指定閱讀的參考書，于是原在我頭腦中玩世不恭的紀曉嵐一易而爲殫精竭慮整理編次數千年封建文化成果的文獻學家，開始比較準確地樹立起紀曉嵐眞正的學者形象。

二

清乾隆帝是一位善于繼承和發揚傳統文化，並力求創造出符合其時代需求的文化並加以利用的帝王。他爲了總括和選擇封建文化的文獻而創編一部企圖囊括封建文獻的總庫——《四庫全書》，並相應地編纂出一部對萬種文獻能撮其旨意、得其大要的目錄書——《四庫全書總目》。編纂《總目》的動議，早于《四庫全書》編修的決定。清乾隆三十七年正月，乾隆帝在向各地發布的求書諭中就明確命令可「先將求到各書敘列目錄，注係某朝某人所著，書中要旨何在，簡明開載，具折奏聞」（《四庫全書總目》卷首）。不久，安徽學政朱筠爲建議編纂《四庫全書》，曾要求一、編國家已有藏書目，作求缺依據。二、按向、歆父子遺意，對求得之書逐種撰寫提要進呈。經過館臣討論，乾隆帝最後決定對徵集到的圖書「詳細校定，依經史子集四部名目，分類匯列，另編目錄一書，具載部分、卷數、撰人姓名，兼示永久」（《辦理四庫全書檔案》）。這部巨帙空前的目錄雖與《四庫全書》一樣，由乾隆帝第六子永瑢等領銜修撰，但實際主持人則是四庫全書館的總纂官紀昀。

紀昀（1724-1805）一字春帆，晚號石雲，河北獻縣人，乾隆十九年進士，歷官至協辦大學士，是乾隆時期官方學術領導人之一。他學識淵博，以漢學爲時人所重。清代漢學家在評論漢學諸名家時曾譽紀氏「于書無所不通」（《國朝漢學師承記》），雖語有過譽，但也反映漢學家對紀氏學術功力的認識。紀曉嵐在乾隆中葉以後曾多次主持官修圖書的工作，積累了集體編書的豐富經驗。他又善于延攬人才，所以當時許多耆儒碩學都來參加編目工作，如皖派領袖、經學家戴震，史學名家邵晉涵，深明諸子、校勘之學的周永年都成爲分部主撰，而紀昀則劃一體例，潤色文字，起到了集成定稿的重要作用。他的學術成績和他的後輩阮元頗相類似，而阮氏廣集俊彥，似偏于經學一端，固不若紀氏之兼被四部。但後人評論頗有欠于公允者，如清季知名學者李慈銘曾在其日記中寫下一段評論說：「總目雖紀文達、陸耳山總其成，然經部屬之戴東原，史部屬之邵南江，子部屬于周書倉，皆各集所長。……今言四庫者，盡歸功于文達，然文達名博覽，而于經史之學實疏，集部尤非當家。」（《越縵堂讀書記》）

這是越縵的一偏之見，難稱允洽。耳山後入館而先沒，難言其勞，而紀氏對總目的綜合、平衡、潤飾之功，實不可泯。紀氏同年友、四庫館同僚朱珪在爲紀氏撰墓志銘及祭文時曾有過言簡意賅的評論說：「昀館書局，筆削考核，一手刪定，爲全書總目，裒然可觀。」（《墓志銘》，見《知足齋文集》卷五）「生入玉關，總持四庫，萬卷提綱，一手編注。」（《祭文》，見《知足齋文集》卷六）

紀昀對自己主持和參與提要的工作也率眞地形諸不同篇什之中，他屢屢自言道：「余于癸巳（乾隆三十八年）受詔校秘書，殫十年之力始勒爲總目二百卷，進呈乙覽。」（《詩序補義序》，見《紀文達公遺集》卷八）「余向纂《四庫全書》，作經部詩類小序。」（《周易義象合纂序》，見《紀文達公遺集》卷八）「余校錄《四庫全書》子部，凡分十四家。」（《濟眾新編》序，見《紀文達公遺集》卷八）「詩日變而日新，余校定四庫，所見不下數千字。」（《四百三十二峰草堂詩鈔序》，《紀文達公遺集》卷九）

即此數證，紀氏戮力總目之勞已可概見，而有功學術，爲清代目錄事業作出貢獻，實難異議。乾隆三十九年，以《總目》二百卷篇帙過巨，紀昀又奉命簡編《四庫全書簡明目錄》二十卷，既有利推廣學術，又造福士林，若干後學多借以爲登學術堂奧的階梯。國家藏書目同時編制繁簡二本是前此各代所沒有的創舉。

三

以晚近評論紀氏與四庫者多指陳其維護封建文化專制主義之弊，此固可謂言之成理，若置紀氏于其所處時代而論，則紀氏實爲善于發揮學術社會功能以適應時代要求之強手。苟苛求紀氏具備超越時代的超前意識，則未免過矣！紀氏之四庫總目，不僅爲清代目錄事業之壯舉，也可稱古典目錄學領域中的宏業。

紀曉嵐一生傾力于編纂《四庫全書總目》，博學多通；又多經顛躓，洞識人生。晚年遂本其閱世數十年之悟思，出其余緒成《閱微草堂筆記》二十四卷，爲清代筆記說部增一瑰寶。

《閱微草堂筆記》二十四卷爲紀氏五種筆記（《灤陽消夏錄》、《如是我聞》、《槐西雜志》、《姑妄聽之》、《灤陽續錄》）的匯刊，始撰于乾隆五十四年，歷時九年，底成于嘉慶三年。五年，門人盛時彥爲之校訂合刊，以紀氏書齋名名書，並寫序記撰述緣起說：「采掇異聞，特作筆記以寄所欲言。《灤陽消夏錄》等五書，俶詭奇譎，無所不載；洸洋恣肆，無所不言，而大旨要歸于醇正，欲使人知所勸懲。」

筆記是紀氏「追錄見聞」、「時作雜記」之作，所以採訪範圍頗廣，上起官親、師友，下至皂隸、士兵。內容泛雜：凡地方風情、宦海變幻、典章名物、醫卜星相、軼聞逸事、狐精鬼怪，幾于無所不包。全書近四十萬言，收故事一千二百餘則。

曉嵐學宗漢儒，于道學虛僞有所抨擊，筆記有多處以嘲弄口吻譏刺所謂道學家的迂執虛僞，如《灤陽消夏錄》四曾揭露二塾師的險惡行徑說：「有兩塾師鄰村居，皆以道學自任。一日，相邀會議，生徒侍坐者十餘人。方辯論性天，剖析理欲，嚴詞正色，如對聖賢，忽微風颯然，吹片紙落階下，旋舞不止。生徒拾視之，則二人謀奪寡婦田，往來密商之札也。」

這種借鬼神以譏刺宋儒道學曾引起道咸時人林昌彝的不滿而抨擊說：「其托狐鬼以勸世可也，而托狐鬼以譏刺宋儒則不可。宋儒雖不無可議，不妨直言其弊，托鬼神以譏刺之，近于狎侮前人，豈君子所出此乎？」（《射鷹樓詩話》卷二）

林氏評論似正而過苛，不如前此乾嘉時人劉玉書的言婉而諷。劉氏于所著《常談》卷一也評紀氏托神鬼設教爲不當說：「曉嵐旁徵遠引，勸善警惡，所謂以鬼道設教，以補禮法所不足，王法所不及者，可謂善矣！第搢紳先生夙爲人望，斯言一出，只恐釋黃巫覡九幽十八獄之說，藉此得爲口實矣！」

曉嵐雖一生通顯，但位居清要，對庸官俗吏的驕橫恣肆，排擠傾軋，不僅借鬼神寓言，更有直斥其非者，如《灤陽消夏錄》六曾指出除官以外的四種惡人是：「一曰吏、一曰役、一曰官之親屬、一曰官之僕隸。是四種人，無官之責，有官之權；官或自顧考成，彼則惟知牟利；依草附木，怙勢作威，足使人敲髓灑膏，吞聲泣血。」

《閱微草堂筆記》中還記載了一些社會的陰暗面，如《如是我聞》二之記明季因災致有屠人鬻肉的慘象；《槐西雜志》二記某侍郎妻虐待女婢的酷刑。這些記載當然不能視爲紀氏的有意揭露，但這種紀實之筆卻爲後世了解封建壓迫提供了資料，並使《筆記》具有一定的史料價值。

曉嵐生當乾嘉考據興盛時期，也以考據專學自任，書中多有雜考之屬，如《如是我聞》二記京劇中竇爾墩爲獻縣巨盜竇二東的音轉；《灤陽續錄》二考科場中拜榜、拜錄儀制；《灤陽續錄》三考新疆巴里坤軍工鑿井得古鏡爲唐代遺物；《灤陽續錄》五考門聯始于唐末以正他書昉于明祖之說。

《閱微草堂筆記》是清人筆記中較有影響的一種，論者較多，其中有以《閱微草堂筆記》爲仿《聊齋志異》之作，實則不盡如此，紀昀即認爲《聊齋志異》爲「才子之筆，非著書者之筆也」，隱然以《閱微草堂筆記》與《聊齋志異》爲異途。相沿對二書評論多揚蒲抑紀，獨清人俞鴻漸的《印雪軒隨筆》卷二則揚紀而抑蒲稱：「《聊齋志異》一書，膾炙人口，而余所醉心者，尤在《閱微草堂五種》。蓋蒲留仙才人也，其所藻繪，未脫唐人小說窠臼；若《五種》專爲勸懲起見，敘事簡，說理透，垂戒切，初不屑屑于描頭畫角，而敷宣妙義，舌可生花，指示群迷，石能點頭，非留仙所及也。」

道光時人梁恭辰于所撰《池上草堂筆記》卷一引張維屏評論《閱微草堂筆記》爲覺夢之清鐘，迷津之寶筏，梁氏更據而按稱：「近今小說家有關勸戒諸書，莫善于《閱微草堂筆記》」，歸于勸戒之作，未免失之于偏。李慈銘的《越縵堂讀書記》中則評其書說：「事涉語怪，實其考古說理之書，其中每下一語，必溯本原，間及考證，無不確核。又每事必具勸懲，尤爲有功名教。」

這些評論都不若魯迅所作的全面持平之論，他在《中國小說史略》第二十二篇中說：「凡測鬼神之情狀，發人間之幽微，托鬼狐以抒己見者，雋思妙語，時足解頤，間雜考辨，亦有灼見。敘述復雍容淡雅，天趣盎然，故後來無人能奪其席，固非僅藉位高望重以傳者。」

「後來無人能奪其席」的結論，衡之後來樂鈞的《耳食錄》和俞樾的《右臺仙館筆記》諸作，確是對《閱微草堂筆記》價值的恰當評論。

《林則徐書札手跡選》序

一

林則徐是中國近代歷史上聲名顯著的歷史人物。他不僅在朝野之間有廣泛的交往，而且又以雅擅書法名于時，他凡與親朋好友互通音問時，不輕易假手幕僚而大多親自作札，受信人也或以其書法而珍藏。因此他是近代遺存有大量書札手跡的人物之一。他所寫的書札據其日記判斷當在二千札以上，而存世的也大約有千札左右。這樣一批鉅量的手札，不僅是一項重要的史源，也是精美可翫的藝術品。它具有著文物與史料的雙重價值。

書札手跡的史料價值，首先在于原始，它是寫信人思想、行爲最原始形態的記錄，既非因傳寫而有訛異，又未經輾轉引述而失其原貌，因而它是一種珍貴的直接史料；其次在于比較眞實，因爲它是私人交往的文獻，而在互通音問時也往往會對彼此交誼與信賴程度有所估計，因而除一些應酬信札外，大部分書札手跡對人對事既無隱諱，也少虛飾，而多能傾吐積愫，使閱者可由此而得到官書及公開詩文中所難見到的隱秘。因而，書札手跡又可備作研史者考史、證史借以徵信的資料。

林則徐書札手跡雖爲數頗夥，但過去多散存于公私藏家。海內異處，盡睹匪易。各家又以敬其人重其物，什襲珍重惟恐不及，致使研究者徒興望洋之嘆。今故宮博物院毅然出其藏品，交紫禁城出版社選擇一部分手跡影印問世，不僅造福學林，也爲資源共享開其風氣，應該爲之喝彩叫好。正因如此，所以我也不自揣固陋，而在付梓前欣然應命通讀全部藏札，並爲之書後。

二

故宮藏林則徐書札手跡六十九通的時間斷限，上起于嘉慶十九年，下止于道光三十年林則徐逝世前，先後垂五十年之久。其中比較集中于道光十七年以後。這段時間正處于中國歷史大變動時期，也是林則徐從政以後，不次擢升而位于政治風浪之巔的時期，因而這時期的書札手跡中就不同程度地反映了林則徐對某些重大問題的思想與活動。

道光二十年與二十一年之間，中國近代史揭開了序幕。林則徐正處在內外交迫的矛盾焦點上。他既要抗擊外國侵略勢力，又要回旋于統治集團內部的矛盾之中。他有激昂慷慨的歡欣，也有憤懣焦躁的煩惱。這些都不便形諸奏章折片而只能向親朋好友陳述吐露。林則徐在對英戰斗獲勝之餘，就情不自禁地函告時任閩撫的吳文鎔說：「逆夷猖獗，本在意中。此間兵船不敷調遣，只得添雇拖風、紅單等船，招募壯勇，以增聲勢。昨在礬石洋面剿擊喋嚦夷船，帆桅俱壞，殲夷頗多；但惜未將其船牽獲耳。」（道光二十年八月致吳文鎔函）

與此同時，林則徐也把經過觀察所分析的敵我形勢函告友人說：

> 夷務近日殊形潰爛，然自有鴉片入內地之後，此事即在意中。譬如人身生瘡，即必出膿。體氣旺時，膿出則瘡可以收口，若養癰愈久即爲害愈深。今日之事，恨不于二十餘年之前發之，中國之財尚不至如是之匱，然及今而理之，猶不至于內毒攻心。
>
> 比聞諸國以嘆逆阻其懋遷，皆欲與之說理，大抵助順去逆，人心之公，嘆夷豈能久乎？（道光二十年八月九日致敬輿函）

林則徐的這些分析沒有什麼蹈空之論，而比較符合客觀實際。這不僅可以看到當時的具體形勢，也足以證明林則徐確是一位進行過實際考察的政治家。

他在另一封給至親葉小庚的信中還有更詳盡的分析說：

> 在頑夷虛驕成性，縱之則愈滋桀驁，束之亦易就範圍。侍去年發諭一次，即據稟繳煙土二萬餘箱，未曾折一矢鏃。隨即奏明令具切結，如再夾帶鴉片，人即正法，船貨沒官。他國皆已遵依，獨嘆夷再三反復，而言路適有條陳，以取結爲無益者，恰如奸夷之意。事之無成，殆基于此矣。
>
> 夷船北赴天津，不過數只，原無能爲，而彼處之無備與定海等，守土者恐又失事，遂以蜚語歸咎于粵而和議興矣。此後事勢，歧之又歧，難以罄述。（道光二十年十一月二十九日致葉小庚函）

隨著戰局的敗壞，投降勢力的日益抬頭，林則徐已經處于顯然劣勢的地位時，他曾以極為憤慨的筆觸抒寫了自己的窘境和苦惱，寫信給自己的老師沈鼎甫說：

> 直省則亦因前次復奏水師不必設、炮臺不必添。迨夷船駛來，恐蹈浙江覆轍，是以別開生面，意在甘言重幣，釋撼快心，即可乘機而了目前之事，卻未計及犬羊之欲無厭，即目前也不得了也。今自沙角挫衄之後，夷性益驕，軍情益怯，如防已潰，修復綦難。……文武既因而觀望，恐鬼蜮即搗其空虛。自顧手無斧柯，偏使身同羈紲。芻獻則疑于觸諱，葵憂莫解于瀕危。……（道光二十一年正月二十八日致沈鼎甫函）

這位空懷壯志、難濟時艱的政治失敗者終於被迫退出了戰場，登上了戍途。但這並未能完全摧毀這位愛國者的精神支柱。他以自己的愛國心關懷著局勢的變化。道光二十二年二月，當他由河工赴戍時，即在致友人李星沅（石梧）的信中憤言戰局之壞說：

> 浙事潰敗，一至于此，九州鑄鐵，誰實為之？聞此時懲羹吹齏，不令更有募勇之事，數千里外徵調而來之兵，恐已魂不附體，而況不習水土，不識道途，直使逆夷反客為主，其沿途騷擾之狀，更不忍聞。大抵民無不畏兵，而兵無不畏賊，事勢如此，徒為野老吞聲耳。

林則徐不僅指斥了奕經在浙的僨事，而且早在百年前就洞察了當時兵、民、夷三者的關係，可稱卓識。

在同信中，林則徐繼續發抒他的海防思想，主張船炮建設說：

海上之事，在鄙見以爲船炮、水軍萬不可少。

七月十四日，林則徐行抵甘肅涇州，獲知鎭江失守之訊，就在當晚寫信給至友劉聞石說：「南中又有鎭江失守之信，令人滋切憤憂，不知續報何似耳！」

九月十四日，林則徐行抵安西州曾寫信給在京友人江翊雲，對江寧訂約感到憤懣說：

南中事竟爾如許，人心咸知憤懣而僉謂莫可如何！恬嬉從矣，可勝浩嘆！

同信中，他又提出建設船炮以謀挽回局勢的思想說：

果得一二實心人便宜行事，只須漳、泉、潮三處瀕海地方愼密經理，得有百船千炮，五千水軍，一千舵水，實在器良技熟，膽壯心齊，原不難制犬羊之命。（道光二十二年九月十四日致江翊雲函）

林則徐抵達戍所後的五個月，在致陝撫李星沅函中表示了旣關心東南局勢而又無能作爲的莫可奈何心情說：

東南局勢，口不敢宣，而固無時不懸懸于心目間，不知何所

終極！（道光二十三年三月致李星沅函）

半年以後，他又致函李星沅，論述了軍事、財政的危機說：

所論營務習氣，弟前略有所聞，嘆喟久之。軍驕由於將懦，懦從貪生，驕從玩生，積重難返，比比皆是，雖有獨清獨醒之人，不能不權宜遷就，以避違眾激事之過，此江河所以日下也。

目前患貧爲甚，誠如來教，安得有生財之道？然若中外一心，變通挹注，亦尚不無可商，何至較及錙銖，爲委瑣之下策，而非徒無益耶？（道光二十三年九月致李星沅涵）

當時，曾有人醞釀以贖鍰的辦法來解脫林則徐的遣戍生活，但都被婉辭。林則徐在致金安清的信中表示感激之餘，也無所忌憚地吐露出對清統治者那種批其逆鱗的看法。這是在公開文字中甚難見到的一種文辭。信中說：

惟念弟獲咎之由，實于尋常迥異。即前此輾轉播遷之故，尊處當亦聞。雨露雷霆，惟待天心自轉。與其批龍鱗而難測，莫如聽馬角之不生。（道光二十四年十月三日致金安清函）

道光二十六年，林則徐釋回後，雖然在若干方面失掉些銳氣，但對船炮建設這一海防思想仍未放棄，他還隨時留意，並在一封信中作過詳細地詢問說：

前次足下委付江南監造戰船，未識如何造法。並曾否經手鑄炮？所鑄是否即照洋中銅炮？每位斤重若干？費用幾許？口門多大？能放多遠？並祈詳悉開載，以廣見聞。（道光二十七年春致玉溪函）

在這批藏札中，我們還看到林則徐曾注意到文化方面。一封是與貴州大定知府黃宅中討論黃所主纂的《大定府志》，從而連及到修志義例，首先，他就由滇辭官回籍途中，對《大定府志》「反復尋繹」後而提出推重之詞說：

深嘆編纂之勤，采輯之博，抉擇之當，綜核之精，以近代各志較之，惟嚴樂園之志漢中，馮魚山之志孟縣，李申耆之志鳳臺，或堪與此頡頏，其他則未能望及項背也。

他的評論是否有溢美之處，可以再進一步研究，但至少可知他涉獵方志的廣度。函中所說三部近代名志指嚴如熤的《漢南續修府志》、馮敏昌的《孟縣志》和李兆洛的《鳳臺縣志》。其次，林則徐對如何爲志書寫敘提出了自己的看法說：

竊念弁言之作，原爲全帙提綱，如敘中于書之體例有脱漏者，應請就稿酌添，有觸背者亦祈酌易。總使作者之意盡宣于敘者之言，俾讀者覩一敘而會全書之宗旨，乃爲訢合無間。

甚至對刊本誤字也加指陳說：

現在刊本未免尚多錯字，希囑細心者重校一過，逐加修改，更可以廣流傳矣。（道光二十九年致黃宅中函）

這些意見對當前編修新志工作也有可資借鑒之處。另一封則是抨擊時文誤人，信中說：

所謂學者，無處而非集益之資，不拘拘于時文試帖也。向見埋頭貼括者欲敘半點小事亦不能明晰，無怪老輩以爲社稷蒼生晦氣也。（道光二十九年致畢星樓函）

從這些選錄的若干則例證可以說明這批藏札是具有一定史料價值的。

三

林則徐的書札手跡除了史料價值外，還是值得珍藏的書法藝術品。從時人多求書寫屏扇等物可以推知他的書法已有一定的聲譽與定評。林則徐對書法理論自有主張，早在道光七年，他就在《跋沈穀齋墨跡》中主張由學唐人入手。他說：

初學臨摹輒舍唐人矩範而躐等于鍾張羲獻，是猶未能立而使之疾行，僵臥必矣。（《雲左山房文鈔》卷四）

林則徐也很喜歡爲人作字，在書札中也常見他談及應人之請而作書的事，如道光二十二年六月二十日滯居西安時致劉建韶（聞石）函中即可見其寫件之多：「日來紙幀便面堆積几案，腕下尚未能稍稍清整，日內容當爲之也。」

及由西安登程赴戍時，隨身所帶除圖書外，尚有「公卿求書綾絹宣紙」（郭柏蒼《竹間十日話》）。在西戍途中，據日記所載，幾于無日不爲人書字。待居戍所則書事更多，所書「遠近寶之」。「不數月縑楮一空」，「手跡遍冰天雪海中」（李元度：《林文忠公事略》）。正由於有較多的實踐活動，致使林則徐的書法日臻精美。釋回以後，雖職任煩重猶書寫不輟，道光二十七年由陝赴滇督任途次致劉建韶函中曾言其事說：「弟沿途補還陝省筆墨之債，不下百數十處，而尚未能掃數就清。前有數件囑送台寓轉交，想承分致，茲又有三件乘戈什哈回陝之便仍送尊處代交，惟尚有折扇數柄未及書就，容再覓便寄陝可耳。」

從這批藏札看，前期書札尚欠圓潤，結構行筆也略嫌粗澀，鴉片戰爭時期的書札頗見進益；至西戍後則純熟流利，點劃結構俱合章法，信筆渾成而無造作，可稱方家。所以從書法造詣上也可判斷出作書的大致時間。這些藏札的遺存應視作書法寶庫中的藏品。

四

故宮藏札六十餘通雖有見收于以往印本者，但現在一般藏者已鮮入藏，研究者也難搜求。故宮博物院爲紀念林則徐這位近代愛國者誕辰二百周年，特將所藏這批書札全部進行整理、釋文，手跡中除個別殘簡，既難考定時間、受者，又並無實際內容者外，經選出一部分予以影印，交紫禁城出版社匯集出版。

這批書札的受信人有張祥河（詩舲）、郭尙先（蘭石）、陳壽祺（恭甫）、沈維鐈（鼎甫）、李星沅（石梧）、金安清（眉生）、劉建韶（聞石）、葉申薌（小庚）、潘曾瑩（星齋）、潘曾沂（功甫）、黃宅中（惺齋）和沈葆楨（翰宇）等。他們都是當時的知名之士，與林則徐有一定的交誼和至親關係。這批藏札中以致劉建韶者爲最多，函中內容也最豐富，足徵彼此之間契合之情。劉建韶字聞石，福建長樂人，林則徐鄉試同年，曾應邀教讀林氏諸子。林則徐從政後，原籍家事多委托代辦，後成道光十五年進士。道光二十一年任陝西孝義廳同知。林則徐西戍途次及回陝赴滇均與劉有聯繫。致劉信札除這些外，其他藏者尙所在多有。

全書編次大致以受信人爲類，再以寫信時間爲次，其難于歸屬或有內容而無受信人者，也粗考其近似年代編列于卷末。所附手跡影印于釋文之後，便于讀者使用。

這批藏札的出版，爲林則徐的研究增添了新資料。我在檢讀全部藏札之餘，不禁盛贊故宮博物院主政者的通達，感謝整理者的辛勤；而且也馨香默禱有更多的藏者，或單行，或聯合，聞風而起，出其寶藏以應世，讓我們的信息時代獲得更多的歷史信息！

《林則徐詩選注》序

一代偉人林則徐，以其深厚的文學底蘊，豐富的宦海閱歷，坦誠的高尚情懷，發之爲詩作，確與一般寫景抒情之作有所不同。林則徐的詩作，描繪了時代的色彩，吐露了內心的隱衷，這正是中國傳統詩文化中詩以言志的絕好例證。

我在研究林則徐一生事跡的同時，誦讀了他爲數不少的詩作。這些詩作抨擊時代的種種弊端，同情下層的遭遇，非議吏治的腐敗，痛快淋漓地宣泄著個人的義憤與激情。他詩篇中的某些名句，如「苟利國家生死以，豈因禍福避趨之」和「中原果得銷金革，兩叟何妨老戍邊」等等，都體現出一位正直的封建官員以國事爲重，不計個人得失的憂患意識，這些名句一直閃爍著亮光，照耀著後人。通讀了林則徐的全部詩作之後，就會使人感到是可作憑證的史詩，也爲知人論世提供了足備徵考的論據。

林則徐的詩作，大體可分爲三個階段。第一階段是初登仕途，意氣風發，尚未經受挫折的時候，關注民生疾苦，直抒胸臆，一吐爲快。其赴雲南途中所寫詩作大多屬此，如《驛馬行》一詩則借驛馬的病累，抨擊吏治腐敗、民生困苦以及用人不當、賞罰不明等等；《病馬行》一詩借病馬之饑病瀕死，指斥人才之受壓抑、摧殘之厄；《裕州水發》一詩則抒發其關心民生疾苦的心懷。至若吟詠張良、諸葛亮與岳飛祠廟諸詩，則志其所景仰之人物以明其立身行道之準則。第二階段是禁煙運動時期，其愛國熱情、發自內心，壯懷激烈，頗難自已；但險惡的政治環境，迫使他在高昂的激情中流露出無奈的沮喪，如在虎門的《眺月》一詩中，他懷著極大的必勝信心，高歌「蠻煙一掃海如鏡，清氣常此留炎州」。但結尾處卻感嘆說：「今年此夕銷百憂，明年此夕相對否？留詩準備別後憶，事定吾欲歸田疇。」林則徐感到身心交瘁，要歸隱田里了！在《庚子歲暮雜感》一詩中發出壯志難申的憤慨呼號說：「楊僕空橫海，終軍漫請纓。」他因「多慚父老情」而深感內疚，一位封建官員能自覺于有負民眾的期望，也確是難能可貴的一種品德。第三階段是赴戍及在戍所的詩作。這時的詩作既多，質量也趨于成熟，如《赴戍登程口佔示家人》的「苟利國家生死以，豈因禍福避趨之」的名句，成爲林則徐思想的精萃凝煉。多首《回疆竹枝詞》眞實地反映了新疆的社會和民生狀況，表現出一種身遭貶謫猶能關心民瘼的高尙情操。《送伊犁領軍開子捷》一詩體現了林則徐注重塞防的國防思想。林則徐雖偶有《紀恩述懷》之作，亦其時其人不得已的應時之作。而統觀戍所詩作，可稱無一不可作史詩讀。三階段之分是我的約略之言，並非是對林則徐全部詩作的準確分期。雖然其他時期也有詩作，但我感到終不若這三階段詩作之有代表性。

林則徐的詩作，始見收于清光緒年間刊印的《雲左山房詩鈔》，但編次不整，且多漏列，時另有手稿詩草存世。七〇年代後期，有《林則徐詩文選注》之類詩集流傳，顧頗嫌簡略。八〇年代後期，福州鄭麗生先生窮一生精力，于林則徐詩作廣事搜羅，親加箋校，成《林則徐詩集》一巨冊，林則徐詩作可稱大體完備，其功固不可沒，唯高年成書，容有訛誤，周軒君遂有糾繆摘誤之文以補前賢之不足。兩代學者的辛勤煩勞，使林則徐詩作之匯聚，將益臻完善，讀者于此，得不忻然！

書名之學不應漠視
——《中國古今書名釋義辭典》序

中國的正式圖書始于簡書，而簡書多爲單篇流傳，所以古無書名而僅有篇名，如《伐檀》、《兼愛》皆爲篇名。嗣以聚篇成書而不能不加標書名以作大名，而篇名則稱小名。加標書名有多種方式：

一是根據著者姓氏綴以古代男子美稱之「子」字而成。如《孟子》、《韓非子》、《公孫龍子》等。

二是根據著作的成書情況而定，如孔門弟子追憶孔子言教議論，加以編次成書而標名《論語》。

三是根據圖書內容而命名，如劉向編次戰國時策士獻策而定名爲《戰國策》。

四是以著者職位、爵謚、地望爲書名，如《太史公書》、《史忠正公集》、《韓昌黎集》等。

五是以著者加文體而成，如《屈原賦》、《溫庭筠詩集》等。

其他標名方式尚或有之，不一一贅述。

隨著社會的發展，著述的繁多，更依作者不同的性情和才華，書名的內涵遂日益豐富，情況也更爲複雜：有意有所寄、有同書異名、有異書同名、有一書多名、有借書名夸示地位、有故作奧秘以示風雅、千姿百態，不一而足，以致清朝學者章學誠在所著《文史通義》繁稱篇中痛斥「人心好異，而競以標題」、「巧立名目，橫分字號」等時弊，主張把有怪異書名的書「概付丙丁」，一燒了之。章氏是對後世炫才逞奇表示憤慨，但未免失于偏激。書名怪異就與古人「觀目而悉洞」的命名立意日遠，致使讀者對圖書之了解益增窒礙。現掇拾數例以證其事。

《鏡鏡詅痴》是近代第一部比較系統闡述幾何光學原理、光學儀器原理和制鏡技術的科學著作。著者是清嘉、道時人鄭復光。鄭是我國第一個自制望遠鏡的科學家，其書名是爲表達自己不爲人了解的憤慨；但寓意晦澀，有待詮釋，所謂「鏡鏡」，指書的內容是講明光學原理，所謂「詅痴」，指商販叫賣自己的次貨。用這一書名是說自己像一個商販那樣鼓吹自己這部講光學原理的著作。鄭復光另有一部包羅天文、物理、生物、氣象、技能各種學問的著作，題名《費隱與知錄》。這也是一個頗爲費解的書名。所謂「費」是怪異的意思，「隱」是不明白的意思。原來這是一部解釋怪異難解現象的科學著作。此書名之不可以不釋義。

《清嘉錄》是清嘉、道時人顧祿記述蘇州風土的一本雜著。此書有多種版本，其光緒十年樂善堂刊本封里別署《吳門風土記》，《小方壺齋輿地叢鈔》第六帙所收顧祿著《吳趨風土記》即《清嘉錄》節本。此同書異名皆出于晉詩人陸機《吳趨行》之句稱：「土風清且嘉」。有些同書異名由於避諱，如遼僧行均撰《龍龕手鏡》，宋人避鏡爲鑒，而有《龍龕手鑒》的異名。有些書相沿視爲同書異名，實則非是，如清初董含撰《三岡識略》，因所居在紫岡、沙岡、竹岡之東而名書。《說鈴後集》收董含撰《蓴鄉贅筆》，世皆以此即《三岡識略》，一些專著也定二者爲同書異名，但細校之後，《贅筆》刪去《識略》達二百五十餘則，皆怵于文字賈禍而有意刪削者，刪量既大，主旨已不同，固不得視爲同書異名。其同書異名往往有多達五六個者，如《戰國策》尚有《國策》、《國事》、《短長》、《事語》、《長書》及《修書》等異名。《越絕書》有《越絕記》、《越絕》、《越錄》、《越紐錄》、《伍子胥》及《伍子胥書》等異名。此又書名之不可以不釋義。

與同書異名相應者爲同名異書，即書名雖同而作者非一，內容亦異，如《經說》一書，自宋程頤撰《經說》八卷始，經元明至清陳宗起撰《經說》八卷，《經遺說》一卷，共有二十二人重複使用此一書名。但作者、內容不一而是異書。又如《詩品》，南朝梁鍾嶸與唐司空圖均用此同一書名，但鍾專論五言詩，按作者品評優劣；司空則按詩歌風格分二十四類加以品評。設此類書無所注釋，則使讀者勢將茫然失措。

有些書名出于同一典故，如元王惲之《玉堂嘉話》、明焦竑之《玉堂叢語》、清楊士驄之《玉堂薈記》，皆以玉堂冠首，乃因玉堂自宋以來爲翰林院別稱，三位作者都曾任官翰林院，故均採玉堂典故。這種書名釋一可得三。

有些書名切不可望文生義，如清楊陸榮撰《三藩紀事本末》，因世人熟知清初三藩之吳三桂、耿精忠、尚可喜，遂不察內容，魯莽稱此爲平定吳、尚、耿之史事，而不知此三藩乃指南明福王、桂王、唐王之三藩，此等書名又何能不釋義？

有的書名表示了作者狂傲嫉世的態度，如宋人車若水著書「橫斥古人」，因正患腳氣病，遂名書曰《腳氣集》。宋人吳縝所撰

《新唐書糾謬》和《五代史記纂誤》則明顯地直指二書作者歐陽修。

有的作者根據「賢者識其大者，不賢者識其小者」的說法而以「識小」名書以示謙虛，如張江、姚瑩各著《識小錄》，馬騰蛟有《小坡識小錄》，程廷祚有《春秋識小錄》等等。

近年有一套叢書冠名爲《驀然回首——對中國傳統文化的反思》。「驀然回首」，學文史者可能了解，但更多的人難得其解，甚至不知「驀」字如何讀法。這本來是王國維在《人間詞話》中說明學問進益三歷程中的最高境界，所謂「眾裡尋它千百度，驀然回首，那人卻在燈火闌珊處。」書名雖然俏皮而有寓意，但未免偏于曲折了。

類此種種，皆足以說明書名之學決不容漠視。我國典籍浩繁，難以盡讀，設由書名釋義而粗窺大略，則有裨學人多多。近年吳楓主編《簡明中國古籍辭典》、胡道靜主編《簡明古籍詞典》，以及杜信孚所撰《同書異名通檢》與《同名異書通檢》諸書，雖于書名詮釋有所涉及，惜未泛釋，而猶無書名釋義專著應世，則編著《中國古今書名釋義辭典》便是很有必要的了。

《甲午戰前釣魚列嶼歸屬考》日譯本序

吳天穎教授是與我有近四十年友誼的故交，承他不棄在遠，使我有幸通讀其嘔心瀝血的杰作《甲午戰前釣魚列嶼歸屬考》全稿。這部並非巨帙的宏篇，卻使人感到沉甸甸地壓手，光熠熠地照人。這是多年來不曾多見的專著。這部書可能不如某些昌言宏論之作那樣輝煌一時，但它吐中華民族之正氣，樹中華學術之脊梁，傳之後世，洵爲不刊之作。

詩窮而後工，學術亦然。吳著草創于淒風苦雨的十年動亂年代。「文化大革命」雖是一次浩劫，但也產生了某些爲勇士們所意想不到的反效應。有些篤學之士就在夾縫中作學問，成就事業。吳氏也正在這樣的特殊環境中將其專著打坯、成型。其艱辛困苦之狀，對有過類似遭遇的人們來說，是不難理解的。吳氏自序中所述的輾轉起落，應該說是事過境遷後的輕松之筆。

近年讀過不少史學論著，或放言高論，或東摭西拾，或稗販陳說。其能博觀約取，鉤玄纂要，自出機杼，論次成書者蓋鮮。吳著一脫流俗，廣徵博引，涉及中外典籍檔冊，搜求範圍除大陸所藏外，遠至英、美、日等國，近達港、澳、臺地區。迨史料大抵集中，乃輯錄史料匯編，爲所著奠基。尤可貴者，撰者持循序漸進，謹嚴治學之態度，爲全書之高質量建立堅實基礎。至其體制，頗稱完善，書凡五章，溯往論今，對日本所謂學者之謬論讕言，以犀利巨筆，直燭其奸；于所掌握之昭然事實，則以正義嚴詞，侃侃立論。有理有據，有辯有駁；章次之間，若筍之剝籜，層層深入，並附以圖文原件圖片，足成佐證，終而引致無容置疑之結論：「釣魚島等島嶼是在中日甲午之戰簽訂《馬關條約》後被日方侵佔的中國領土。」歷史眞相至此而大白于天下（參見中文本第 120-121 頁）。

謊言百遍成眞，非明智睿識難以洞識其奸。某些沉淪于「伊藤遺風」、「田中奏折」、「大東亞共榮圈」痴夢的幽靈亡魂，並不識泱泱中華睦鄰友好之善良，猶在歪曲、捏造歷史，狺狺不已。吳著除陰霾，撥迷霧，首斥日本某些學者妄引國際法上之「先佔」原則，死不認尸般地不承認釣魚列嶼爲中國領土，不承認該島嶼係臺灣的附屬島嶼，更進而將一八九五年竊據釣魚列嶼的活動與其一八九四～一八九五年進行的中日甲午戰爭「脫鉤」，尤其不承認與《馬關條約》有任何瓜葛等等（參見中文本第 15-16 頁）。其次，吳著復指陳日本之所以處心積慮使侵佔釣魚列嶼的夢幻成眞，乃在于可從此掠取足供使用四十年的石油資源，以擺脫其年進口 99.8% 石油的被動局面，實現其貪婪野心。吳氏以一箭中鵠，將侵略者的險惡用心，暴露于光天化日之下。

執干戈以衛社稷，國士責有攸歸；運巨椽以揚正義，學人義不容辭。吳著對「十處敲鑼九處在」的日本奧原敏雄等的諸般謬論，針鋒相對，正面闡明。如針對日人所謂一六八三年（康熙二十二年）以前，臺灣非中國領土的謬論，詳盡地論證臺灣與祖國大陸的血肉聯繫（參見中文本第 90-19 頁）；針對日人抹殺釣魚列嶼爲臺灣附屬島嶼的伎倆，指出不僅中國「原始發現」並命名了釣魚列嶼，而且最晚于「十六世紀中葉，明代抗倭軍政長官胡宗憲已將釣魚列嶼正式劃入海防區域」，以批駁奧原所謂《海防圖》「不問其地是否爲他國領土」的謊言。撰者嚴正地指出：「邊海自粵抵遼，袤延一萬五千餘里」，均系中國領土（參見中文本第 83-86 頁）。

撰者以一八八五年九月六日《申報·臺島警信》爲鐵證，揭露了日本第一次覬覦釣魚列嶼的陰謀（參見中文本第 100-106 頁）。以日本明治時海軍省「極秘第三號」《臺灣匪賊徵討》爲據，揭露其所擬《馬關條約》內關于「臺灣全島及所有附屬島嶼」毫未界定的緣由，證明日本海軍顯要確認釣魚列嶼系「臺灣淡水港附近之集合地」。撰者強調指出：「隸屬于中國臺灣省的釣魚列嶼，是中國在甲午之役戰敗，被迫簽訂《馬關條約》並換文之後，由負責接收臺灣的『大日本帝國全權委員·臺灣總督·海軍大將·從二位勛一等子爵樺山資紀』率領『征臺（南進）艦隊』于清光緒二十一年五月初六日，即公元一八九五年五月二十九日上午九時，以武力非法侵佔的；旋于其後五日，即六月三日，……臺灣交接事宜完全結束。至此，包括釣魚列嶼在內的『臺灣全島及所有附屬各島嶼』，正式淪爲日本軍國主義的殖民地。」（參見中文本第 115-121 頁）

撰者非常坦率地自稱：「這項課題研究，是在井上清、楊仲揆、丘宏達、沙學浚及方豪等先生已有的基礎上進行的。」尊重前人成果是一種文德，但通讀全書，則撰者發掘與訂正之功，實不可沒，隨手可拈數例。如以所謂「日皇十三號敕令」爲突破口，全面剖析了奧原所持「論據」之虛僞（參見中文本第 11-15 頁）。以史實證明了「中國人首先發現並命名釣魚列嶼的原因」，發掘出明洪武七年吳禎等擊潰倭寇的眞相（參見中文本第 32-39 頁，第 70-71 頁）。撰者還訂正了《明史·外國傳三·日本》中有關胡宗憲建議明廷「移諭日本國王」的時間應提前一年，即嘉靖三十四年，落實了鄭舜功「欽奉宣諭日本國」的特使身份，從而增強其著作《日本一覽》所述確言釣魚列嶼屬于臺灣所具有的權威性（參見中文本第 73-79 頁）。撰者從《明實錄》中鉤稽出「三十六姓」開發琉球的史料，駁斥了奧原的「即使最早記載釣魚臺等等的古代文書是在中國方面，釣魚臺也未必是中國人發現，中國命名的」這一謬論（參見中文本第 32-39 頁），考證了「鎭山」的由來，訂正了井上清、楊仲揆的誤解（參見中文本第 49-51 頁）；又以閩南方言的讀音爲依據，解開了「郊」、「溝」系中外之界的迷團（參見中文本第 56-57 頁），使乾隆《坤輿全圖》所載「好魚須」、「歡未須」、「車未須」等地名，用閩南方言讀之即爲釣魚嶼、黃尾嶼、赤尾嶼（參見中文本第 93-94 頁）。三島異名的眞諦，豁然貫通。

撰者在爬梳史料的工作中，也時刻不忘發揚中華民族的嚴謹學風。一件流傳于世非常有利于論證的資料即《慈禧賜盛宣懷諭》，其中記有「原料藥材採自臺灣海外的釣魚臺小島，……即將釣魚臺、黃尾嶼、赤嶼三小島，賞給盛宣懷爲產業。……」這是多麼直接的論據！但是，撰者經過縝密的考證認爲此說難以置信而科學地予以存疑，並嚴正宣稱：「中國學者有勇氣排除雖有利于己論但卻經不住推敲的個別資料，有信心認定此舉絲毫無損于釣魚列嶼之爲中國領土的結論。」（參見中文本第 111-113 頁）。氣勢磅礴，大義凜然。學術研究之價値與貢獻也于此可見。所以鄧廣銘教授在讀此書後深致感慨說：「從事人文科學之研究者，近年以來，每被社會所輕視，以爲與國家之建設、民族之命運，全無可以效力之處，若使得讀此一新著，也必將大大改變此種觀點了。」

吳著在課題的立意、史料的搜集、體制的編次和文字的運用上都可稱上乘之選。這正如一位專家所評論那樣說：「本文在綜合前人研究成果的基礎上，對釣魚列嶼歸屬問題進行了深入、系統的研究，抓住要害，披露了一些新的史料，內容詳實，立論正確，證據可靠，證明有力。本文始于歷史事實，歸于法理主權，構架科學，邏輯嚴謹，爲鮮見之力作。」並認爲所作釣魚列嶼很早即屬我主權的論斷是「精闢之至」。當然，包括撰者在內的所有學者的著作都難說無隙可擊，我在初讀書稿時也曾提出過修改意見，已蒙撰者採納，足徵撰者之虛懷若谷。何況這一著作已遠遠超出個人著作的範圍，而是全社會捍衛國家、民族利益的武庫，任何人都有義務增益之、補正之、修訂之，完善之，天穎亦當以我之所言爲然也。

吳著中文本問世後，得到國內外學術界人士的贊譽。釣魚島歸屬問題當已無庸置喙。不意比來有個別不能面對事實的日人，罔顧事實，竟然有所妄爲，而與此相類之言行也多見諸媒介。軍國主義之陰魂時隱時現。中華學人，惕于歷史教訓，義難坐視。天穎有意以所著理喻日人而慮及語言障礙，日人難以了解眞相，乃謀譯所著爲日文，俾愛好和平之廣大日本人民得識歷史眞相而不受蒙蔽。吾友水野明教授籍隸日本而根植中華，應天穎之邀，毅然不顧忌諱，承擔全書之日譯工作。予深慶天穎之得水野明教授爲助，更欽敬水野明教授之無私義行。天穎請序于我，乃以對全書之簡評付之，或可備讀天穎所著之先行。是爲之序。

有關天津租界的書

——《天津租界談往》序

「租界」是一個既令人憎恨，又讓人向往的地方。憎恨它在我們神聖國土上劃出了一塊塊國中之國，藏垢納污，爲非作歹，擾我社會，害我生民；向往他們出于其生活需求所進行的近代都市建設和公用措施，客觀上爲我們提供了近代都市的一種模式。不論如何，它終究是國家的毒疣，民族的恥辱。雖然毒疣已經摘除，恥辱已經湔雪；但是這頁歷史確可以引起我們很多警覺和思考，值得我們了解和研究。

可惜不知出于何種原因，也許是我見聞仄陋，這段歷史很少爲人所注重，很長時間內除了一些零星論述外，還未見有人進行專題研究並寫出有關專著。直到劃定租界的半個世紀以後，一九二六年，南開大學政治學會寫出了一本題作《天津租界及特區》的專著，雖非煌煌巨著，但終究有人把它置于研究視野之內。原以爲這將引起一些連鎖反應，孰知事與願違，一切又歸于沉寂。是不是這一課題難以置論而受到冷落，是不是由於文獻不足徵而無人或少人涉及？前者固然可以討論，而後者則絕非事實，因爲租界的檔册文獻足夠作爲研究的基礎，只不過是人們吝于付出相當的韌力和苦功而已！

或許天津是各地租界中最具典型性的地方，經過漫長的六十年，一九八六年，一部研究天津租界的專著又在天津出現。那就是由地方史學者，老友楊大辛參與和審定的《天津租界》一書。這本書分爲《各國租界篇》和《專題資料篇》，雖大都爲親歷其時其事者的回憶，但卻爲天津租界作了概況性的介紹，並按七個專題作了比較完整的敘述，內容也翔實可信，爲進一步研究租界問題提供了必要的參考資料。可是大辛兄並不于此止步，他雄心勃勃地策劃對全國租界問題進行較全面的資料搜集和專題論述。他以天津政協文史資料研究會爲基地，聯合上海、遼寧、廣東、青島、廈門、武漢、廣州等地文史資料研究會，邀請有關人士按租界與租借地的不同情況分題撰寫而匯集成一部五十萬字的巨作，題名爲《列強在中國的租界》，成爲當前對全國租界與租借地問題的重要參考性著作。我從彼此交往中所聽到的一鱗半爪信息而深爲他過去付出的辛勤勞動和對事業的執著精神所感動，更欽佩他對未來的繼續鑽研和精進不已的行動。

「老驥伏櫪，志在千里」，近年來似乎已成爲贊譽老年人不斷努力的套話，但我仍然要引用魏武這一詩句，因爲沒有更恰當的成語可以概括大辛兄現在對租界問題的研究工作。我和他都已年過古稀，理宜退歸林下，頤養天年。我雖沒有完全舍棄筆墨，但已從繁重的學術研究工作中逐步轉向寫些比較零散的隨筆和雜文；大辛兄則不然，他依然在租界問題研究的艱難道路上，開闢榛莽，蹣跚地邁進。他要搶救和清理有關租界的口述資料，爲學術研究者提供足夠吮吸的乳汁，爲後來者解除一些羅掘資料的繁勞。于是，他以垂暮之年從過去搜集到的大量有關租界的口述資料中認眞甄選，審定，務求其首尾完整，內容確實，可備史料之選者，成《天津租界談往》一書，公之于世。

《天津租界談往》淋漓盡致地揭露了殖民主義者在租界內無所顧忌的罪行，如《日租界的毒、賭、娼》、《法租界的罪惡角落》等篇痛陳其擾亂社會，毒害民眾的罪惡，讀之令人切齒腐心，這是從另一角度進行愛國主義教育的好教材。對于那些在我國掠奪財富，吞噬血汗的冒險者，如漢納根、泰萊悌、巴圖也夫、戴維斯及德璀琳等，則暴露其丑惡歷史和卑劣行徑，讓人們認識他們貪婪的本性。對英、法、日統治機構、日本特務機關的暴行以及幫派活動的內情，書中也有充分地記述，可借以了解其組織情況和罪惡行爲。對于租界的設立和收回，敘述始末，頗稱完整詳盡。而于租界內的風情面貌涉及尤廣，所記有游樂場如平安影院、小梨園、中國大戲院、賽馬會、回力球場以及各類公園、體育場等；有學校、醫院如工商學院、耀華中學、新學書院、馬大夫醫院和德美醫院等；有教會如西開教堂、俄國東正教及英國教會等；有商業中心如勸業場；有新聞單位如大公報、益世報、庸報、京津泰晤士報等；這些雖多與租界當局有程度不盡相同的瓜葛，但也澆灌著國人的血汗，不能不給以應有的估量。至于小白樓的沿革，梁啓超、顧維鈞、張學良、張勛、孫傳芳及歷任民國總統等故宅的記述更可備懷舊憑吊和景點觀覽之依據。其尤有史料參考價値者爲津地若干主要史事之全其始末，如老西開事件、天津事變、人力車風潮以及抗日鋤奸活動等皆爲天津地方史撰述所必備。手此一編，則天津租界的往事歷歷在目。

《天津租界談往》雖屬口述資料，與天津檔案館公布之《天津租界檔案選編》有其性質不同。後者多爲原件，可信度較高，而文件之間，容有歧出，尚待考辯；前者所述則多經撰者周爰咨謀，反復考較，既審定一說，復出以流暢文字，可讀性頗強。近年新撰《天津通志》附志《租界》之問世，論述亦稱詳盡，與前二書相輔相成，可收相互徵考之效，爲推進租界問題之研究共做貢獻。

大辛兄多年參與天津政協文史研究工作，復本其「不做官，只做事」的初衷，不辭辛勞，訪問耆舊故老，爬梳斷簡殘篇，孜孜以求，終成宏業。其所參與及撰寫之三書，爲前此所未見，可稱前無古人，至其搜求羅掘，幾近竭澤而漁，後恐難有來者。書稿既成，付梓在即，大辛兄不棄疏陋，邀爲序言，惶恐遵命，循讀一過，既獲益良多，復自慚寡學。我專注史學，並居津數十年，但于天津租界僅得其大概，而《天津租界談往》一書竟鞭辟近理，細致入微若此，不禁喟然而嘆曰：「學之固無止境也。」乃略陳所見爲序，用以自責云爾！

紫禁城的舊事

——紫禁城三書序

紫禁城是明清兩代政治中心的象徵，宮中的軼聞舊事，外界知之較少。明劉若愚撰《酌中志》記明宮廷制度與掌故，爲明宮史之研究提供了重要資料。入清以來，雖有零篇殘記言宮廷內事者，而專門記述則較少。我六十年代時的學生汪萊茵于七十年代中入北京故宮博物院，從事陳列研究，並主《紫禁城》雜志編務，親見親聞，積累頗豐，遂先後成書三種，即《紫禁城今昔》（出版時易名《故宮舊聞軼話》）、《紫禁城》及《清宮藏照探秘》，于清宮史之研究大有啓示。三書均由我作序，而刊出時稍有變動，今錄原稿，以存初意，或可備有志于此者參考。

一、《紫禁城今昔》小序

萊茵是我二十年前的學生，承她不棄衰朽，把她所撰的《故宮舊聞軼話》書稿送我閱讀並請序于我。我邊讀邊感到有一種不可遏止的喜悅，不由地使我想起北魏李謐初師孔璠，數年後，孔璠反向李謐請業的故事。人們爲此流傳著「青成藍，藍謝青，師何常，在明經」的贊譽。這個動人的故事多年來一直回翔在我的向往之中。我總想爲人師者，如果有幸向自己的學生學習，那應是一種最大的欣慰。但當我挑燈夜讀萊茵這部書稿後，不禁感到一陣願望已經實現的滿足。這種愉快，設非親歷，是難以體味的。

萊茵的書稿是她從歷年研究紫禁城宮史的百餘篇作品中選錄出來的。她的作品雖不是洋洋灑灑的煌煌大文，也沒有什麼驚人之筆和涂抹什麼艷麗的油彩；但卻是一方方信而有據、娓娓動聽地描繪著歷史滄桑的冊頁，昭示著祖國文化的燦爛。她過去的零篇散什像碎玉般地撒布在各種報刊上，向人們介紹曾是封建王朝政治心臟和人民智慧結晶寶庫的今昔；而現在匯爲一集又象萬花筒似地聚碎玉爲璀燦精美的珍品，給人們欣賞玩味。

也許出于一種師生情誼的偏愛，我以兩個夜晚通讀了全稿。萊茵的辛勤釀造使我好像慢飲青城山茅梨酒那樣——入口醇甜，漸而微醺，其篇篇字字的過眼，使我過去某些模糊朦朧的影象清晰了，某些知識空缺得到了填補，從而漸漸沉浸在吮吸知識的境界之中。古人常常津津樂道臥游的情趣，讀萊茵的書稿就能得到這種美好的享受。假如人們先在頭腦中儲存了這部作品中的有關信息，再去漫步于紫禁城，那就會有更眞切的感受，更豐富的收益。

我以花甲初度之辰喜讀萊茵的《紫禁城今昔》，很想提筆在她的書名後增寫「初集」二字，並自禱能在古稀之年再次夜讀她的二集、三集……，更爲她寫新序。（1983 年）

（此書由天津人民出版社以《故宮舊聞軼話》書名出版）

二、《紫禁城》序

五年前，我曾應萊茵之請爲她的《故宮舊聞軼話》寫過一篇小序。那時我正六十歲，所以曾在序的結尾處寫道：

『我以花甲初度之辰，喜讀萊茵的《故宮舊聞軼話》，很想提筆在她的書名後增寫「初集」二字，並自禱能在古稀之年再次夜讀她的二集、三集……更爲她寫新序。』

這本是我的一種祝願，想不到萊茵只爭朝夕，在時隔五年，我尙未到古稀之際，就拿出她和丈夫陳伯霖合寫的《紫禁城》一書，並仍請我爲之作序。這不僅是萊茵的勤奮成果，也是我們之間的一種難得的機緣。

紫禁城是明清兩代象徵政治中心的宮闕。辛亥革命前的幾百年中，它是維繫億萬生民的精神支柱。改朝換代也以誰主宮禁浮沉而定。辛亥革命以後，雖然王朝傾覆，但遜帝仍留居宮禁中，因此又翻雲覆雨地不斷卷動政治漩渦，引起多少遺老遺少們的眷戀和遐想。直至一九二四年末代皇帝溥儀被逐，離開宮闕，紫禁城方失去其固有的禁區神秘色彩，宮闕和珍藏才逐步呈現在人們的面前，人們對巍峨的宮闕和耀目的瑰寶嘆爲觀止；但是，對宮闕的興建沿革，藏品的藝術價值卻知之甚少或知之不詳，所以非常需要有一些歷史、文物、考古專家來從事整理、研究、撰述和論定，使人們不致有如入寶山，空手而歸的遺憾。

萊茵是歷史專業的科班出身，她沒有躋身于侈談高論，也沒有沉浸于飣餖徵考，而是傾精力于舊宮歷史的研究。三十年的歲月，她由文獻鑽研到實地考索，終於使這座曾居住過二十四位皇帝，迄今猶存的世界上僅有的大建築群及其珍藏，能夠完整而系統地歷數其滄桑風雨。這正是一位長期默默的學者辛勤勞動的眞正價值。

萊茵的這本書以明清兩代的歷史發展爲主線，融合了五百年間的舊聞掌故和軼事瑣語。她沒有板起面孔說興衰，而是娓娓動聽談往事。這本書是《故宮舊聞軼話》的增訂和續編。書凡十章，以宮殿立章，並圍繞一宮一殿記史事、掌故、器物、建築，兼及人物活動，致使一編在握則宮史諸端均歷歷如繪，加以書端附圖精美，益得圖文並茂之趣。而伯霖則對歐美文化藝術素有修養，並曾實地考察過許多國家的古代宮殿，收集了大量資料進行比較研究，爲本書增色不少。

也許有人認爲這本書只是雜錄掌故之屬，不是什麼學術性的專著。這是一種狹隘的偏見。史文體裁，自古有多種形色。設僅拘一體，則史著將日趨蒼白，爲識者所不取。萊茵勇于自闢蹊徑，獨具匠心，則于學之外，更有識焉，我故樂爲之序。（1988 年）

（此書由南開大學出版社出版）

三、《清宮藏照探秘》序

攝影技術隨著中國近代歷史的開端而出現，而且不過二十幾年就在古老的中國被使用。它的出現與使用不僅對文化積累是一大貢獻，也是對歷史的考信提供了絕佳的條件。像片繼千數百年依靠文獻、實物作爲史據之後，爲歷史的探求開闢了新的形象史源。同時，在各種撰述中設置像片，使之圖文並茂，相輔相成，較之以住僅靠手繪圖像更爲眞切，更足徵信。它使中國左圖右史的優良傳統發展到更高的層次。

攝影術傳入中國，首先出現于宮廷，盡管當時有種種怪異的想法和說法，但抵制力並不太大。因爲從目前發現的最早一張像片乃是清醇親王奕譞在攝影術發明後的二十四年所攝；即使頑固守舊如慈禧也不視爲奇技淫巧而加以絕對地排斥，而且頗好此道，留下了不少遺照。其原因就在于這一技巧確實有存眞駐顏之妙，不由得使人因其新鮮感而加以鍾愛。從而使這一技巧不斷地擴展：從宮廷到民間，從人物到器物，都依靠它來留眞傳後。中國近代的博物館爲之增加了庋藏，近代問世的若干幀著作也借此而添插像片，顯露光彩。這是文獻的積存與利用的一大進步。但它卻向人們提出了新的課題，就就是收藏時由於認識不足或者一時疏忽，沒有及時經專家確認而作出文字記錄，時過境遷，雖有珍貴的形象史料，但因無法辨認而不得不忍痛割愛。近十幾年來，我由於撰寫編纂了一些書，總想在書內配置若干像片以增添形象感，加強可信度。我曾承收藏單位的慷慨，容我從大量的藏品中揀選可意的照片，結果有些往往由於對人物辨認不清，無法寫文字說明而不得不放棄，如一張辛亥革命時期有歷史意義的群照，除孫中山、黃興等屈指可數的幾人外，其他人物均因無法指認而舍棄。北洋時期的照片也復如此，前兩年，幾位友人編寫一部《北洋政府總統與總理》，卷首刊出總統七人，總理二十九人，共北洋人物三十六人的像片。其中有些人得之較易，有些人則搜求甚難。既搜求全備，而辨認又頗費周折，如賈德耀、杜錫圭等爲人所不熟悉者均需輾轉經親屬戚友認眞確認。是書問世後，由於北洋時期總統、總理的形文俱備而形成一大特色。

因此，每當我惋惜某一像片難以采登之餘，常常聯想到似乎應在文獻積累、研究與利用上增闢一門像片辨認學，把數以萬計的珍貴形象文獻一一辨認確切，寫成文字記錄，既可備展示給人以直觀教育與啓示，又可備學者據以論證或考察。同時，對新像片的採集與入藏也應及時確認存檔，這樣，像片這一形象文獻將發揮不遜于文字記載與實物遺跡的考信作用。可能由於像片辨認學這一名稱不夠確切和典雅，雖經建議，也未能如響斯應，得到支持，所以只能默禱能有一位既有機會接觸大量像片，又有才智足能辨認考訂者，取得一定實效來支持我的想法。不意這一意念卻被汪萊茵女士捷足先登，開創了對歷史像片的探討與研究，並撰成《清宮藏照探秘》專著問世。

萊茵是我早期的學生，潛心清宮史的研究，歷有年所，學術造詣與時俱進，我還經常從她那兒汲取知識，彼此已是一種師友關係。她自嘲爲「學問傻子」，這不是傻子的傻話，恰恰是聰明人的眞話，不僅學問，天下萬事都需要傻子。如果沒有傻子的傻勁，要想干點成績是不易的，也是飄浮的。萊茵長年在故宮默默無聞地從事于陳列展覽工作，後來又在《紫禁城》爲人作嫁；但她並不是枯坐終日，例行公事。她善于利用優勢，肯于下苦功，近年已連續出版了兩本清宮史的著述，她都不棄老朽，專函邀我作序。我既眷念師弟情誼，又確實佩服她的鍥而不舍的精神，所以都應命而作。這次她又把新作《清宮藏照探秘》全稿寄來，並附有情眞意摯的信函，再一次邀我作序。我非常高興，既贊賞萊茵的用功，又慶幸自己以望七之年居然能在萊茵的著述中獲得「三連冠」的榮耀。欣慰之餘，立即展讀。近年，我的夜讀習慣已有所改變，總是節制在不過午夜；但萊茵這本十餘萬字的著述卻使我破例用三個夜功，讀到兩三點鐘，並在讀竟的凌晨即提筆寫序。這篇序寫得很拙劣，但萊茵應該接受我的眞心誠意。

萊茵這本《清宮藏照探秘》不僅實現了我的理想，也給某些進入寶山空手而歸者以啓示，雖然全書篇帙不大，但確爲研究心得。其涉及範圍既有人物，又有器物；其論述考辨，既據文獻，復采口碑，于研究清宮史及其他學科實有裨益。其記宮廷園林背景可備古建築研究與復原以及旅游資源之開發提供可靠的依據。其記宮廷取暖與衛生設備既可見宮廷生活的享受與奢靡，又可爲探索清宮建築價值的憑證。它如宮闈日常生活以及人際往來等不一而足。手此一編，不僅可知若干軼聞逸事，又可破謎解惑。

最近萊茵又將遠涉重洋去探奇訪珍，希望能著意搜求流散域外的像片以補缺參錯，再有《海外散照揭秘》之作。宮史爲歷史的一部分，前此多以其關涉統治階級生活而有所漠視，孰知彼時之運籌決策多出其中，固不得棄而不顧。萊茵頗具史材，又有接觸藏品的條件，前此諸作，無異鋪墊。若能再以十年一劍熔鑄之功，成《清宮史》之作，不啻爲史壇增一異卉。設萊茵再有所請，八十老翁當掀髯大笑，泚筆以待。萊茵其勉旃！（1991 年）

（此書由臺北皇冠文化出版有限公司出版）

《走進困惑》序

宗一和我結識近半個世紀，是一位易于相處的朋友。過去大家都各自忙于工作，又在那風風雨雨的歲月裡，所以來往較疏。近年來，由於彼此住處較近，又有一種寬松閑散的氛圍，所以常常交換一些讀書所得，或商榷文字。過從既多，對他的了解也漸深。他能笑看人生而自有主見，不隨波逐流而我行我素。宗一可以說是一位性情中人，也是一位可以放心交往的朋友。他籍隸滿州，而負笈津門，從師于華粹深、許政揚諸名家之門，奠定了深厚的古典文學，特別是小說戲曲方面的功底。幾十年來，他在澹泊而不寧靜的生活中，寫下了若干著述和論文，成爲這方面的知名學者。可惜我抱殘守缺于自己那狹小的專業範圍內而未能認眞地讀他的著述，給我的知識庫留下了一塊空白。一九九四年，他送我一厚冊自選集，我粗粗地翻讀了一遍，他確是無愧于師教，在古典小說與戲曲方面做了大量的研究工作，取得了成績。一九九四年，我應上海東方出版中心之約，編我的第一本隨筆集時，爲了愼重，特請宗一爲我通看一下。沒有想到，他非常認眞，和他新婚不久的年輕妻子一起，花費了近一個月時間，逐篇閱讀了我的文稿，並提出了分類、編次、調整和修訂的意見，消除了不少失誤，我對宗一伉儷表示深深的感謝。我也感到欠了他們一筆人情債。

一九九五年，山西古籍出版社策劃出版一套《當代學者自選文史隨筆叢書》，我和宗一都在應邀之列。宗一很認眞地搜檢他的歷年積存，選編成集，題名《走進困惑》，並送來我看。有債必還是爲人的規矩，便義不容辭地答應下來，不意宗一還要我付「利錢」，爲他的隨筆集寫一篇序。可能他知道我寫序必看全書的習慣，便以此來督促我通讀他的全稿。我雖沒有他們夫婦那樣仔細，但還是認眞讀了全稿。他早已過了不惑之年，早應該走出困惑，但還是以《走進困惑》名其書，表示他對已有成就不滿足。這種學然後知不足的學者風度意味著他沒有絲毫「歇窩」之念，而仍在精進不已。

宗一這本隨筆集是從他的大量成稿中篩選出來的，共得七十餘篇，大體分爲七類：有追懷師友之作，情眞意切；有論學談道之篇，胸臆獨抒。足證其有宗師而無門戶的坦白襟懷。他懷念李何林、華粹深、許政揚諸先生的文章，決非一般例行的悼念文字，而是眞正的心靈沖刷。這三位先生都是我的舊識。李、華二先生是我的前輩，政揚則是同輩人。宗一悼念何林先生不是只推崇老師的學術成就而是在靈前眞誠地做自我懺悔。他的坦誠自責，不只是求諒于亡師，更值得動情的是他吐露了這一時代知識分子的困窘心態。他寫了長長一篇紀念華粹深先生的文字，從學術到生活，細致入微，句句發自肺腑。他難忘華先生諄諄教誨他，要以「場上之曲來分析作品」的薪傳。時至今日，宗一猶能隨時照顧華粹深先生的未亡人黃湘晼女士，當此世風澆薄之際，宗一所爲不啻空谷足音。政揚是一進南開大學就以其學術造詣受到注重，是同輩中的佼佼者。可惜英年早逝，空留屈子之恨。宗一以極深沉的感情，飲泣悲歌，蘸墨和淚，成文兩篇，凡身經其時其事者，得不憮然而同哀。政揚有知，固不虛此人間一行。

文學史和古典小說、戲曲的研究是宗一的專攻。他寫過大量的論文和隨札，特別是收入這本集子中的各篇更是集中了他對這些方面的見解，而且有不少能引發進一步思考和探討的問題。他贊同重寫文學史，並提出了更深層的如何重寫的問題。他認爲文學史是心靈的歷史，而重寫則「應當站在當代的文化立場上，提供一個重新認識文學歷史現象的新範式」。這個標尺對其他不同領域中史的研究和重寫都有參考價值。他在有關文化的論述上如夢文化、鬼文化以及青樓文學等等，沒有停留在僅僅論辯問題本身。他從思維方式的角度立論，主張研究和寫作不只是用筆墨，而應是持一種「心史」的態度，以「杜鵑啼血」的精神去研究和寫作。這無異是用雙手齊按在琴鍵上所迸發出來的最強音。

《金瓶梅》是一部被淫穢眼光看作淫穢之作而遭到圈禁的古典小說名著。我看過足本《金瓶梅》，也讀過不少研究性的論述，才對這部古典小說名著有了一些自認爲比較準確的認識。但我的視點較低，僅局囿于作者問題、蘭陵笑笑生的籍貫、《金瓶梅》與《水滸》、《金瓶梅》人物以及《金瓶梅》與明代社會等等，而宗一則把《金瓶梅》置于「曠世奇書」的地位上來研究，從該書的社會價值、審美價值和說部地位等方面來審視這部被蒙上灰垢的古典小說名著，認爲這是一部憤世嫉俗之書，是眞實地暴露了明代後期中上層社會黑暗、腐朽和它的不可救藥的譴責小說。如果把《金瓶梅》歸類于譴責小說，那比清末的譴責小說不知要高明多少。有一位年輕學者說：「不合理的禁錮及病態的張揚，均是扭曲」，宗一的研究正是針對這種扭曲，要揭去《金瓶梅》「無可奈何地被蒙上了一層厚重的面紗」，而恢復其「固有的性格」。其有關各篇多為條暢易讀之作，如《我讀〈金瓶梅〉》一文就是我接受了他的看法後，約他為我主編的一份季刊寫一篇如何讀《金瓶梅》的指導性文章，但他不好為人師地使用了現名。

近年來，宗一似乎對武俠小說的研究情有獨鍾，我讀過他的一些文章後，也糾正了過去視武俠小說為支流別脈的偏見。其實，儒俠並生，源于周秦，司馬遷以俠者入史，不愧為史聖之卓識，而《水滸》橫空出世，使武俠小說覆蓋愈廣。宗一曾界定武俠小說是「它以虛構的夢幻形式，揭示歷史、人生及人性的現實」，並稱武俠小說為七彩瑰麗的藝術世界，更親自品味精品，推薦杰作。這些無異為武俠小說讀者開拓了視野。

宗一于戲劇涉及面甚廣，京、昆、評劇都有所論及，對戲劇理論、編劇技巧更持有一說。我疏于此道，頗難置喙。唯讀其論書會才人睢景臣及其《高祖還鄉》之作，則深慶政揚之學復得宗一為之延續發揚。至于書中多篇閱世之作，則斯人也而有斯言也。讀其文者，當知其人。

宗一文稿既定，俾我先讀，並命序其書，遂逐篇閱讀，多有所得，信筆札錄成文，雖意猶未盡而序忌累牘，乃戛然止筆。設宗一能略縮長篇為短什，題文再加簡練，則不僅利讀者有隨讀隨停之便，更能體現隨筆的內涵立意。不知宗一以為然否？謹敘緣由，是為之序！

寫好家族歷史
——《邊外炊煙》序

司馬遷著《史記》立世家三十卷，起吳太伯世家至三王世家。《索隱》解釋世家的含義說：「系（世）家者，記諸侯本系也，言其下及子孫常有國。」其意乃指古代世襲爵位的貴族或因政治上的優勢而世代爲官的家族歷史。後世則含義日廣，遂有「經學世家」、「中醫世家」、「文化世家」以至「梨園世家」等等，所記多爲聲名卓著家族之家世事功，而于一般平民家族，殊少及焉。其事雖有譜牒以世其家，而往往史料不足，語焉不詳。遂使極爲豐富之民情習俗，家族傳承均以無所附麗而漸次泯滅，使有關歷史學、社會會、文學藝術等研究失去大量豐富的第一手文獻資料。反之，若有家傳之類則凡人口之遷徙、地方之開發、風物人情之記述，皆能有所稽求，而爲中華文化更增異彩。我于此久求未得，時以爲憾。去冬，識臧君恩鈺于京都，以其爲南開大學校友而有所接談，言及其昆仲所撰家傳《邊外炊煙》，乃記其先世至今之艱辛創業，子孫之代有名人，家族之繁衍生息等內容，並稱返籍後當寄書見贈，並請爲其書再版寫序。我甚喜世家文化或將多有開展。迨回校不久，臧君即惠贈所著，而我則以公私蝟集，體力就衰，未遑及時展讀。頃以再版在即，臧君函促至再，遂摒他務，盡數日之功，讀竟其書，深爲其立意深遠，體裁新穎所動。

《邊外炊煙》一書之副題爲《寬甸臧姓家傳》，已明示其著書之宗旨，其前言復詮釋稱：邊外者，實指柳條邊外臧姓先祖定居之遼寧寬甸縣灌水鎭之聚居故里；炊煙者，乃對臧姓自山東拓荒至此，一脈七傳，已由裊裊炊煙農家而支脈繁衍于各業之形象描述。其書五章，非若一般世系之平鋪直敘，而是別成體裁，起伏跌宕，頗有新意，令人具見一平民家族之歷經艱困，顚沛跋涉之苦狀，也以見一姓農家，蔓延于教育、交通、醫藥、藝術各業之發展趨向。其開宗明義第一章，論家傳、家鄉之情與理，不僅爲本書綱領，抑且爲後來撰家傳者垂典型。二、三兩章，敘歷代演進舊事與父輩跋涉足跡，自遠而近，數典不忘其祖。詳于撰者之上三代，亦理所當然。所可貴者，立「補天」一目，記三代女人之故事，一反傳統家族譜傳摒女人于外之陋習。第四章對故鄉家世之補敘，乃重點之深化與遺聞之增益，更可見其書之非流水之排列，而有重點之突出。臧姓七世之業跡于此可簡括得之。第五章爲書中未及細寫的前人及同輩，雖詳略有異，但已全面照顧，亦略得古人類傳各有詳略之遺意。至于選材確當，文字流暢，敘事生動，猶其餘事也。

《邊外飲煙》爲臧君恩鈺與其兄弟恩鐘、恩清所共撰，而各取其姓名中一字合署鐘鈺清編著，愷悌君子，誠足欽敬。該書初由遼寧大學出版社印行，今將再版，請爲之序。深以此書不僅爲臧姓一家家傳；其謀篇立章，編次結構，文字運作皆足爲其他有意編修家傳者所取法借鑒。設一般家族皆能有家傳，上則追本溯源，下而敘及當代，無異爲日後續修新地方志增一大史源。我深以恩鈺昆仲之創意爲是，乃操筆而爲之序！

重印《畿輔通志》前言

一

通志是指一省範圍的地方志。它大致可推源于宋代王靖《廣東會要》及張田《廣西會要》之作（《宋史·藝文志》）；但那是合數郡之要爲一書，且篇卷甚少，尚無通志的名實。元代有行省之設，又爲纂修《大元大一統志》而命各行省撰送圖志，遂爲專修省志準備了條件。及至明代，各省多撰省志，其間有名「通志」者如浙江、山東、山西、河南、江西等省；有名「總志」者如湖廣、四川；有名「新志」者如貴州；有名「書」者如福建（《閩書》），纂修省志可稱一時之盛，對清以來的普修通志頗著影響。但是，地處沖要的畿輔地區卻未聞有志。稽其原因，則因「明代以畿內之地直隸六部，與諸省州縣各統于布政司者，體例不侔，故諸省皆有通志，而直隸獨缺」（《四庫提要》卷六十八）。

入清以後，隨著社會經濟的恢復與發展，編志工作日益受到重視。康熙十一年（1672 年），大學士衛周祚奉命陳事六條，其一即「請令天下郡邑各修志書，宣付史館，匯成通志」。其意在爲纂修一統志準備材料，所以要求凡山川形勢、戶口丁徭、地畝錢糧、風俗人物、疆域險要均當涉及。康熙接受了這一建議，便命各地組織人力，纂修通志，並頒發了順治十八年（1661 年）纂輯的《河南通志》作爲參考模式。二十二年（1683年），復由禮部命各省于三月內成書。這種單純依靠行政手段草率從事、限期完成的作法是難以保證質量的，因而實際奏效甚微，所獲成果也不大，但對開展修志風氣確有一定的作用。雍正時，吏治振作，各地奉行政令比較認眞。六年（1728年），曾爲此特發上諭，要求各省修志既保證質量，又限期完成。其諭旨稱：

> 著各省督撫，將本省通志重加修輯，務期考據詳明，采摭精當。既無闕略，亦無冒濫，以成完善之書。如一年未能竣事，或寬至二、三年內纂成具奏。（《清世宗實錄》卷七十五）

于是，各省通志紛紛進行，並相繼完成，其見于《四庫全書》著錄者達十六種。其中《廣東通志》于雍正九年（1731年）首先完成，《貴州通志》最晚，成于乾隆六年（1741年）。直至清末，陸續重修、創修之作達數十種之多，幾乎遍及各省。其中亦不乏由學者主持而著稱于時的名志，如阮元重修《廣東通志》、謝啓昆重修《廣西通志》以及黃彭年的三修《畿輔通志》，都是各具特色並反映一定時期成就的佳作。

二

清代修纂《畿輔通志》凡三次。

初修之議始于康熙十一年大學士衛周祚建議纂修通志之得到俞允。至正式纂修則從康熙十九年（1680年）七月開始。它相繼在直隸總督于成龍及格爾古德主持下，邀翰林院編修郭棻總其事。至二十一年（1682年）四月，僅歷十數月而全書告成，得四十六卷，而開雕則在二十二年春，此次修志終因期限匆迫，草率成書，致貽後世以譏評。始而于修雍正志時曾評此康熙志說：「舊志則簡而不當，其根源見于經史子集者每缺焉，或取諸類書而與本文訛舛，其他則稗官小說爲多。」（雍正《畿輔能志》唐執玉序）繼而《四庫全書》不僅不加著錄，更于《提要》中評康熙志「討論未爲詳確」，此即指其書既有疏漏，又不謹嚴。對官修圖書作出如此評論，也足見康熙志確有不足，因此乃有雍正重修之舉。

重修始于雍正七年（1729年）春。當時爲備一統志采摭之需又命天下重修通志。直隸總督唐執玉奉命後即延請原任辰州府同知田易等于保定設局，開始志料采摭工作。其後直督易人，相繼由劉與義及李衛領其事，而由翰林院侍讀學士陳儀承纂修之任。于雍正十三年（1735年）成書一百二十卷並圖一卷，即付刊行。這次重修對康熙志作了「廣爲稽考，訂誤補遺，著其有徵者」的工作。《四庫全書》不僅收錄此書，更在《提要》中譽其書說：「凡分三十一目，人物、藝文二門又各爲子目，訂訛補闕，較舊志頗爲完善。」（《四庫提要》卷六十八）

三修《畿輔通志》始議于同治十年（1871年）末，由直隸總督李鴻章延學者黃彭年等人纂修，至光緒十年（1884年）成書三百卷，即刊行問世。黃彭年是當時「博學多通」的史地學者，所著有《三省邊防考略》、《金沙江考略》及《陶樓詩文集》等。他應聘修志時，還兼主講蓮池書院，所以得在較長時間的安定條件下潛研纂修，再加以借李鴻章權勢所能提供的諸種便利，終於能力持卓識、獨排眾議地完成了一部較前志爲善的巨帙。此書在光緒十年初刊于保定蓮池書院，後以版毀，又于宣統二年（1910年）由北洋官報局據光緒十年本石印，遂得流傳較廣。一九三四年，商務印書館又據光緒十年本影印精裝爲八冊，並于書後附四角號碼索引，極便翻檢。從光緒十年（1884年）到一九三四年，先後五十年間，如此巨帙的地方志書竟獲三次刊印流通，足證其爲時所重，而其書之價值也自可見。

民國以後，有人對光緒志有所訾議，認爲其書「較康、雍二志雖稱詳備，而帳冊市簿，成文者鮮，未足當著述之目，識者憾焉」（中國第二歷史檔案館藏檔）；又以光緒以來，京畿地區變化繁興，爲免資料遺失，要求及時重修，並推賈恩紱主纂。此事以三萬元之財力，經四年之功，完成《直隸省通志稿》二百卷。纂修者以較少財力、較快速度完成此巨著的經營苦心是應受到重視的。纂修者也頗自矜其書說：「論者咸謂吾直隸通志，康雍引其端緒，光緒備其資料，至民國始成完書。」（中國第二歷史檔案館藏檔）書成因財力匱乏未能及時刊行。稍後雖有人向當時軍閥政府申請經費，組織校刊處，準備印行，也未獲成效。現除北京圖書館藏有抄本外，尚有個別篇章的抽印本與油印本。

抗戰前又有由盧啓賢等人纂修的《河北通志稿》四十七卷。此稿記事止于民國二十六年（1937年），原藏本六十二冊藏湖北省圖書館。散藏各處有部分鉛印本，天津市圖書館入藏鉛印本二十四卷並附輿圖一幅，爲十六冊一函。

總之，自清初至抗戰前，河北省地方志先後纂修五次，但這五種通志中仍當以光緒《畿輔通志》爲最善。

三

光緒《畿輔通志》是清季修志的重要成果，也是清代各省通志中的名作，後人曾贊其書說：「同光之際，李文忠督直隸最久，特延黃子壽先生總其成，復廣羅當時名宿，重事修輯，十年成書，藝林稱盛。刊行以後，頗孚時望，為畿輔有志以來之所僅見，即在各省通志中亦且推為巨擘也。」（商務影印本序）

這部志書確乎自有其特色。

首先在編制體例上未沿襲通用的門目體，而是諸體並用，頗類正史紀傳體，並參以鄭樵《通志》之例，分紀、表、傳、略（志）、錄等。即帝王用紀、瑣細用表、人物用傳、紀事用略、宦績用錄，後附以識余。具體分卷是，卷一至卷十五為紀，包括詔諭、宸章、京師、陵寢、行宮；卷十六至卷四十五為表，包括府廳州縣沿革、封建、職官、選舉；卷四十六至卷一百八十二為略，包括輿地、河渠、海防、經政、前事、藝文、金石、古跡；卷一百八十三至卷一百九十為宦績錄；卷一百九十三至卷二百八十六為人物列傳；卷二百八十七至卷二百九十七為雜傳；卷二百九十八至卷二百九十九為識余；卷三百為敘錄。這種體例較之分門列目更便于匯聚和保存資料，易于較全面地反映各種情況，它是一種可資借鑒的體例。

其次，這部通志是按照志書的要求而纂修的。史志異同是史志界長期探討的問題，但有一點則是多數人比較一致的意見，即志書要求全面反映一地區的自然與社會狀況，為各門學科和現實建設積累提供資料，以收「儲料備徵」的作用。清代方志學家章學誠在

《方志立三書議》中曾提出方志要有掌故、文徵部分以匯輯簿書案牘和各體詩文，這是頗有見地的主張。黃彭年主持三修《畿輔通志》工作確具一定的史識。他廣搜資料，匯輯成書，爲後世保存大量可資參證的資料。盡管同事者如張裕釗、吳汝綸等有所異議，攻其體制爲「失纂述之體，貽市簿之譏，篇不成文，無異檔冊」（商務影印本序），甚至張裕釗竟以辭蓮池教席拂袖而去相脅，他也在所不顧，堅持進行。民國以來仍有評論此志爲「帳冊市簿，成文者鮮，未足當著述之目」（中國第二歷史檔案館藏檔）。所謂「篇不成文，無異檔冊」多爲文章家抨擊史志家的慣用語。文章家以「篇自成文，典雅絢麗」自詡；而史志家則以「事有來源，語有出處」自矜。二者固各得其用，而地方志則當用史家之法。張裕釗、吳汝綸是當時著名的古文家，黃彭年則是學有專長的史志學家。他們之間的發生歧異是無可避免的結局，而黃彭年不爲異議所動，堅持史法修志正是光緒志能超越前志並爲後世提供參考的重要原因。黃彭年在纂修光緒《畿輔通志》上所做的歷史貢獻是值得肯定的。

第三，這部通志在匯集和保存河北一省的資料上起到了重要的作用。它所引錄的資料都謹嚴地注明出處。無論是上諭詔旨、名臣奏疏，還是各種著述、屬縣志書，都于每條資料下注明來源。雖然其中有些圖籍至今尚能錄求，但就一省資料而言，採擇匯集，予人便利之功，決不可泯。即如清初京畿地區旗地旗人爲害一端爲例，從所錄上諭章奏中可知順治時對圈地有「滿漢界限分明，疆理各別」（卷二）的建議；康熙時「旗下凶惡人員並莊頭等，縱惡恣行，武斷鄉曲，有司畏威而不敢問，大吏徇隱而不能糾」（卷一）和雍正時「八旗罷黜之廢員及不能上進之子弟，與多事不法之家人，往往潛在其中，結交游手好閑之輩，妄行生事；或好勇斗狠，或酗酒賭博，或與百姓爭訟告訐，輾轉不休，以致風俗日漸澆離，難以整理」（卷二）。這些弊病可一覽而得。又從所引錄各縣志資料即可知各地民情，如滿城縣「小民勤本業，而一意種植紡績」（《滿城縣志》）；廣宗縣「男力稼穡，女勤飪織」（《廣宗縣志》）；鉅鹿縣「昔稱忮詐椎掘，今則急上而力農；昔稱彈絃跕躧，今則紡績而宵作」（《鉅鹿縣志》）；獻縣「婦勤于績，夏月席門前樹蔭下，引絢聲相應，比戶皆然」（《獻縣志》；以上統見《畿輔通志》卷二百四十）。又如從職官、選舉諸表中可約略借知未入列傳的有關人物的簡歷。

第四，這部通志博採眾志義例，斟酌損益，擇善而從。此《凡例》已明確記述。惟藝文一門于經史子集外別立方志一類，「凡直隸統部及府廳州縣志書無論是否是畿輔人所撰，皆編存其目，取便考查」。使一地文獻，收按圖索驥之效。這是在纂修志書時注意存志書目錄的一種卓識。

正因爲光緒志有一定特色，所以在書成後即爲時所重；清季又以版毀而由直督陳夔龍再次石印；二十餘年後，又以石印本不易多得，而由商務印書館印原本精裝八冊應世。它的不斷重印正說明該志有其一定的需用價值。

四

我國舊志寶藏繁富，據一種統計有八千餘種，設再廣加按求，或達萬種。舊志整理與利用，清初以來就已比較正規地開始，如顧炎武利用方志資料撰《肇域志》與《天下郡國利病書》、徐乾學之編《天下志書目錄》，而重印舊志以廣流傳也所在多有。解放後，整理舊志工作除以匯編專題爲主外，尚及目錄、提要與索引，皆多著有成效。至于重印舊志則因耗費巨而收益難，未能大量進行；但就以刊印《元一統志》、明《順天府志》以及《天一閣藏明代地方志選刊》百餘種而論，都爲保存文獻，利用資料提供了方便。不過所刊總數與舊志總量相衡，重印者爲數終究不多，致使原有舊志難于保存，而研究者又苦于得書之難。特別是一些使用價値高和某些孤本善刻更需有選擇、分緩急地加以刊印，以廣利用。即如河北方志而言，據知天津市圖書館就藏有四十餘種爲他館所未入藏。這些方志雖不盡是海內孤本，至少也是罕見方志。當然，在重印舊志問題上，也尚有些不同的意見，有的認爲舊志需經整理方能重印，而目前又缺乏整理力量；有的認爲方志的社會需求量不大，重印要考慮經濟效益。因而，要想重印舊志，尤其是篇帙大的地方志，既需財力，又需膽識。河北人民出版社在省人民政府支持下能夠克服諸種困難，毅然斥資重印篇幅達三百卷之巨的《畿輔通志》，不能不說是方志學界的豪舉，也爲學術界的研究工作帶來福音。我深願這一個好的開端能產生系列性的反應，如《浙江通志》初稿、《江蘇通志稿》以及海內外的孤本稿都將陸續得到梓行，那將對保存文獻，推動方志學的研究做出莫大貢獻。

《蕭山縣志》序

一

蕭山修志，始于明初，直至民國建立，前後凡十數修。民國二十四年刊《蕭山縣志稿》纂者楊士龍氏曾在其再跋中概括其事說：

> 蕭有邑志，宋元以來，不詳載籍。明永樂間，知縣張崇奉敕重訂志書，觀其序言，前無專書，所謂舊志者，郡志而已（見康熙志遺文門）。厥後，宣德、弘治、正德、嘉靖，凡數修輯。遠者六十餘年，近者僅十餘年。明代修訂，可謂綦勤。清踵明後，僅康乾間，一再修之。厥後，歷嘉、道、咸、同、光、宣百五十餘年，竟闃然焉。

自明永樂之始修至清乾隆之成書，歷時三百餘年而修志達十餘次，足以見蕭山地方重視修志的傳統。可惜乾隆以後一百五十餘年，其事沒沒。民國初建，重有修志之議，前後垂二十餘年，方有民國二十四年《蕭山縣志稿》的問世，歷程不可謂不艱辛。繼之，乃有先祖裕恂先生于一九四八年艱苦卓絕獨力完成《蕭山縣志稿》十四卷、志餘一卷，爲舊志之殿。建國後，百事待舉，修志工作自當循次而興。近年以來，四海安謐，政通人和，值盛世修志之會，中國共產黨蕭山縣委及政府獨見修志意義之大，毅然定策，撥付專款，調集專才，廣搜博採，殫精竭慮，盡五年之功，八訂綱目，三易志稿，終於在一九八六年夏完成了《蕭山縣志》全稿近百萬字。從此，一方鄉風，展卷可得；鑒往知來，爲政者將有所咨考。

二

《蕭山縣志》是當前修志工作中所涌現的重要成果之一。其業之宏，其功之勤，其效之著，自有志在，不待贅言。若進而言之，這部志書基本上達到指導思想正確，論據充實可信，時代特點突出，地方色彩濃郁，篇目設計合理和文字通暢可讀等等新編方志的要求。其超越歷來舊志處顯然可見。

舊志之修大多由主縣政者邀集地方士紳文人，倉卒從事。或計日程功，不顧質量；或遷延歲月，時輟時興。今志之修則大不然。始有縣委與政府認眞研究，廣徵博咨，訂立規劃；繼則廣集人才，專業從事；終而從本縣實際出發，以實事求是精神，上承前志精華，下聚各方卓見，制綱訂目，分口撰寫，匯集總纂；復經專人分編，主筆統攝，反三復四，而後完成草稿，即印發各方徵求意見，再加審讀修訂，方提出評審稿。雖時日略延，而敬事愼行的精神保證了新志編修的良好基礎。

舊志連篇累牘記及職官、名勝、人物、藝文，而于經濟少所涉及。遠者如明清兩朝八部《渭南縣志》僅有食貨一門，篇幅甚少：近者如民國二十四年刊《蕭山縣志稿》三十三卷，人物佔十四卷，幾近二分之一，而經濟僅有四卷，爲十分之一略強；因之，一代面貌難以再現。今修縣志則增益大量經濟內容，即以其大事記而論，建國以來共記四百九十八條，而經濟大事爲二百一十一條，將及半數。經濟專篇也較多，而蕭邑地處錢江之濱，圍墾已成經濟要務，新志乃特立專篇。他如鄉鎮企業，引進開發諸端也莫不標列條舉。其意義當與宋范成大《吳郡志》專志園林相媲美，使《蕭山縣志》具有時代和地方的特點。

舊志體例率多因襲，或續前志所缺，或補舊志不足，即成新編，其篇目內容縱有增損也大體相沿。今修縣志非續非補，實爲創編，上承舊志精華，于篇目取材多所創新，如以大編既難突出重點，又不易概括得宜，乃採小編體制，使問題集中而無畸輕畸重之弊。今志于志首冠以概述，總述全志，鉤玄纂要，使一編在覽，縱然未讀全志，而全縣情況，大體了然，此爲前志所少見。大事記雖舊志間有，但今志則採編年與紀事本末相結合形式，既能縱貫古今，又能首尾完備，推陳出新，爲全志的綱要。他如專志及人物傳都獨具匠心，各賦特色。類此均足以見修志者經營的苦心。

舊志成書，或爲速求聲名，未經詳審而草率付印，匆促問世；或以縣主易任，集事維艱而束諸高閣，以待後來。其能集碩彥英才，切磋琢磨，務求其精而後付諸棗梨者所見蓋鮮。今志之修不僅定稿過程中敬慎其事，即定稿後，猶廣邀各方人士來蕭集議，其中既有各方面專家學者，又有鄰右各縣修志者，自理論至實際，自大要至細節，反復商討推敲，各貢所見，力求確當，甚者如地理篇之涉及專門學術，則有關學者不辭辛勞，親操筆墨爲之刪定；各縣修志者更能鑒其甘苦，補缺糾謬；主筆于此，既虛懷若谷，傾聽意見；復自有主張，知所抉擇。眾志成城，終纂佳志，爲新編縣志增一異葩。

三

蕭山是我的故鄉，而先祖又爲最後一部舊志撰者。情切桑梓，固念茲難忘；而克繩祖武，尤感仔肩沉重。所以自縣志纂修之始，我即奉故鄉之召，于一九八二年六月回縣與修志人員交談修志的若干問題。離鄉幾近四十年，自然有「少小離家老大回」的萬千思緒，雖「鄉音」無改，但時光催人，鬢毛非衰，已呈蒼蒼。故鄉巨變既激勵我奮發，而先祖于艱難惡劣年代，以煙紙寫志，獨力成稿六十萬字的精神，更加重我于修志一事義不容辭的責任感，因而遂受縣志顧問之聘。數年經歷，我貢獻不大而受益良多。深感今志之成，當歸因于縣領導的重視、修志人員的努力、行業部門的合作、各地的支援等等。尤可貴者爲一九八六年初夏的定稿會，既有方志工作各級領導人員，又有各方面專家、同行，濟濟一堂，共商志事，暢所欲言，各抒己見，受惠者已非蕭山一志。縣委及政府領導不僅嚴格要求，集思廣益，精益求精，更不惜斥資出版，庶無負父老期望，尤願爲全國修志工作起推動作用。

《蕭山縣志》是一部有特色、有成就的新縣志。它的出版將爲新縣志武庫增一瑰寶。我以躬與其盛而深感幸運，緬懷先祖之艱難，不禁泫然，而樂觀新志之纂成又無任歡忻。我籍隸蕭山，自當引爲自豪。願故鄉青山綠水鍾靈毓秀，願故鄉父老接受游子蓴鱸之思的情誼。

卷五　書　評

熔事功與思想于一爐
——評《諸葛亮評傳》

評論歷史人物是治史者所當務，數十年來，評論人物的專著、論文，爲數不少，唯大都就其顯見之一端有所論述：或言事功，或言思想。言事功者于其所以成事功之思想少有剖析，言思想者每詳其淵源影響而掩其事功。其能並論事功與思想于一傳者蓋鮮。近讀余明俠教授所著《諸葛亮評傳》，耳目爲之一新，其篇帙之巨，內容之豐，論述之精，文字之暢，讀其書當可鑒及。此評傳不獨爲評論諸葛之佳作，其熔事功與思想于一爐之成就，尤爲治史者評論歷史人物立一典型。

《諸葛亮評傳》爲匡亞明先生主編《中國思想家評傳叢書》之一種。匡老于序言中明言著述主旨爲「評價思想與評價業績，兩者不應偏廢。」余明俠教授一本斯意，也明確其著述原則爲「要寫好一部評傳就必須將傳主的不朽業績（或傳世之作）與深邃的思想和諧地結合起來，不可執其一端，有所偏廢」，並根據這一原則，廣搜文獻，親訪遺跡，三易寒暑，反復修訂，終於爲「大名垂宇宙」的諸葛亮完成一部形象完整的評傳。

這部評傳共十一章，前七章敘其生平傳略，後六章論其主要思想。敘生平則詳其時代、家庭、師友交往、事跡著述；論思想則析其政治、軍事、經濟、法制、哲學、倫理諸方面。諸葛亮的生平事跡，資料論述較多，撰者自可游刃，而于人所習知之事跡頗能自抒胸臆，發爲新解，如「七擒孟獲」，歷來頗有異說，評傳作者先綜述各家之說有：完全否定、完全肯定、信而不疑、另有新見、疑信參半等五說，作者于此一一有所論辨，並根據史料詳加分析，終於提出「『縱擒孟獲』的史實是可信的，但七擒七縱則是不可信的」這一平實而可信的結論。又如關于《後出師表》眞僞問題，一直有所爭議，評傳作者研究了諸家之說後，以一種審愼的科學態度，不魯莽標新，而是作出了自具新意而易爲人接受的論斷說：「筆者覺得《後出師表》中的某些內容，仍不失爲研究諸葛亮的生平事跡及其思想的重要參考文獻，不可一概否定。因爲任何作僞的贋品，它也必須要求神似或類似，方能取信于人，何況像後表中的某些內容，又很難一律斥之是僞造呢？」對于傳主思想的探析，雖歷來文獻遺留較少，但評傳作者不辭辛勞，輯佚鉤沉，殫思竭慮，發掘問題，提出新見。如對人所熟知的諸葛亮澹泊、寧靜之名言，先給以「具有唯物主義認識論傾向的主靜思想」的定位，繼而對其出處與內涵作詳盡分析，終乃得出結論是「諸葛亮的主靜思想雖然源自道家，可是已不同于道家」。作者更結合諸葛亮的實踐行爲而後論斷說：「他強調『澹泊』、『寧靜』，是爲冷靜地認識客觀世界，然後作出正確的判斷，並且還要在實踐中進行檢驗。所以，他的主靜思想是積極的，屬于唯物主義認識論的範疇。」這一見解超越了通常的認識。又如對蜀國法典《蜀科》的研究與論述，爲諸葛亮的法制思想尋求到根據。評傳作者更從對《蜀科》的制定、立法思想及其基本內容的論證中得出了「諸葛亮的法制思想是兼採儒法兩家之長而和諧地加以統一的」，用以端正對諸葛亮思想宗主的沿襲說法。

《諸葛亮評傳》卷末所附諸篇，雖非正文，然亦可見作者之能應時代之需求與夫嘉惠學人之用心。諸葛亮系久爲婦孺所咸知之歷史人物，經過《三國演義》故事情節的渲染，更使諸葛亮之神化形象流傳民間，增枝添葉，往往有失歷史之眞實。作者爲此特撰《〈三國演義〉中有關諸葛亮事跡的考證》專篇，列于附錄之一，諸如《草船借箭》、《借東風》、《三氣周瑜》等等故事，皆一一加以辨析，使讀者進一步認識歷史。附錄之二爲《諸葛亮年表》，可作讀正文之大要。所附《參考書目》列參閱文獻百餘種，既昭示作者撰述之所據，又爲後人治學立一階梯。其尤可注意者厥爲索引三種，海外學者著述之附索引已較普遍，國人尙爲少數，即有也僅一綜合索引，而《諸葛亮評傳》則設人名、文獻、詞語等三種索引，使讀者免翻檢之勞，用者可一索而得，此亦足見作者之著書視野已能念及讀者爲可貴耳。

讀《諸葛亮評傳》後所得的這些認識，並不是說這部著作已是無可指瑕，但是我無意按照通常的操作程序，在文字的最後寫幾點僅供參考的不足之處，因爲，這確是一部頗有新意，值得一讀的傳記著作。

力破陳說抒胸臆

——評《張之洞大傳》

清朝後期能夠翻雲覆雨的政治集團是湘淮兩系，而舉足輕重的人物則並稱曾李；但另一位與晚清政局相終始的重要人物張之洞相形之下卻顯得落寞，最近問世的馬東玉所撰《張之洞大傳》正填補了這方面的空白。作者在《後記》中自承「我的本意是想對這一重要的歷史人物給以客觀公允的評價」，因此，他殫精竭慮，廣搜博徵，破除陳說，獨抒己見，力求對傳主作出評價，如稱張之洞「干大事、干實事」，「銳意改制」，「認眞布防，極力備戰」，「中國近代史上舉辦近代企業堅持最久的一個企業家」；推崇張之洞是「愛國官員」、「近代著名教育家」，「堪稱中國近代企業家和教育家」等等。這不僅使張之洞的歷史地位得到新的評價，也反映出作者不依違于已有結論，敢于提出自己見解的鑽研精神。

《大傳》徵引文獻資料比較豐富，據其所附《參考書目文獻舉要》統計，用書達一百四十八種，包括資料八十二種、專著六十六種。所可貴者，這些資料大都爲習見而非偏冷，體現了作者運用史料的基本功力。因爲讀已見書較之讀未見書爲難。

這本《大傳》的另一特色是可讀性強。作者以其清新流暢的筆觸把張之洞這一人物寫得眞實豐滿，栩栩如生。作者不是孤立地刻畫傳主本身，而是詳盡細致地描述傳主的事業背景，使傳主自然地顯現其作用，引發出應有的歷史評價，如在舉辦洋務一章中，作者用了百頁篇幅將所辦軍事、紡織、重型、鐵路、機器鑄幣與金融業等五大企業所屬部門者一一加以細膩的考察與評述，這不僅廓清了對張之洞辦洋務的異議，也把近代史上幾十年的洋務運動歷史展示給讀者，從而在此事實基礎上分析了傳主舉辦企業的思想和目的，給人一種自然、深刻和可信的感覺。另外作者還善于編織情節，如爭廢崇厚的《里瓦吉亞條約》一事中，傳主在爭議的十個月過程中曾單獨上疏二十篇，如依序臚列奏疏內容則將枯燥乏味，但作者將二十餘篇奏疏編織進廢約、談判的複雜斗爭中，寓論斷于敘事，顯得明快得體。

事物的發展往往是矛盾存在于統一體中，優點往往包含著弱點，《大傳》的特色中似乎還有一些可商榷處。

傳記作者主觀上都想寫得公允，但常常由於筆端流露感情，使鍾愛走向偏愛，于是肯定其應肯定者，而諱避其不足。廣東的「闈姓」賭捐本是影響科考、禍及社會而屢禁難止的弊政，張之洞爲籌措經費，公然開禁，勢必遭人訕笑；但作者卻曲諒其事是「取之于賭，用之于公，又涓滴不入私囊，做到問心無愧也就可以私自安慰了」。爲傳主作了一定的辯解。

徵引習見資料，固然可見功力，但如對有些習見史料能追溯原始而加以徵引則更能增其學術價值。如自丁名楠《帝國主義侵華史》卷一轉引的《新疆圖志》則是一本並非難得的書。又如《翁文恭公日記》便無須轉引自《張文襄公年譜》，而《清代七百名人傳》似也可改用其他價值更高的史料。

作者爲烘托傳主而多著墨于背景的描述，以致時有枝蔓，如

「繼統之爭」一目記吳可讀「尸諫」案，當時張之洞只作爲清流派一員而寫過一份《遵旨妥議折》，只是其宦海一生中的一個泡沫，但作者卻用了七頁篇幅詳述「尸諫」始末，不免使人有渲染敷陳之憾；書中寫中法戰爭對劉銘傳、劉永福的本身歷史都敘述較繁。

研究歷史以評論人物爲難，評論人物以評論近代人物爲難，尤以評論人們熟知而又有異議者爲更難。作者知難而進，盡多年積累之功，成三十餘萬字之作。總觀全書，立意創新，史料豐富，記述完備，評論有據。至于不足，當爲一得之愚，小疵固難掩大醇。

「非常之世」的「非常之人」
——評《盛宣懷傳》

評論歷史人物難，為人物寫傳更難；寫一部持論公允，顯現人物眞貌的傳記尤難；重新評論久有成說或定論的人物，並為之寫出一部全傳更是難上加難。夏東元教授在詳細佔有史料的基礎上，耗近三十個寒暑，寫成一部三十餘萬字的《盛宣懷傳》正解決了這樣一個難點。

盛宣懷（1844-1916 年）是與中國近代史幾乎相終始的人物。長期以來，盛宣懷這個買辦性洋務人員的形象久已游動在不少近代史學工作者的頭腦中。要改變和扭轉認識，一要豐富資料，二要學術膽識，三要艱苦研究，然後才有可能重立新論。《盛宣懷傳》在這三點上確已有所體現。

作者為自己研究近代人物概括了一條規律，「評論中國近代史上的人物、事件有一標準，即不僅要看對帝國主義、封建主義和中華民族、人民大眾的認識、態度與作用，而且還要看對中國資本主義的認識、態度與作用。」這一概括，簡言之是要從政治和經濟兩方面去進行分析，得出結論。作者從肯定洋務運動的進步意義背景出發，抓住盛宣懷「辦大事」、「作大官」兩個主要方面展開論辯，從肯定前者、否定後者來貫穿全書，並以前者為基調。他肯定盛宣懷是「以經營中國社會發展需要的近代工商業為己任並卓有成效」，能「順應歷史發展趨勢的佼佼者」（代序）；認爲盛宣懷是一個資本主義工商業的有力經營者，所經營的輪船、電報、礦務、紡織企業都是「立國之要」，而這些事業無不具有適應時勢需要和抵制洋商侵佔權利的兩大特點。這就必然爲盛宣懷摘掉了「大買辦」的帽子而成爲反對封建經濟、發展中國資本主義的歷史人物。在中國近代半殖民地半封建這個歷史大變動時期，以一人之力披荊斬棘地經辦了這麼多「立國之要」的企業，自然會引出盛宣懷是一個「處于非常之世，作非常之事的非常之人」的結論。這三個「非常」是作者撰著《盛宣懷傳》所把握的主要線索。

夏東元在《盛宣懷傳》中以鮮明的筆觸來改變衡量近代人物的傳統觀念。他指陳過去用「貪得無厭，嫌取錢財」來鞭撻盛宣懷是不公正的，而認爲「賺錢」正是盛宣懷的進步表現，因爲「剩餘價值規律曾經是推動歷史前進的巨大杠桿力量」，全傳以較多篇幅總結了盛宣懷的洋務思想體系，認爲盛宣懷「在洋務商戰思想上，從生產過程到流通過程，已形成較爲完整的思想體系」，而這個「體系」的中心特徵「就是要在發展經濟上與洋商爭斗，以致富強」。全傳雖然沒有對現實問題著墨一字，但這種歷史結論會有力地引發讀者對中國商品經濟重要意義的了解和對資本主義，特別是對中國資本主義發展歷史的再認識。這是本書內涵的重要意義。

的確，以往對盛宣懷的評論確有不公之處。和盛宣懷同樣從事「洋務」的鄭觀應、馬建中和徐潤等人，都有著改良主義思想家和民用企業家之類的桂冠，而唯獨具有商戰思想，曾經辦了輪船、電報、礦務和紡織等四大民用企業的盛宣懷卻背上了「大買辦」的惡名。夏東元爲此將上述等人進行比較研究而後論定。他分析盛宣懷與馬建忠爲維護電報權利所產生的矛盾時，即以原始檔案爲主要論據，論定馬建忠的「維護電報權利的感情不如盛宣懷深切」，而盛宣懷」保護中國電線電報權利是始終不諭的」，所以「在這一點，馬建忠不及盛宣懷遠矣！」他在評論盛宣懷與徐潤爭奪招商局權力的矛盾時，提出了一條新的是非規範，那就是「資產階級競爭規律就是在獲取盡可能多的利潤原則下，擠倒對方，大魚吃小魚」。盛徐二人既都是資產階級，那麼從「大魚吃小魚」的資本主義競爭規律說是無可非議的。至于鄭觀應的成就，主要出自盛宣懷的一手提拔和支持。如此，盛宣懷的地位如何擺法，自可不言而喻。

夏東元肯定盛宣懷經濟上的成就，多少使人感到有「發乎情」的意思；但史學家握的終究是史筆，他又「馭乎理」地指斥盛宣懷的反面。作者循著盛宣懷以「辦大事」爲資本，逐漸達到「作高官」目的這一人生道路，評論盛宣懷「既似商又似官，由似官而爲官；用商力以謀官，由傾向于官發展到利用官勢以凌商」，也即批評其「作高官」的另一面。作者論斷「盛宣懷在變專制爲民主的政治態度和觀點上，不僅不及維新派，也趕不上某些洋務派官僚」，即使在論定盛宣懷與徐潤是非，並褊愛盛時，也指出盛宣懷「換官勢以達目的則越出自由競爭範圍」是不對的。作者揭示盛宣懷在義和團反帝運動中「對于直接損害到他的洋務企業、事業的義和團尤爲憤慨和敵視」，表現出「對人民的反抗總是站在敵對的立場上」。而在處理中外關係時則「極力主張多多聽從洋人的意見」。盛宣懷這個在發展經濟上是「一只手撈十六顆夜明珠的」勝利貪饞者，在政治上卻是日趨保守妥協，增強封建性和買辦性。「終其生未能克服保守的政治主張與進步的經濟實踐間的矛盾」，便是作者對盛宣懷一生的總評價。

當然，任何事物都會有瑕隙，《盛宣懷傳》雖是一部力作，但也不是沒有可吹求之處。作者根據史料，實事求是地重新論定盛宣懷是以三個「非常」作為主線。全傳對于非常之人辦非常之事是持之有故、言之成理的；但對這兩個「非常」所置身的「非常之世」論述似有不足，如果對盛宣懷所處的「非常之世」再多加筆墨，就能顯出一定的土壤而培育滋長一定的花草果木，更增加可信性而銷融一下作者的感情之筆，而三個「非常」的環節也能扣得更緊。縱觀全書，使人頗有情重的感覺，特別是全傳結尾的末三行，對盛宣懷的政治態度進行了「如果」的假設。這是作者希望盛宣懷成為更完美的形象。可是歷史是不接受假設的。如果刪去這末三行，那麼全傳的結尾將更耐人尋味，發人深思。作者在掌握與運用史料上確見深厚功力，如在檔案之外，再能擴及官書私乘、稗說雜著以及時賢識見，當能益見功底而開拓讀者視野。至于歷史人物不僅有其成就的事業，也無可避免地有家庭生活、個人情趣和人際交往。《盛宣懷傳》圍繞傳主的政治、經濟兩大事業立傳，無疑足稱嚴謹的「硬件」，如果能進而適度地點綴一些傳主生活、情趣和交往等等「軟件」，那麼，一本立意新鮮、內容充實、軟硬結合、人物豐滿的傳記將會使學術雨露更廣袤地覆蓋讀者。

（這是對夏東元教授 1987 年版的《盛宣懷傳》所寫的評論。1997 年，夏東元教授又經過十年的積累與研究，重寫《盛宣懷傳》，于 1998 年由南開大學出版社出版。我因公私事務繁雜，雖蒙惠贈，未遑詳讀，此文亦未能加以修訂改寫而仍維持原貌。）

吹盡黃沙始見金

——評《清代史料筆記叢刊》

考史必據史料，豐富史料必不斷開源，此陳援庵師之所以創史源學。世多以正經正史、政書百子爲主要史源，清儒又擴及金石碑版，近代則譜牒、方志、檔冊及石室藏書都先後成爲源頭，而筆記則尙未爲人所充分注目，蓋以其爲小道支流。實則筆記之肇始既早，而發展歷史復久，有人認爲「筆記這種文體，始于漢魏，興于唐宋，盛于明清」，似已爲多數人所認同。至「筆記」之名則始于宋人宋祁所著《筆記》。

歷代筆記數量因無確實依據，難有精確數字，綜觀目錄著錄情況，清代筆記數量確已超越前代，所謂筆記至清而稱盛，信然！這樣一筆數量眾多，內容豐富的文化遺產理應受到人們，特別是清史研究者的重視，並加以開發利用。可惜爲傳統俗見所囿，視筆記爲叢殘雜書，使它長期受到漠視，即有讀者也只是以之遣興談助，而眞正視作重要史源，大量採擷入文者尙不多見。

清人筆記的史料蘊藏量究有多少，一時尙難估計，僅就我所經眼之三百餘種，史料俯拾皆是。政治、經濟、社會、文化、民俗、風尙無不涉及，稍事採集即可積卡盈篋，對正經正史大有拾遺補闕之效。僅略陳數端以明其價値之所在。

典制爲政治生活中重要內容，其大要往往可得之于政書專著，但掌故細節則非求之筆記之類不可。清人好言典制掌故，筆記中涉及者頗多，如王士禎的《香祖筆記》、彭邦鼎的《閑處光陰》、昭槤的《嘯亭雜錄》、福格的《聽雨叢談》、陳康祺的《郎潛紀聞》及《燕下鄉脞錄》、英和的《恩福堂筆記》、繼昌的《行素齋雜記》、方濬師的《蕉軒隨錄》……均有較多典制條目，其中頗有為一般政書所未及者，如文武官相見儀注載在會典，但平行官及僚屬見上司的稱謂則無明文，而彭邦鼎的《閑處光陰》中則有所記。

物價是經濟生活中的重要問題，一些記載失之于籠統，往往多是「物價騰涌」等等文人之筆，但在筆記中卻有具體價格可備稽考。康熙時葉夢珠的《閱世編》是記載當時上海、華亭、南匯諸縣情況的一部筆記，如卷一《田產》門記田價；卷七《食貨》門記米、豆、麥、棉、布、柴、鹽、糖、肉、紙張、藥材、干鮮果品、眼鏡、顧繡等生活必需品和手工藝品的價格。作者比較各年的價格升降以反映順康時期的土地和民生情況。他把物價的變化和社會的治亂聯繫起來考慮說：「大約四方無事則生聚廣而貿遷易，貴亦賤之徵也；疆圉多故，則土產荒而道途梗，賤亦貴之機也。」（卷七《食貨》）這就是說：動亂使商品制造衰落，原料就因供過于求而價賤，可從原料賤而看到商品貴的先機；如四方無事，商品流通，制造繁興，原料就因需求大而漲價，商品則因來源廣而價賤，則又可從原料貴中看到商品賤的徵兆。這正是原料與商品在價格上的辯證關係。

社會狀況舊籍所載少而欠詳，尤以社會底層狀況更難入正經正史而往往見諸筆記。乾隆號稱盛世，國泰民安，山東登萊濱海之地尤有漁鹽之利，而農民之貧脊不堪卻少見記載，獨徐昆所撰《遁齋偶筆》記乾隆十二、三年時所見山東農民之苦況說：「連歲歉收，谷價涌貴，民不得食，常見鄉村男女老幼成群，蒲伏卑濕荒地中，挑掘草根，……歸而和以谷皮豆屑食之。冬月草枯，沿山放火，火熄，掃其灰燼颺之，得草子細如芥子，淘淨碾粉，雜以穇屑，蒸作餅餌，借是以活者比比。」（卷上《草子》）。

游民是社會的重要問題，歷史記及者多著重其穿州過縣的流動及所造成的不安定影響，而甚少言其謀生方式。惟李斗《揚州畫舫錄》及顧祿《清嘉錄》詳記說唱人、雜技藝人、優伶、娼妓、地棍、流氓、乞丐及驛卒種種營生，頗有益于研究城市人口結構。

士人于小說戲曲甚少正面立論而多筆之于雜著，各種筆記中可見不同褒貶。清初談遷于《北游錄》中對《琵琶記》、《水滸傳》及《樂府》等大加貶斥（《紀郵上》《紀聞上》）；王士禎則認爲「野史傳奇往往存三代之直，反勝穢史曲筆者倍蓰」（《香祖筆記》卷十），肯定了小說戲曲的教育意義；劉繼莊更比一般人看戲讀小說爲儒者之讀六經（《廣陽雜記》卷二），而道咸時期的昭槤則認爲小說無一佳者（《嘯亭續錄》卷二《小說》），梁恭辰更持深惡痛絕態度，斥「《水滸傳》誨盜，《西廂記》誨淫」（《池上草堂筆記·勸戒四錄》卷四《西廂記》）。此正是不同時期的不同看法。

清代學術頗重考據，遂有以考據辨證爲主旨的筆記一二百種，純爲考訂文字、注釋名物之作，如高士奇的《天祿識余》雜采宋明人之說而成書，有考證、釋詞、語源、事物原始諸端，可備檢閱，可惜大多爲「輾轉稗販，了無新解」。王應奎的《柳南隨筆》、《續筆》于經史文化都有記及，故被人譽爲「搜遺佚則可以補志乘，辨訛謬則可以正沿習」（顧士榮序）。筆記所取載的雜考雜記皆難得于經史專著，但一字一物又多爲讀書窒礙，設借此得解，則疏通書傳可無滯留，此又筆記價值之所在。清人筆記有其一定價值，但也有其不足。筆記多爲隨手札錄見聞，輾轉抄錄備忘，時或有之，有的筆記情況比較嚴重，如《天祿識余》有多處錄之前人筆記；李調元《南越筆記》大多轉錄于屈大均《廣東新語》。筆記版刻多種，然有非其原貌者，或易書名，或刪內容，如董含《三岡識略》與《蓴鄉贅筆》，世人多以爲同書異名，我曾以二者比較，發現《贅筆》刪去《識略》近二百五十餘則，多爲觸時忌之內容，所以不得以不同版本而論。筆記中多雜封建主義立場及因果報應之說，利用者又不可不加注意。學者使用清人筆記這一史源時，要在採銅于山，細心披揀。吹盡黃沙始見金，正是讀清人筆記時的辛苦與樂趣。

讀梁啓超《中國歷史研究法》及其《補編》

十九世紀末二十世紀初，在中國的政治舞臺和學術論壇上閃現過一縷時明時暗的星光。這就是曾以「維新志士」與「國學大師」兩頂桂冠博取到聲譽的梁啓超。梁啓超在政治上的起落浮沉自有評論，但他在學術上留下的千餘萬言著述卻是政治、文化、學術、思想諸方面的重要參考資料。對于這筆遺產的整理、吸取和再認識是必要而有意義的。

梁啓超是一位博涉群籍的學者。他馳騁于哲學、史學、文學、經濟、宗教等廣闊的學術領域之中，作過應有的歷史貢獻。他在史學領域中爲建立資產階級史學理論和治學方法進行了二十餘年的努力而有所建樹，留下了多種著述。《中國歷史研究法》及其《補編》是他在史學方面的最後著作。它們從二三十年代以來不斷地產生著影響。當然，影響所及也包括我在內。

早在三四十年代，我還是一個中學生時就震于梁啓超的盛名。黃遵憲對他的「驚心動魄，一字千金」的頌贊更增加了我的仰慕。當第一次在中學國文課本上讀到《歐游心影錄》的選篇時，立即感到此公果然名不虛傳：文章是這樣條暢清新，沁人心脾。接著，又讀了《清代學術概論》，他的淵博把我的仰慕推向了崇拜。所以當四十年代我已成爲大學歷史專業的學生後，就首先通讀了《中國歷史研究法》及其《補編》。他那常帶感情的筆端和言之成理的見解又深深地吸引著我這初窺史學殿堂的青年，尤其是他娓娓而談的治學方法更具有著特殊的魅力。

《中國歷史研究法》及其《補編》的初型都是講演稿，經過整理而後成書的。前者是一九二一年在天津南開大學的講演稿，次年整理後由商務印書館出版；後者則是一九二六年至一九二七年間在清華大學國學研究院的講演而由弟子周傳儒和姚名達整理補充並經校定後，于一九三三年由商務印書館正式出版。這兩本書雖說都是講演稿，但決非講者的即席發言，而是長期思考後的獨得之見。梁啓超在正編的自序中曾申明其長期積累醞釀的過程說：

> 啓超不自揆，蓄志此業，逾二十年，所積叢殘之稿亦既盈尺，顧不敢自信，遷移不以問諸世。客歲在天津南開大學任課外講演，乃裒理舊業，益以新知，以與同學商榷，一學期終，得《中國歷史研究法》一卷，凡十萬言。

隔了幾年，梁啓超又爲補充舊作而在清華大學國學研究院講《補編》。它注重到專史的研究，並具體細致地講了研究方法。可惜由於病魔纏身，有些部分不能不由其弟子周傳儒、姚名達來補成，有些部分則一直付缺。

雖然如此，這兩部書仍不失爲資產階級史學理論的代表作。它們對後世的史學界有著重要的影響。在三十年代出版的一本《中國史學史》（魏應麒著）中就以此二書殿自己著作之末，視爲中國史學發展的里程碑，贊譽這兩本書「內容豐富，講解詳明，屢有獨特之見解」，是梁啓超中年以後「惓惓于史學著作」中的最重要著作，其「啓蒙之功，非過去任何史家所能及」，這裡有出于「偏愛」的過譽。

梁啓超所謂「蓄志此業，逾二十年」之說，的確不假，他在緬懷著二十世紀初對封建史學揭竿發難，爲資產階級史學披荊斬棘的光榮往事。那時，他剛剛逃脫掉戊戌政變的屠刀而流亡異域，驚魂甫定而餘勇猶在，于是從政治舞臺轉向學術論壇發動了學術變法，一九〇一年他在《清議報》上發表的《中國史敘論》和一九〇二年在《新民叢報》上發表的《新史學》吹響了資產階級「史學革命和史學革新」的號角。「新史學」是梁啓超適應二十世紀初中國社會發生急劇變化的形勢，並吸取日本資產階級史學理論而採取的時髦口號。梁啓超的這種勇氣反映他曾經歷過戊戌變法的政治實踐，也顯示出中國資產階級上升時期的氣魄。梁啓超在這場戰斗中自命爲「新史氏」，大聲呼吁「史學革命不起，則吾國不救，悠悠萬事，惟此爲大。」但是，這種銳氣和鋒芒在歷盡二十年來政治風雲和復古思潮的磨蕩而逐漸銷蝕，也在洶涌澎湃新思潮的沖擊下而節節敗陣。因此，作爲他晚年作品的《中國歷史研究法》及其《補編》就顯得已失去了《新史學》那種昂揚的斗志。「蓄志二十年」的倒退結局是客觀現實的鑄造。梁啓超失意宦海而謀求逞于學術的主觀意願也難于鳥飛魚躍了。

《中國歷史研究法》及其《補編》所涉及的問題不少，但總括起來不外史觀與史法。它們各有側重：正編重論，發揮資產階級史觀爲多；補篇重法，介紹治學方法較詳。梁啓超在講《補編》時已意識到自己理論上的貧乏。他說《補編》的總論（即發揮理論部分）

「很零亂，沒有什麼系統」，而分論（即講述具體治學方法部分）則「較複雜，更豐富」。這種自述正表明資產階級史學理論的日趨敗退。

梁啓超在《中國歷史研究法》論的部分闡述了建設資產階級史學理論的程序。他首先自覺地承擔了資產階級史學家先輩的職責。他認爲諸項特別史料「在歐洲諸國史經彼中先輩搜出者已什而七八，故今之史家，貴能善因其成而運獨到之史識以批判之耳，中國則未曾經過此階段，尙無正當充實之資料，何所憑借以行批判，漫然批判恐開口便錯矣」（第五章）。

在作好「正當充實之資料」的準備後，才談得上批判舊史，他提出要從讀者對象、寫作對象、擴大研究範圍、加強客觀認識、搜集和考證史料、注意寫作方法等方面來改造舊史的六大弊病（第三章）。他還批判了二十四史是「帝王將相家譜」和「墓志銘」的封建英雄史觀，他的各種批判縱有過苛的地方，但還是觸及了封建史學的要害。遺憾的是，這位資產階級史學理論的創造者並沒有力量摧毀英雄史觀的堡壘。他只不過以資產階級的英雄史觀代替了封建的英雄史觀而已。

以資產階級英雄史觀代替封建的英雄史觀只是以暴易暴的變換。而書中對此所闡述的諸種論點則顯得更加明目張膽。他以「歷史的人格者」偷換了歷史上「英雄」和「名人」的概念。這些「人格者」的「面影之擴大幾于掩覆其社會」，他宣揚若干「歷史的人格」的「心理之動進，稍易其軌，而全部歷史可以改觀」，而史跡的創造都是人的心理所構成。在梁啓超看來，歷史的發展與停滯完全取決于少數「英雄」的「方寸之動」。因爲「一個人方寸之動，而影響及于一國一民族之舉足左右，而影響及于世界者，比比然也。」（第六章）。他把歷史完全看作是英雄人物「心力之動」的湊合。這種觀點到了《補編》就更赤裸裸地公然宣稱「歷史不外若干偉大人物集合而成」（第三章）。他宣稱如果沒有「英雄」，其中包括沒有梁啓超本人，那麼「現代的中國是個什麼樣子，誰也不能預料」（第三章）。但是，他終究是不同于封建史家的資產階級史家，他重視歷史因果的探索，他力圖探索英雄與時代、與社會、與民族的關係，企圖從中發現隱藏在「英雄」背後是什麼力量在推動歷史的前進。可悲的是他終於發現的「歷史之一大秘密」乃是有「所謂民族心理或社會心理者」，因此，他主張「史家最要之職務在覷出此社會心理之實體。觀其若何而發動，若何而變化而精察夫個人心理之所以作成之，表出之者，其道何由，能致力于此，則史的因果之秘藏，其可以略睹矣」（《研究法》第六章）。探索歷史因果沒有觸及客觀規律的所在，反而墮入到主觀心理的泥沼中，是無法達到他設想的歷史乃爲「鑒往知來之資」的目的。這正是資產階級史學理論最終難以從自我矛盾中解脫出來的必然結局。

梁啓超在兩書中都比較詳盡地講述了研究方法。其間有不少甘苦之言。這正是它能引動人們心向往之的奧竅所在。他在《研究法》中提出了研究歷史的方法程序是先定專題、搜輯材料、縱橫聯繫、分析重點、探索心理與物質條件及其局限，觀察必然與偶然；在《補編》中雖于此語焉不詳，但與正編思路完全一致，即求眞實史料，進行分析評價，爲人提供資鑒。兩書共同提爲研究基礎的就是梁啓超認爲應作的補課工作——準備「正當充實之資料」。他在《研究法》中講了許多具體做法。如對史料主張「求備求確，斯今日史學之出發點也」（第四章），而「以求眞爲尚」。那麼如何求呢？那就要「匯集同類之若干事比而觀之」，也就是說要「博搜而比觀」。鑒別史料主要在于「正誤辯僞」，並提出具體辦法和注意點（第五章）。在論次文字上他主張于「同中觀異，異中觀同」以求得新理解。在《補編》中除概論了人、事、文物、地方、斷代五種專史外，並詳細講述了人的專史與文物的專史的具體做法。這種解剖具體事例的做法使人們易于捉摸學步，其中某些具體技能是不能一筆抹煞而還有一定的借鑒作用。這一點恐怕正是兩書尚有一定生命力的原因所在。

梁啓超對自己這兩部晚年著述是寄托希望的。他想借此開一代資產階級史學的風氣，而期望它爲百世所師法。這正如他在那篇名爲《自勵》實則自負的詩中所寫的名句「著論肯爲百世師」所透露的內心隱秘。詩句的陳義雖美，但終不若他的前輩龔自珍在《己亥雜詩》中所寫「但開風氣不爲師」的格調之高！

旋轉舞臺上的走馬燈
——評《北洋政府總統與總理》

辛亥革命以後，中國大地上曾出現了一個由北洋軍閥集團連續統治達十六年之久的北洋政府。這一變動連鎖產生一系列的變化，最重要的明顯變化是，封建專制一變而爲民主共和，皇帝大臣一變而爲總統總理。名目雖變，衣冠也易，但在舞臺上粉墨登場的卻多是似曾相識的舊面孔：第一任正式總統袁世凱是清末內閣總理大臣，第一任正式國務總理唐紹儀則是前朝尚書巡撫，遺老遺少成爲民國新貴，走馬燈式地在民國舞臺上旋轉。十六年間總統（含與總統權勢相當者）7人，總理易手46次（包括代閣）29人。除政事堂國務卿外，任事長者年餘，短者數月，甚至有數日即夭者。人物有曇花一現，瞬息消逝者，也有死灰復燃，蹶而再起者。光怪陸離，熱鬧非常，這就是民國史上的所謂「閣潮」。

「閣潮」的起伏變幻，人物的生張熟李，大名鼎鼎的巨公如袁世凱、徐世昌、段祺瑞、梁士詒之輩自有傳譜，人盡可知；而朱啓鈐、龔心湛、賈德耀、胡惟德之流則過眼煙雲，人們多鮮知其經歷，尤其是匯聚總統總理袞袞諸公于一冊，尚未見專書。

不久以前，曾讀到臺灣張樸民著《北洋政府國務總理列傳》（臺商務版）一書，文筆固有可取，史料實難憑信，加以未入總統，終嫌欠缺。楊大辛先生等有鑒及此，乃多方邀約，分頭撰述，未經年而眾擎易舉，書稿終匯一手；復經主編諸君商酌文字，審定成稿，題爲《北洋政府總統與總理》，計收總統 7 人，總理 29 人，共 36 人，人各爲傳，以任事蹤跡而定篇幅長短，多則盈萬，少也數千，敘事力求詳備，引據總歸翔實，論斷多屬敘事，實爲前所未有之作。

民國元首、閣揆的其人其事既備，而廬山眞面猶未遍識，袁、段、馮、徐的圖像所在多有，不難尋求；其他多人則實不易一索可得，主編者爲此復多方搜求，悉心辨認，使讀其傳者復見其人。影像搜集之全備也爲前此諸作所罕見。

《北洋政府總統與總理》一書的主編楊大辛先生從事文史編研工作數十年，社會聯繫廣泛，舊聞軼說知之甚多，文筆復細膩流暢，雖稿源不同，但一經通貫，大體尙趨一致；史料徵引也無堆砌疊出之贅；附表多種尤利翻檢。通讀全書，既資科研教學，又饒有談助興味。

當然，一項補缺工作難免有不盡完善之處。《北洋政府總統與總理》一書也尙有可議者，如各傳安排，稍失平衡，篇幅長短基本上視作者掌握材料多寡而定，史源發掘尙欠深廣，致使生疏人物之傳似嫌單薄；熟識人物之傳又感繁複。各傳評論人物多就事論事，而于所處時代缺乏足夠分析；但各傳分立，時間跨度不大，每篇皆論背景，又將重疊。設主編者于通讀全稿後，爲民國十六年間「閣潮」撰一概述，冠諸書首，則不僅可補諸傳不足，尤可作讀全書之鎖鑰。類此各端，可待改進，以使此書日臻完善，這可能也是編寫者的初衷吧！

《探微集》探微

我與鄭天挺（毅生）先生雖相識較晚，但心儀其人則早自抗戰勝利後拜讀其所著《清史探微》一書始。當時我只是一個初出茅廬的大學歷史系畢業生，而毅生先生已是頗著盛名的學者，故難以面獲教益，僅從《清史探微》一書中欽敬其求實求眞的功力。解放後由於高等院校調整，給我帶來了與毅生先生三十年朝夕相處的機遇。我雖未獲列名門牆，但日以師禮相事，甚獲教益。可惜由於自己的資質功力鈍拙，無所成就，有負毅生先生厚望。直至近年，有幸又讀《探微集》，對毅生先生學識得有進一步領會。

從《清史探微》到《探微集》的三十多年歷程，我國社會經歷了巨大變化，而毅生先生的學術也顯現了躍進的特色。我讀《清史探微》時，深佩作者用力之勤謹，思路的綿密；而讀《探微集》則眼界爲開，耳目爲新，更欽作者之學識淵博，日新又新的追求精神。毅生先生一再以「探微」名書，固自示謙遜，而我則正從微處得其教益。

《探微集》雖以《清史探微》爲基礎而益以其他方面舊著及解放後的新作；但學術領域開拓之廣已非一般增補。集內清史方面文章仍佔主要，這正是毅生先生之所以以清史名家的明證。這類清史論文又以論典制者居多。清入關前的典制過去論著雖有所涉及，但多語焉不詳。毅生先生諸作如《滿洲入關前後幾種禮俗之變遷》、

《清代包衣制度與宦官》、《清世祖入關前章奏程式》、《多爾袞稱皇父考》等都對過去不甚清晰的制度、概念加以論述解釋，塡補和充實了清史研究領域中的重要方面，爲後學舖平了進一步鑽研的道路。尤以對世俗訛傳的有所糾正，如《「黃馬褂」是什麼》一文雖爲答覆武訓是否得到過黃馬褂之俗說而作，但簡要地講清了黃馬褂除賞給親近侍衛人員穿用的「職任褂子」外，還有一種是打獵校射時所給的「行圍褂子」。這兩種黃馬褂是只在其位其事時穿用，平時不能隨意穿用。這是「賞給」的意思。另一種是獎給有功的高級武官或統兵文員，任何時間都可以穿，這是眞正的「賞穿」，並說明賞給與賞穿二者在制作型式上的區別。毅生先生在這篇二千餘字的微型論文中不僅講清制度，而且糾正了俗說。我讀此文頗有見微知著之感，深佩毅生先生功力深厚方能提純如此。

毅生先生是一位求實的學者，集中文章沒有泛泛之論，都是尊重事實，有理有據地說明問題。他在所著《清入關前滿族的社會性質續探》一文中明白宣布：

> 我相信：解釋歷史，說明歷史，總以根據具體事實加以比證，比較可信。

毅生先生的比證事實從不追求冷僻，而多用常見書解決問題。記得先師陳援庵先生曾教誨過要讀已見書，用習見書，而不要炫奇。這無疑是名家共有的風範。毅生先生的《清代皇室之民族與血系》一文是中年時期的力作，是材料豐富而有創見的論文；但細核其徵引範圍，大多是王氏《東華錄》、《清史稿》、《會典事例》

以及一些文集等。材料是人人都能得到的，但一經高手便成妙諦，于平川中見奇峰，正以見作者識見之深遠。

毅生先生在學術上日求進益，不以既得之名而蹈虛聲，他孜孜以求地完善自己的論著。《探微集》開卷的兩篇文章可證其事：《清入關前滿洲族的社會性質》一文撰于一九六二年，是針對當時學術界有些爭論而作，內容以大量史料論證：「滿洲社會確曾經歷過奴隸制，不是從民族社會飛躍到封建社會的」和「一六一六年努爾哈赤所建立的政權是封建制政權，滿洲族已進入封建社會」等基本論點。其材料之充實詳盡已爲當時學術界所稱道。但是，毅生先生並不以此感到滿足而終結。他繼續求索，時經十七年之久，一九七九年，他又撰《清入關前滿族的社會性質續探》，堅持原有學術觀點，又進一步論證了「滿族在清入關前的社會發展已逐步進入封建社會，比較接近事實」的論題。這篇《續探》明顯地告訴我們毅生先生在學術上的大跨度。他不僅以大量材料來論證，而且更努力以馬克思主義的理論來指導自己的研究。從引證中可以看到毅生先生對理論追求的執著精神。他使自己的學術觀點獲得科學理論的驗證而更確立。從這些細微處使我體會到一個學術工作者要在學術領域中葆其青春、更新求索，服從眞理乃是不可或缺的條件。

毅生先生待人接物的謙和態度，使人們產生一種「與世無爭」的錯覺。從幾十年的相處中，這確是一種誤解，甚至是不理解。毅生先生是有所「爭」的。他不爭小事而爭大事，特別是學術大事。這是我從《探微集》中進而得到的微見。毅生先生對于解放以來的若干學術爭論都投身其中。《歷史科學是從爭鳴發展起來的》一文不僅論證我國「百家爭鳴」的優良傳統，而且也是毅生先生「爭」

的宣言。他說：「歷史科學是從爭鳴中產生的」，「歷史科學是從爭鳴發展起來的」。他不但是言，而且還見諸行。討論社會性質問題，毅生先生對滿洲入關前的社會性質先後撰著鴻文兩篇闡述觀點。討論資本主義萌芽問題，他針對人們熱衷引證的《織工對》這一基礎資料，從《始豐稿》的體例，《織工對》所用辭匯，元明鈔值的比較各方面看，而論定《織工對》是徐一夔在元末所寫，並以織工數目比例來論定作品所述爲絲織業狀況，從而得出總的結論是：「徐一夔《織工對》敘述的是元末杭州絲織業織工。」這一論斷就從基礎史料上對這一論爭作出了應有的貢獻。在歷史人物評論上，毅生先生不僅對曾經風靡一時的曹操評價問題作過全面評論，而且還從理論上提出了被人忽略而卻有重要意義的論題即：「只要用馬克思列寧主義的立場、觀點、方法作出來的結論，就可以算是翻案，而不必管結論。因爲我們是翻反馬克思列寧主義的案，不是翻某些結論的案，更不是替統治階級翻案。」

這已經不是一般學術的「爭」，而是爲馬克思列寧主義而「戰」，毅生先生在學術論爭中的旗幟日益鮮明起來了。

在「清官」問題討論中，他寫了《關于清官》的批判性論文。值得注意的是毅生先生在自己編定的《探微集》中把這批論戰性的文章編爲一組而踵于《歷史科學是從爭鳴發展起來的》一文之後。這恐怕也是毅生先生含蓄表露的「微言大義」吧！

讀《清史探微》只見毅生先生學問之一端，讀《探微集》益知毅生先生學問之淵博。輿地、目錄、校勘、音韻、考證是傳統學術中的基本功。清代著名學者錢大昕、戴震無不兼通地理。毅生先生對自己的學術從不自陳，惟獨對古代地理的專長則形諸筆墨，自稱：「余舊治國志，繼探求古地理，心儀趙誠夫之學。」這就無怪有一次毅生先生與我大談趙一清《水經注》公案達一小時之久。《探微集》中有一組分量不小的古地理論文。他不僅有概論性的關于古地理學的專文，而且還運用其聲韻學知識解決史書上地望與對音的具體問題。晚近著名學者陳垣、余嘉錫諸師都自述治學之道乃由目錄學入手。毅生先生也不例外，他有深厚的目錄學素養，《探微集》中有十數篇與此有關的論述。《中國古代史籍的分類》是史籍分類的綱要，不僅有縱的敘述，也有横的比論，對掌握史籍類次頗有裨益。他如序跋諸文上承清賢題跋的謹嚴，下爲讀原作的津梁，起到了目錄學「辨章學術，考鏡源流」的指引作用。

《探微集》可代表毅生先生的學術，但不能盡包毅生先生的學術。《探微集》問世後的諸作，如《清代的幕府》、《清史研究和檔案》以及遺作《鴉片戰爭前清代社會的自然經濟和資本主義萌芽》、《滿洲的統一》諸文都是毅生先生見功力的精粹之作，應有所補續。毅生先生的哲嗣克晟和高弟馮爾康等都是數十年親承薪傳而學有成就的學者，自當義不容辭擔此重任，《探微續集》必當由他們裒集問世以嘉惠學林，我也將借此而獲更多的教益。

從箋注古籍談起

——評《顏光敏詩文集箋注》

箋注是整理古籍的一種方法，源起頗早。「注」是用注水以開通水道的阻塞來比喻加注以疏通文辭，求得解釋的意思。從東漢至魏晉，注被廣泛用作解經之體，如殘存的馬融《尚書注》和完整的鄭玄《三禮注》等都是。箋原指標注簡書內容的小竹片（如現在于讀書不解處夾紙條），後演變成對經義抉隱發微，表示個人見解的一種注法，如鄭玄有《毛詩傳箋》。傳是從宏觀上傳述經義使經傳之久遠，而箋則從微觀上對許多具體難懂的地方做更細致的解釋。後世往往把「箋」作爲注家署書名時的一種謙稱。所以有些注本經常用「箋釋」、「箋注」之名，實際已與注釋無異。古籍經過箋注之後確能幫助讀者掃除障礙，使之更易于接受和理解。近年來，以「箋注」爲名的注本爲數不少，但要尋求一種合格的箋注本，亦非易事。最近讀到趙傳仁等所箋注的《顏光敏詩文集箋注》（齊魯書社出版），感到這是一本比較好的古籍注本，不僅可從中得到許多知識，還能從這本書的箋注方法想到怎樣做好古籍整理工作。

箋注古籍首先要從如何選書著手。我國古籍數量之大只能用「浩如煙海」來形容，如果逐一箋注，勢所難能，那就出現究竟選什麼人什麼著作的問題。趙傳仁等選用《顏光敏詩文集》來箋注是恰當的。顏光敏是明清之際未被注意到的一位詩人。他大部分活動在清，但他的家庭又與明朝有深切的關聯，其本身又經歷了改朝換代的變革。他不僅與當時許多學者文士如宋犖、田雯等並有詩名，而且還和明末遺民、學生晚輩多有過從。顧炎武、王士禎、沈德潛等人對他都極力贊譽。又性喜游歷，所以培育他有豐富的詩才底蘊。他的詩主要是史詩，對歷史和文學史的研究有重要的文獻價值。所以這是一部值得箋注的詩文集。這不僅體現了箋注者的認眞態度，也對如何選好整理對象有啓發。

選好整理對象後，就要考慮如何把這部書注好。顏集凡五言、七言的古詩、律詩、絕句等詩體均有豐富詩作，因此，箋注者首先應具有詩的基本知識，了解著者爲何使用此體或彼體。顏詩不是單純的文人吟風弄月之作，而大多是有豐富內容的詩句。所以，一句詩可能需要幾個注，而這些注往往涉及人物、史事、典制和風習，需要從目錄、譜傳、索引、別集、方志、輿地等圖籍去找尋線索和根據。箋注者採取的不是一種直注而常是在就字詞釋字詞外更深入地注明典故出處，如在《送謝方山齎詔江西》一詩中有句云：「匡廬積雪侵」，注「匡廬」時並不止釋作「江西省廬山」，而是又引南朝宋釋惠遠《廬山紀略》中所記，有匡裕其人「受道于仙人，共游此山」以釋山之得名，更徵及白居易《廬山草堂記》中「匡廬奇秀，甲天下山」語以喻廬山風景之美，使讀者于讀本詩箋注時復得益于詩外。釋「古典」不易，而釋「今典」尤難。顏集中有《送魏子相庶常歸養》詩題，如僅注「魏子相，人名。庶常，翰林院庶吉士代稱」，亦未爲不可；但是，箋注者爲釋「魏子相」這一「今典」，曾根據線索從不同渠道查閱《清人室名別稱字號索引》、《明清進士題名碑錄索引》、《鄆城縣志》以及顏光敏之《京師日歷》與《德園日歷》等，終於了解魏子相之生平事跡。箋注者之艱辛，于此可見。

箋注古籍不能僅就古籍本身作技術性處理，更應有研究性內容，即于本集之外，廣加搜羅，不僅使原作者之遺文佚篇復見于世，而對原作者之生平事跡也能求得大體完備。《顏光敏詩文集箋注》的箋注者于此頗多用心。在詩集之後附入失題詩六首，使原作者無遺珠之憾。箋注者對有些詩爲使讀者能更深入理解作品內容，于詩篇之末附入有關資料，如《賣船行爲宣城先生作》詩後即附入施閏章《賣船行》。所謂宣城先生即施閏章，宣城人，罷歸後，行過鄱陽湖，乏食，遂賣友人所贈船，並作《賣船行》記其事，顏光敏也曾爲此事作詩。箋注者于顏詩後附入施詩，實有裨讀者。這類體例，不止一處，對箋注詩文集者很有啓發。箋注者搜尋此類附篇，雖需耗翻檢之力，但對讀者功莫大焉。古籍整理水平亦因之將有所提高。全書之後有四附錄，附錄一集有關顏光敏之傳記、碑銘、年譜；附錄二爲他人爲顏集所寫序跋與書錄；附錄三爲諸家評語；附錄四爲參考引用書目。有此四附錄已爲顏光敏生平事跡與詩文創作之研究備足資糧。箋注顏光敏詩文集之體制較爲完備，顯示出箋注者之功力與成績，更足爲他人所借鑒。

《顏光敏詩文集箋注》的箋注者能從整理對象之選擇，箋注內容之廣徵博引，整理體制之完備諸方面盡力完成這樣一部較好的注本，應該引起讀者給以應有的注意。我也從讀此注本而對古籍整理工作有進一步認識，也希望能讀到更多這類的箋注本。

于細微處見學問
——評《中國門文化》

中華民族是個重視歷史的民族，中國人都喜歡讀歷史書。但是，遺憾的是他們常常找不到幾本能讀而且願意讀的歷史著述，不是自詡乾嘉後學，一字之證，博及萬卷，三行高兩行低而趨于繁瑣的考據性著述，令人難以卒讀，掩卷而眠；就是標榜馬列，放言玄論而流爲空疏的宏觀性文字，令人莫測高深，廢卷而嘆。要想尋找一種或一篇著述，既有豐富內容，又具可讀文字，能使人們從歷史的一點或一個方面看到歷史更廣闊的畫面，眞是比較難得。

最近讀到《中國的門文化》一書，對我所想看的那種書，可以說雖不中不遠矣。這本書的作者吳裕成是一份晚報的副刊編輯，能在業餘時間，立足于一個細微的問題，幅射向歷史的更多側面，寫出了既有確切的資料內容，又出之以清新可讀文字的著作，其功力毫不遜色于某些專業學者，亦足見作者具有于細微處見學問的能力。

檢驗一本著作或一篇論文，往往從是否有新角度和有無新材料著眼。

《中國的門文化》的作者用一塊「門」這樣的細小石子投向歷史那一池春水之中，就一圈大于一圈的推蕩開去而自然成文。作者像使用圓規那樣，用一只腳有力的插住以「門」爲圓心的點上，首先把「門」的本身典制講得一清二楚，從門的字形字義講到門的建築、裝飾和附設物。然後，作者又把圓規的另一只腳一次、再次地加大半徑，一圈圈地擴展，從門的本身推衍到門的各種有關習俗，舉凡門神、門聯、與門有關的歲時習俗以及厭勝闢邪等事無不涉及，進而更把門升華到門文化的歷史境界，使歷史上有關門的文化現象幾乎全面地裸呈于讀者面前，使人們了解到門的社會理想、門第門閥的典制、看門守關人的地位、貼近現實的前後門、門前禮儀、宮門內外的政治以及門名的文化底蘊等等都有完整的論述，終於完成一部爲人所習焉不察的門文化著作。

《中國的門文化》的論述都有豐富的歷史依據，作者觸及到經史子集這類常見書，賦予舊史料以新生命，推陳出新，成爲新材料。過去，我的幾位老師都曾教誨我要讀常見書，要讀已見書，只有從這些書中讀出新意來才是眞有學問，不要獵奇。如拿自己獨有獨見的孤本史料爭勝，難免有英雄欺人之嫌。本書作者運用材料的態度與作法，有不少與前輩學者頗多暗合之處。他于經部所用無非《詩經》、《禮記》、《論語》、《爾雅》；于史部不外正史、政書、地方志和《荊楚歲時記》、《洛陽伽藍記》等書而已；于子部除《老子》、《韓非子》外，尙有大量的筆記小說；于集部既有白居易、李商隱的詩，也有楊愼的《升庵集》等。此外還吸取時賢的有關論述。這些資料的運用誠如王安石在《題張司業詩》中所說那樣：「看似尋常最奇崛，成如容易卻艱辛」。

書評理當有褒有貶，不容溢美。因爲既然人無完人，書也無完書。最近有人著文批評某書評家對曹聚仁的著作過分溢美，其說值得重視和贊成；但是，我也略有補充。對于某些有成就的知名學者應該少一點捧場，多一點吹求，因爲值得贊揚的地方是知名學者應該做的本分，批評則使知名學者在喝彩聲中保持一定的清醒，這也是一種愛護。至于對默默無聞或尚未知名的中青年學者則應鼓勵多于批評，增強他們奮進的勇氣，日新再新，寫出更多有科學性、可讀性的學術性著作，讓更多的讀者有大量願讀、能讀的學術著作。這也許是我對《中國的門文化》一書情有獨鍾的原因所在。

古今興廢看洛陽

——題《洛陽市志·文物志》

中國歷史源遠流長，文字典籍浩如煙海，用以說明歷史進程與現象，似已大體敷用，但其可徵性與直觀性又稍遜于實物遺跡，而文物于研究遠古歷史尤有所需。文字記載，各有理解與詮釋，眾說紛呈，久久難定一是，一旦出示實物，或掘獲遺跡，則異口必趨同聲，眾說納于一途。其于參訂歷史，特有價值；其給人之感受，也遠非文字記載所能代替者。如商周器物、歷代建築、民生用具皆可歷歷在目，獲直觀之深刻印象。然中國地大物博，素有文明古國之稱，文物數量極多，勢難遍歷，而域外友好，向慕中華文化，也極需指引。此各地《文物志》之編纂必當應運而生。際茲改革開放之時會，弘揚華夏文化，廣邀萬方佳朋，纂成一《文物志》已爲當務之急，而文物密集之地，尤有眉睫之迫，此《洛陽市志·文物志》之所以及時刊行也。

洛陽爲十三朝古都（夏、商、西周、東周、東漢、曹魏、西晉、北魏、隋、唐、後梁、後唐、後晉等十三個朝代在這裡建都），是一座「若問古今興廢事，請君只看洛陽城」的勝地，文物寶藏與遺跡居全國前列。我曾親歷其地，得游白馬寺、龍門石窟、香山、關林、含嘉倉城，其鬼斧神功，宏偉壯觀，見者莫不嘆爲觀止。參觀博物館，睹其青銅陶瓷、金銀玉石之器，古樸精巧，各得其趣。我自以爲歷朝文物已得其大要，今讀此志，頓生井蛙之愧，因所見者殆微不足道。是文物薈萃之區，固不可以無《文物志》。若得此編，欲親歷其地者，可先期擇要而游，庶免識小而遺大；其乏財力及體力難勝者，則或伏案，或欹坐，通覽此志，亦克享臥游之樂。域外之人，獲讀其志，慕中華文物之盛，心向往之而游興驟起，來我中土，游我東都；楮幣孔方入我建設之囊，無煙工業之開發，其斯之謂？此洛陽《文物志》之必須編纂也。

《洛陽市志·文物志》之纂成，幸獲先睹。資料豐富而行文流暢可讀，盡數日之力，通讀一過，收獲良多而興味盎然。概述一篇，本爲志書中最見功力之作，而此志之概述要言不煩，文不過五千餘字，既未過分奪市志總述之內容，復能大筆勾勒河洛文化之概貌，使讀者得宏觀之認識，進而有讀全志之渴求，可稱已得概述引而不發之妙。志文敘述，能全其首尾，述其始末，如記述白馬寺，不僅讀者得知白馬寺數建數毀，今寺大致爲明制之沿革變遷，而佛教傳入中國之歷史亦有所記載，使讀者受歷史之教育。又如記龍門石窟，所列五目，有層次，有重點，其概況一目有總括全窟之文字一段云：

> 密如蜂房般的石窟群，南北綿延長達一公里。從北魏開始雕造，歷經東魏、西魏、北齊、北周、隋、唐和五代，延至北宋諸朝，前後長達四百餘年，其中大規模的營造約計一百五十年左右。據統計，兩山尚存窟龕二千一百多個，佛塔四十餘座，佛像十萬餘尊，其中最大的造像盧舍那佛高達 17.14 米，最小的僅有 2 厘米。碑文題記 2870 品。其中造像以北

魏和隋唐爲主。北魏約佔 30%，隋唐佔 60%，余者散見諸朝。

這段百餘字的記述，看似平淡，而信息含量甚多：有⑴龍門石窟總面積，⑵雕造歷史，⑶重點營造時間，⑷現狀的精確報道。「據統計」雖僅用三字而給人以可徵信性。自此而下細說細講，充實讀者微觀知識，類此筆法，愚意頗可供修文物志者所取法。其章、節、目歸類清晰而定名用字尤見斟酌推敲，如第一章第一節標曰：「舊石器時代遺存」，第二節則標稱「新石器時代遺址」。「遺存」與「遺址」雖僅一字之易，而實有其一定的內涵，其稱「遺存」者，因「舊石器時代處在原始社會的初級階段，當時人們以漁獵和採集爲主要生活來源，寄居洞穴，無固定聚落」。所以不能稱爲「遺址」而只能定名爲「遺存」。是志于有歧異之文字記載，並不採取單純並存方式，而是加以必要的考證。如靈臺高度，古代文獻有不同記載，一說「靈臺高三丈」，另一說「漢光武築，高六丈」，二者有一倍之差，如二說並存，亦不失爲認眞態度，而執筆者始則以理證之法，使用古度量衡折算方法來證其事理之是非，東漢 3 丈約合當今 7.08 米，6 丈則爲 14.16 米，而今靈臺殘高尚有 8 米，則 3 丈之說顯然有誤，但是，執筆者並不以此止步，進而求其書證，據《洛陽伽藍記》卷三《大統寺》條稱：「（雙女寺）東有靈臺一所，基址雖頽，猶高五丈餘，即是漢光武所立者。」作者爲北魏人，北魏 5 丈約合今 14 米左右，與「六丈」之說接近，參之以今存殘高亦合乎情理，異說乃得確證，而志書之學術質量亦得以明顯提高。是志多有引文，大都皆有出處，益增其可信度與徵引率。至若文字流暢，文風質樸，卷首彩圖之質感，文內插圖之清晰可鑒，猶其余事也。單行文物著述可無庸作左右上下之旁顧，而作爲地理志之一種，則尚有可探討者，因《洛陽市志·文物志》上有《河南省志·文物志》，下有所屬各縣之文物記載，何者應詳，何者應略，頗費周章。今以省、市二志比較，多有重複。以洛陽文物豐富而言，似應市詳而省略，或市志以圖片取勝，而有別于省志。洛陽遺址器物量多而世人頗難全部親視眼見，今已出市志之圖片，核其所有，可稱寥寥。志既問世，改觀已難，愚意不若重選圖片，匯集大量精粹，另編別錄一冊，用作《洛陽市志·文物志》之附冊，則既能有別于省文物志而自具特色，更爲其他文物薈萃之地而《文物志》尚未問世者開一先河。至于市縣關係，因未獲讀各縣志書而難置喙，然甚望市志主政者注意及之。

圖文並茂應爲《文物志》之要求，但圖文必當一致，如三百五十七頁「含嘉倉刻銘磚」，插圖磚上有「東門從南第廿三行」，而文字寫作「東門從南第二十三行」字樣，「廿三」與「二十三」，雖意義相同，但既用括號作引文，則當保持原樣，不加任何改動。

取材爲志書質量高低之標尺，舍其本而取其末，難以得巨細不遺之譽。《洛陽市志·文物志》第四章第二節爲「名人墓」，列伊尹、狄仁杰、杜甫、白居易、顏眞卿、范仲淹、邵雍、二程等，或名相詩聖，或理學宗師，高山仰止，心向往之，使鄉人瞻念前賢，益增愛國愛鄉之情，設能閱其生平，更能激勵來茲。如范仲淹墓有「褒賢之碑」，雖碑身中間和下部文字有所剝損外，大部分文字清晰。應有字二千零四十四個，現存字一千五百一十一個，存者殆逾四分之三，若與《宋史》本傳所收碑文相較，內容基本相符而碑傳較史傳爲詳，可補史傳不足，對研究宋朝一代名臣之生平事功有重要參考價値，而志中並未錄此「褒賢之碑」，未悉何故？抑難以安置于適當章節，似又難以置信。因第七章第二節有「墓志」專節，所收自漢至民國之墓志共七十篇，篇幅容量不可謂不大，何吝其一目而遺范公墓碑之一珠耶？

至若頁八十六記唐恭陵曰「廟號恭陵」，非是。「恭陵」爲唐高宗太子李弘墓。李弘爲武后所逼飮鴆自殺後，追謚爲「孝敬皇帝」。其後擬別立義宗之廟者，是將以義宗爲李弘之廟號。開元六年，有司上言：「孝敬皇帝今別廟將建，享祔有期，準禮，不合更以義宗爲廟號，請以本謚孝敬爲廟稱。」于是，義宗之廟號乃停而使用孝敬爲正式廟號。史有明證，當可確定。「恭陵」只是陵墓之名而決非廟號。類此之誤尙有而不復贅言。即此，亦小疵之不掩大醇。

評《桐城市志》

桐城位居皖中，爲我國歷史文化名城之一，人文薈萃，代有名人，更有悠久修志傳統，自明代中葉以來凡七修其志，今尚存有明弘治志，文獻足徵，爲新編市志創有利條件。今志自一九八二年創議籌劃，至一九九三年完稿，十易寒暑，繼踵前賢，終成其事。

《桐城市志》恪遵修志體例，篇章結構大體得當，以歷史、地理、人口、經濟、政法、軍事、文化、教育、體育、科技、風俗爲序，思路通順，頗便循讀，而入人物于專志序列，自成專章，更易渾成一體，再加以前有大事記與概述，後有附錄，三大部分融爲一志，則桐城一地之上下左右可一覽而得。概述以地理農工、人民反抗、文化教育、科技風俗爲序，分段論述，尚稱簡要平實，大事記明清以前似嫌簡略，若能稍加補益，則可大致反映古事，而爲全書之綱領。

《桐城市志》要言不繁，敘事清楚，其章節目下，條列記事，無拖沓細碎之病，得條分類析之效。其內容歸屬亦自具特色，如民政、勞動人事、外事信訪，分立則過于煩瑣，合之又難于歸屬，《桐城縣志》立《綜合政務》專章，則將與各部門皆有關聯之政務加以綜合敘述。軍事章之《主要兵事紀略》納古今軍事活動于一節，頗便省覽，所附日軍暴行錄與鄉民抗暴錄，對照鮮明，不但敘事集中，見撰著之功，又可作鄉土愛國主義教育之專篇教材，得教化之效。

今編新志懲舊志忽略經濟之失，于經濟部分濃墨重彩以應時代社會之需，此固理所應當而無可厚非，但有若干新志因重經濟而輕文化，則難稱允洽。《桐城市志》能全面照顧，無所偏廢，文化一章，極爲引人注目。桐城文化之盛，久已名噪學林，編修諸君有鑒及此，詳記當地著作，以表露桐城之地方特色，與其他新志以地理景色與名特物產顯示地方特點者，迥然不同而獨出心裁，此不可謂不具史識也。《桐城市志》將桐城著作由唐至清分四部著錄，言簡意賅，井然有序。所附《歷代主要作者部分書目表》，含自唐至今之著者，雖以「主要」及「部分」之詞語留有餘地，即所收著作已可概見桐城文風學風之盛，表列版本與縣內收藏單位兩欄，尤得目錄法則，使人得即目求書，因書究學，爲他志所鮮見。如能于著者前標示時代，則更有裨于讀者。本籍學者文人之詩文，他志多入書尾附錄，而《桐城市志》則移本籍人詩文選輯附于文化章著述與文學創作目下，而輯存外地名人之題詠于附錄，益以見桐城文化之璀燦，此又編修者寓論事于敘事之深意存焉。民間文藝之編述故事傳說，雋永可讀，體現志書之普及意義。

桐城文派爲有清一代重要文派，堪稱古文正宗，上有宗師，下有流脈，其影響所及，居各文派之首。文化章立《桐城文派》專節，洵稱有識，節下論桐城派源流師承、文論及創作，雖著文不多，直可作桐城文派之小史，使未知者知桐城文派爲何物，已知者亦能得提綱挈領之妙。所附桐城派學術研究論文表，列清末以來八十餘年之部分研究論文，有助于對桐城派學術研究之進展。桐城派唯桐城有之，以文化之特點顯示地方之特色，既合于志體之要求，又別立一格而見編修者之自有見地。

人物爲志書之靈魂，見物見人，爲志書基本要求。所收人物或寬或嚴，頗費周章，過寬易失于濫，使不應入志者廁身其間；過嚴所摒者多，則稽求人物每求助于舊志，新志功能難以完全發揮。《桐城市志》于人物設專章，收錄較備。全章分傳、錄、表三部分。人物傳一本生存人不錄原則，收古今重要人物九十餘人，多爲聲名顯著、各方面有貢獻者，而文化名人所佔比重較大，如桐城派之方、劉、姚及其後繼者吳汝綸、馬其昶等，近代之吳芝瑛、馬君實、方令孺、朱光潛、葉丁易等，皆以之顯示文化名城之特點。各傳也詳略得宜，可備一般翻檢參閱之需，或可不再問津于舊志。其排列以生年爲序，不同于當前多以卒年爲序之窒礙，唯列羅成均于傳末，殊不可解，羅氏生于一八八八年，何獨置于一九四四年出生之鄧中林之後，似爲自亂其例。羅氏卒于一九五六年，而記事止于一九四四年返回廣西，其後十二年行事不著一字，似飄然而去難有所記，遂戛然而止者，則其卒年又從何而得，姑存疑付缺。人物錄共收五百餘人，皆附簡介，生平大要，約略可知。傳錄所收人物計六百餘人，雖大致完備，可供翻檢，但以所收人物較多，使用頗感不便，若能于人物傳前立傳、錄人物目錄，或于錄後附一人名索引，則更有利于讀者。

評《常熟市志》

常熟是人們非常熟悉的一個地名。它是一座以文化著譽的歷史名城。我在青年時代就因讀《孽海花》而知道作者曾樸的家鄉是常熟；後來學習中國近代史時，又知道戊戌變法時有位重要歷史人物翁同龢亦籍隸常熟；在專攻古典目錄學時發現「脈望館」趙氏和「鐵琴銅劍樓」瞿氏都是常熟世代書香的大藏書家。二十多年前我結識的一位朋友、史學名家戴逸也是常熟人。因此，常熟給我的印象是文化發達、人文薈萃之地。一九八五年，我有幸到常熟一游，還未下車，就在汽車行進中從車窗看到正在興建的常熟職業大學，其規模絕不遜于其他縣辦大學；我還徜徉于曾園，在小樓的一角浮想當年曾樸如何勾劃人物。這些更加深了我對這座文化城的印象。

《常熟市志》編者抓住了文化城這一特色，本著地方志應具有地方性的要求，特立了「藏書·著述」專編。地方志立藏書專章固不自此始。早在宋朝施宿編纂《嘉泰會稽志》，其卷十六即爲藏書專篇，《四庫提要》至譽之「爲他志所弗詳」。清光緒間龐鴻文等纂《常昭合志稿》，其卷三十二即收錄藏書家三十二人。類此都可見撰者的卓識。新編地方志歷年成就超越前人，無庸贅言；但重經濟輕人文似有矯枉過正的傾向，而文化記述中能著眼藏書並爲之立專編者，疏漏如我，讀志未遍，僅就已寓目諸志中，尙未之見。在近代圖書館出現之前，私家藏書自宋迄清，無疑是中國豐富文化遺產保存和傳遞的重要匯聚點之一。藏書如何在某種意義上還標志著地方文化發展的程度高下。常熟私家藏書久已載譽人口。《常熟市志》編者以其卓識，特立專編，不僅爲本志增色，亦爲十年編志添彩。因此，方一展卷，其第二十二編「藏書·著述」目次即使我耳目爲之煥然。由於它所具有的前所未見的新鮮感，而我又對流略之學有所偏好，所以迫不及待地迅即翻讀「藏書·著述」專編，盡半日之功，一氣讀竟，回味咀嚼，未能自已，興奮之餘，感慨系之。

其一，近年編志成績巨大，修志多士，苦心探求，總期所撰能有地方特色以比美于宋范成大《吳郡志》之立園林專篇，于是如蕭山之立圍墾，青州之立煙草，鄢陵之立花卉，頗著特色。但這些均就經濟立言，而能以文化，且以文化中之藏書著述爲特色者，唯常熟此志（恕我孤陋寡聞）。《常熟市志》有此一編，足可傳世。

其二，《常熟市志》之立「藏書·著述」專編，絕非炫奇爭勝，別出新裁，而確乎事實俱在；也不是羅列堆砌，而是精心結構。編首小序雖文字不長，但言簡意賅。加以文字典雅，令人回味。千餘字篇幅而內容豐富，又足見編纂者的功力。

其三，全編結構共分四章，第一章《歷代藏書》爲常熟私家藏書史，用表寫列自宋鄭時起至民國王兆麟止共一百四十三人，而清人（含明清之際）佔一百零一人。每人除著其字號生卒，立簡況一欄記其藏書特點，立室名一欄記其室名以明藏書處所，旁行斜上，一覽可得。第二章《藏書家選介》，自百餘家中擇其犖犖大者十五家，若明趙氏脈望館、明清之際錢氏絳雲樓、毛氏汲古閣、清張金吾愛日精廬、瞿氏鐵琴銅劍樓、翁氏寶匏齋等均聞名于世而詳其始末。此個體分析與第一章之群體表列相得益彰。第三章《今存善本書目》按四部分類著錄常熟市圖書館等三單位現藏善本書。第四章《邑人著作書目》，分民國期間及建國後兩部分，著錄邑人著作，爲鄉邦儲文獻之目，亦以見常熟人才之盛。

今編新志于卷首立序，幾已成爲定例。就我所見，新志之序大體分爲三種序次：一是無署名序，由編委會寫一序，如四川《崇慶縣志》。二是由地方領導人寫序（或黨政合寫，或黨政分寫），有不少志書如此。三是在地方領導人之外再搭配一位學者之序，近年我曾爲數種志書充當此席。我對追隨于書記、縣長之後尙爲心安理得。但當翻讀《常熟市志》時，赫然立于卷首者乃戴逸教授撰序，而常熟市委書記周福元序則居次。我鄭重聲明：我于此毫無牢騷與妒意而是甚感驚喜。此不僅爲志書提出第四種序次，即學者在前而領導居次，也體現了當地領導價值觀念的變化。當然，《常熟市志》之序次有撰序人優越的客觀條件在內，戴公名高位重置之前列，自無愧色；但從另一角度思考，常熟主政者的氣魄識見，確乎不凡。其推知識分子于首位，既顯示其重視知識重視人才之價值觀，亦毫不降低自己的應有地位，反而表露其瀟灑風度與文化素養，亦唯常熟這類文化蘊積層深厚之土壤方能有此重視文化之現象。知微見著，我不禁爲常熟這一文化名城的發展前景額手稱慶。最易于滿足的中國知識分子，也從這一細節中得到一定的心靈慰藉。

卷六　書與人

李清照寫《金石錄・後序》

李清照是生活在北宋國事紛擾之際的一位重要女作家。她以詞詩文的卓越成就在中國文學史上佔有一席之地。她的「簾卷西風，人比黃花瘦」和「生當作人杰，死亦爲鬼雄」等名句久已膾炙人口，廣爲流傳。她的文采在宋代已爲時人所稱譽，其見于文字者甚多，如《碧雞漫志》、《風月堂詩話》和《雲麓漫鈔》等書中均有所記述。

不僅如此，李清照的詩詞文在當時已結集刊行並見于著錄。一般地說，古代目錄書著錄圖書是比較遲緩的。凡一門學科，一種著述往往不易在當時就能被立類著錄，除非有定論定評，或流傳極廣並有相應穩定性者始能較迅速著錄。李清照的專集卻是著錄在當世兩位著名目錄學家晁公武和陳振孫的目錄學專著之中。晁、陳二氏是博學多通的古典目錄學家，晁著《郡齋讀書志》和陳著《直齋書錄解題》更是古典目錄學領域中私家目錄的雙璧。而晁志即著錄「《李易安集》十二卷」，並注稱撰者「有才藻名」；陳錄則不僅著錄《漱玉集》一卷，並稱有「別本分五卷」；宋人黃升在《唐宋諸賢絕妙詞選》卷十中另著有「《漱玉集》三卷」，可見李清照的結集不僅刊行，而且尚有不同的版本。元朝官撰《宋史》李格非傳所附李清照傳稱她「詩文尤有稱于時」，而《宋史·藝文志》更著錄《易安居士文集》七卷、《易安詞》六卷。史志目錄爲一代文獻所匯，而易安文、詞結集得著錄其間，益以見其影響與地位。

明清兩代，令譽不衰。明田藝蘅稱李清照「幼有才藻，能文辭」；清初詩壇巨擘王士禎更譽她爲「詞中大家」（《香祖筆記》）；乾嘉時期的李調元認爲李清照不僅在宋代婦女作者中可成「卓然一家」，而且還不在男性詞宗秦觀、黃庭堅之下，「詞無一首不工，其煉處可奪夢窗之席，其麗處眞參片玉之班。蓋不徒俯視巾幗，直欲壓倒須眉」（《雨村詞話》）。雖詞有過譽，然也可見易安之爲後學所景仰。

所有這些評論，大多據李清照之詞的成就而發，而其文反不顯，即論及其文時也往往因論詞學及熱衷于易安改嫁問題而偏重其《詞論》和《投內翰綦公崇禮啓》二文。實際上，眞正能代表李清照文章特色並具有重要史料價值的則是《金石錄·後序》一文。

《金石錄·後序》是李清照爲《金石錄》所寫的一篇敘文，也是一篇充滿濃郁生活氣息，並傾訴愛情歡樂憂苦的抒情散文。《金石錄》雖署趙明誠名，但李清照確曾參與其事，宋人論著已有所論定說：「易安居士李氏，趙明誠之妻，《金石錄》亦筆削其間。」（《貴耳集》）《金石錄》是李清照夫婦于政治失勢後屏居青州十年的最大收獲。它繼歐陽修《集古錄》後被譽爲古金石學的一部名作，對史學、考古學、金石器物學和美術史等領域都有重要參考價值。全書三十卷，共收夏至五代二千餘件金石碑帖版本目錄，其中五百餘件作了考訂評論的跋尾，成爲一部搜訪較備，有所考證的力作，所以朱熹于《家藏石刻序》中特推重其書說：「大略如歐陽子書，然銓敘益條理，考證益精博。」清初錢曾得此書宋殘本，欣喜而刻一圖記：「《金石錄》十卷人家」，並每每鈐于「長箋短札，帖尾書頭」（《讀書敏求記》）。《金石錄·後序》則是李清照在國難流離、夫死物散的困境中，撫今思昔，睹物懷人，情動乎中而發乎文的佳構，正如宋洪邁所說：「趙沒後，愍悼舊物之不存，乃作《後序》，極道遭罹變故本末。」（《容齋四筆》）

《後序》圍繞《金石錄》成書過程，以流暢情趣之筆，除記述其夫婦生平經歷外，「中間敘述購求之殷，收蓄之富，與夫校勘之精勤，即流離患難，猶攜以遠行，斤斤愛護不少置，深惋惜于後來之散失」。所以，它是一篇既富文學意味，又有史料價值的佳作，無怪後世學者文人對之嘖嘖稱道，如明人蕭良有評《後序》說：「敘次詳曲，光景可睹，存亡之感，更悽然言外」；清人陳宏緒稱其「自是大家舉止，絕不作閨閣妮妮語」（《寒夜集》）；而毛晉更以《後序》可「略見易安居士文妙」，並作了極高的評價說：「非止雄于一代才媛，直洗南渡後諸儒腐氣，上返魏晉矣」。清初錢謙益撰《絳雲樓書目》著錄《金石錄》三十卷，並注評《後序》「其文淋漓曲折，筆力不減乃翁」。這些評論大都以其文筆立論，我認爲，《後序》更重要的意義乃在其史料之價值。它可以說是趙明誠、李清照夫婦的一篇學術合傳。

《後序》以記易安夫婦搜訪古器圖籍事爲中心。當趙明誠尚在太學時，輒「質衣取半千錢，步入相國寺，市碑文果實歸」，及「出仕宦，便有飯蔬衣練，窮遠方絕域，盡天下古文奇字之志」，經過「日就月將，漸益堆積」；同時，他們還借助趙挺之政治權勢的便利，通過親友不斷從館閣中「盡力傳寫」「亡詩逸史、魯壁汲冢所未見之書」。他們偶或遇見「古今名人書畫，三代奇器，亦復脫衣市易」。通過這些不同渠道，積累日增，加以趙明誠出任地方官後，上有俸給收入，下有租稅可取，夫婦二人又在生活上力求儉素，「食去重肉，衣去重采，首無明珠翡翠之飾，室無涂金刺繡之具」，不僅有單種庋藏，而且還訪搜「字不刓缺，本不訛謬者，……儲作副本」，以致家中到處都是圖書，「几案羅列，枕席枕藉」，「盈箱溢篋」，所以又不得不建立個人藏書管理制度，在「歸來堂起書庫大櫥，簿甲乙，置書冊，如要講讀，即請鑰上簿，關出卷帙」。不幸的是這些歷經數十年搜求積累的書畫古器，一則青州十餘年間之儲竟被金兵毀爲灰燼，二則夫婦南下流徙中又散亡被竊，喪失殆盡。這不僅使李清照有「得之艱而失之易」的感嘆，也是中國文化積累史上的重大損失。

《後序》所記夫婦閨房情趣格調高雅，不同流俗，即如久爲人知的《浮生六記》，雖細膩有致，但失之纖巧，不過小家兒女；《後序》所記則落落大方，自有大家風範。他們結褵之初，質衣市碑文果實，夫妻「相對展玩」，共同過著時人憧憬的悠閑恬靜生活。中年以後，他們由欣賞而進入辛勤治學的境界，「每獲一書即共同勘校，整集簽題，得書畫彝鼎，亦摩玩舒卷，指摘疵病，夜盡一燭爲率，故能紙札精致，字畫完整，冠諸收書家。」但在嚴肅治學中也時有高雅情趣以遣興，「每飯罷，坐歸來堂，烹茶，指堆積書史，言某事在某書某卷第幾頁第幾行，以中否角勝負，爲飲茶先後。中即舉杯大笑，至茶傾覆懷中，反不得飲而起，甘心老是鄉矣」。這段文字洗煉明晰，一如聞聲見人，逸興遄飛，令人神往。以茶角智力也反映了宋代「斗茶」風習的影響。宋朝是非常講究「茶道」的朝代，上起皇帝，下至士大夫，無不好此，並著書立說加以理論化，如宋徽宗撰《大觀茶論》、蔡襄撰《茶錄》、黃儒撰《品茶要錄》……。社會上一些文人雅士中也流行一種「斗茶」的生活情趣。從李清照的詩詞和趙明誠的題跋中都不止一處地提到茶。可見李清照夫婦之嫻于「斗茶」技藝，因而在比賽彼此記憶力時也自然地接受了「斗茶」風習的影響。以飲茶爲嬉戲也可見夫婦間形影不離的和諧歡暢。以這種細節刻劃夫婦間的情深意濃已達到了入微的程度。

《後序》在篇首即對《金石錄》的編撰之始作了簡括的題識，揭示《金石錄》三十卷「取上自三代，下迄五季，鐘、鼎、甗、鬲、盤、匜、尊、敦之款識，豐碑、大碣、顯人、晦士之事跡，凡見于金石刻者二千卷，皆是正訛謬，去取褒貶，上足以合聖人之道，下足以訂史氏之失者，皆具載之。」篇尾則記《金石錄》定稿狀況說：「裝幖初就，芸籤縹帶，束十卷作一帙。每日晚，吏散，輒校勘二卷，跋題一卷。此二千卷有題跋者，五百二卷耳。今手澤如新，而墓木已拱，悲夫！」這段文字雖是侃侃而談夫婦二人的治學成果，但也流露出李清照對趙明誠英年早逝的悲痛心情，睹物懷人，令人潸然。合觀首尾所記又不啻爲《金石錄》之解題。

《後序》也表達了易安的胸襟開闊。她自嘲對古器圖籍愛好與迷戀其他東西同樣都是玩物的行爲，並發出感嘆說：「嗚呼！自王播、元載之禍，書畫與胡椒無異；長輿、元凱之病，錢癖與傳癖何殊。名雖不同，其惑一也。」❶因而對其收藏的亡失也以「有有必有無，有聚必有散，乃理之常。人亡弓，人得之，又胡足道」以自解，反映了李清照在晚年曾經滄海後達人知命的人生坦然態度和洞察世態的識見，誠如清初顧炎武所推崇那樣：「讀李易安題《金石錄》引王涯、元載之事，以爲有聚有散乃理之常。人亡人得，又胡足道？未嘗不嘆其言之達。」

總之，《金石錄·後序》是李清照曲折坎坷一生的陳訴，也是國破家亡的血淚傾吐，至于文字筆墨尤能詳略得宜，跨度三十餘年而概括恰當，不失要領。清人李慈銘于前人少所許可，而稱此文爲「敘致錯綜，筆墨疏秀，蕭然出町畦之外，予向愛誦之，謂宋以後閨閣之文，此爲觀止」（《越縵堂讀書記》）。可惜如此佳構一直爲其詞名所掩，清代學者俞正燮《易安居士事輯》、近人黃盛璋《李清照事跡考辨》多引據《後序》而有所補苴綴輯、敷衍訂正，弘揚《後序》，不失爲易安之功臣。

---

❶ 王播爲唐王涯之誤。王涯歷事德宗至文宗六朝，喜收藏書畫，後被宦官仇士良殺害，並從夾牆中搜出珍貴書畫，畫軸金玉被掠而書畫棄置；元載，唐代宗宰相，後獲罪抄沒家產時僅胡椒就有八百石。此二句意即書畫與胡椒雖雅俗不同但對其嗜好相同。長輿是晉人和嶠的字，性吝好財，有「錢癖」之譏，元凱是晉杜預的字，自稱有「左傳癖」。此二句意即錢與左傳雖性質不同，但愛好成癖則是同一的。

汗竹齋及其主人

汗竹齋是明末福建藏書家、目錄學家曹學佺讀書藏書的地方。它的命名是取竹簡需經水浸火烘刮皮後才能使用的寓意。曹學佺字能始，號石倉，福建侯官人（今福建閩侯），明萬歷二年（1574 年）生，清順治四年（1647 年）卒，得年七十四歲。他在萬歷二十三年成進士後即授職戶部主事，因事調往南京添注大理寺左寺正，這是一個無事可作的冗官。在仕途進身上是難于騰達的，但學術上卻給他以充分的時間。他在任七年，全力置身于學術，奠定了深厚的基礎。後升遷爲南京戶部郎中、四川右參政和按察使，因爲拒絕蜀藩的過分苛求被劾去職。天啓二年，重被起用爲廣西右參議。六年秋，遷陝西副使，尚未啓行，因所著《野史紀略》秉筆直書明末梃擊案始末，揭露了這一政治大案的眞相，爲閹黨所忌，逢迎者劉廷元便以「私撰野史，淆亂國章」的罪名誣陷他，廣西大吏以曹將得大禍，遂扣留待罪。連推薦他的按察御史王政興都被勒令閑住。後因未追究，方被釋還鄉。崇禎初年，曾起用爲廣西副使，不就。曹學佺利用家居近二十年的時間，在所居石倉園中一意讀書著述，並利用藏書撰成《石倉十二代詩選》，盛行于世。迨明朝北京政權滅亡後，唐王自立于福建，乃授曹學佺爲太常卿。不久，遷禮部右侍郎兼侍講學士，進授尚書，加太子太保。這本是他發揮才能的機會，但大勢已去，唐王終於在清兵大軍壓境的情況下失敗，曹學佺逃入山中，見于無力挽回敗局，遂自縊而亡。《明史》有本傳記其事。

曹學佺一生好學嗜書，搜集典籍數萬卷，貯藏在其藏書樓「汗竹齋」中，並自編《汗竹齋書目》，與紅雨樓主人徐𤊹並稱爲福建兩大藏書家。徐𤊹曾評其藏書是「丹鉛滿卷，枕籍沉酣」。這一評語正可作爲曹氏不僅富于藏書，好學不倦，並能勤于校勘的明證。

曹氏的藏書思想也很值得注意，他沉浸典籍日久，深以佛、道二氏有『藏』，而以儒家獨無「藏」爲憾，曾慨嘆說：「二氏有『藏』，吾儒何獨無？」準備用叢書的方式，纂修一套「儒藏」以與佛、道二藏成鼎立之勢。于是採擷四部，按類分輯，前後經過十年，遇到明室復滅的變亂，書未成而中綴。儒藏之事雖未成，但立儒藏的思想卻對保存典籍，便利學人有益，對藏書建設與藏書史的進一步研究有所貢獻，而其影響更及于後世。清乾隆時學者周永年爲便于典籍的集中公開，曾以曹氏儒藏思想爲據而著《儒藏說》，並作了部分的實踐，雖也沒有完全成功，但是，《四庫全書》的編纂大業，無疑受到《儒藏說》的一定啓示。世人談及《四庫全書》之編纂，每每歸功于周氏之《儒藏說》，而鮮及曹氏之創意，似欠公允。

曹氏一生致力于藏書，與徐𤊹藏書並著于時。曹氏更以其豐富藏書，進一步深研目錄之學。當他任職四川時，即採輯川人著述，對經眼諸著，寫成提要，敘作者生平及所著內容，並錄其序跋，成《蜀中著作記》十二卷（現殘存四卷），爲編制地方文獻專目樹一典型。曹氏又深通經學，曾著有《易經通論》、《春秋闡義》等。復長于詩文，其詩有樸茂深遠之譽，爲明末閩中一大家，對倡導福建文風，頗著作用。所作詩文甚多，總名爲《石倉集》，傳之于世。晚年以殉明節著稱。

屈大均與《廣東新語》

一

作爲明清之際嶺南文化的代表人物屈大均，原名紹隆，或作卲龍，以出生于翁山而自號，一號冷君。廣東番禺人。明崇禎三年（1630 年）生。清康熙三十五年（1696 年）卒，年六十七歲❶。他在明朝僅僅是諸生的身份，還沒有來得及進入仕途。一六五一年，清兵圍廣州時，他只有二十一歲；但表示了與新建立的清政權不合作的態度，削發爲僧，法號今種，字一靈，又字騷餘。他生活于清政權之下達五十餘年，但一直堅持不仕，時而以儒者面目出現，傳播儒家傳統文化；時而又遁跡方外，以一種傳統方式對抗新政權。就屈大均而言，他似乎不存在「屈節」問題，可能他深受儒家「華夷之辯」的影響，視清爲異族，而不肯臣服，但又無力舉兵抵抗，因此，就利用語言文字來保存和宣傳華夏文化，盡量反映嶺南地區的社會、經濟、文化、人民生活等等方面的狀況，對嶺南文化做出極大的貢獻，產生重要的影響。這對于新政權無疑是一種阻力，不

---

❶ 近人涂宗濤曾據《翁山詩外》撰《屈翁山生日考》一文，考訂屈大均的生日爲明崇禎三年九月五日（1630 年 10 月 10 日）。載廣東《學術研究》1980 年第 2 期。

過，當時尚有如三藩、臺灣等等更大的問題，須要抓緊處理，所以使屈大均逃脫了災難。而到了乾隆中期，由於國勢穩定和乾隆帝更了解漢文化，所以採取表彰明故臣的節義，貶斥降臣的喪節，而把採取不合作的屈大均也納入痛斥者的前列，乾隆四十年（1775年）十一月十日的一道上諭中曾嚴斥屈大均的逃遁行爲說：

> 金堡、屈大均輩之幸生畏死，詭托緇流，均屬喪心無恥。若輩果能死節，則今日亦當在予旌之列。乃既不能舍命，而猶假語言文字以自圖掩飾其偷生，是必當明斥其進退無據之非，以隱殛其冥漠不靈之魄。（《史忠正公集》卷首，叢書集成本）

屈大均性好游歷，曾北游京師，周覽遼東，西涉山陝以開闊眼界，增長見識；又與著名學者顧炎武、朱彜尊、閻若璩、毛奇齡等多有往還，相互切磋以提高學術，熔鑄成一位有學有識的學者，發揚嶺南文化的求實學風。

屈大均還是清初的嶺南著名詩人，王士禎曾稱道其詩說：「翁山之詩，尤工于山林邊塞，一代才也。」（《池北偶談》卷十一）他除撰有比較集中反映嶺南文化風貌的《廣東新語》外，還有《翁山易外》、《有明四朝成仁錄》、《翁山文外》、《詩外》等，合稱《屈沱五書》。從他的詩文學術看來，他是明清之際嶺南地區儒家文化的代表人物。正因如此，盡管乾隆帝的痛加貶斥，清代的若干學人傳記中仍有其一定的地位，除《翁山文外》所收自撰的《生壙自志》外，《清史稿》卷四百八十九、《國朝先正事略》卷三十

八、《文獻徵存錄》卷十及《清代學者像傳》卷一等多種有權威性的著作中都有他的傳記。

二

《廣東新語》是最能反映屈大均深厚學術內涵的代表作，是清人筆記中的名著。它介紹了廣東地區山川、物產、風俗、氣候各方面的情況極爲詳備。全書二十八卷，分列二十八語，即：天、地、山、水、石、神、人、女、事、學、文、詩、藝、食、貨、器、宮、舟、坊、禽、獸、鱗、介、蟲、木、香、草、怪等二十八類，輯錄有關資料，各以類相歸。雖間有詭異玄怪之說，但大都可供參閱。其涉及方面之廣，內容採錄之富，誠爲地方風土志中之上品。其敘事之後，常系以敘事詩，語賅意深，堪稱詩史。《廣東新語》的資料來源，在清初學者潘耒爲《廣東新語》所寫序言中已加概括說：「考方輿、披志乘，驗之以身經，徵之以目睹，久而成《新語》一書。」這可見屈大均不僅從文獻記載中搜集資料，而且又經實地考核驗證，然後寫錄入書。其可信程度自較一般耳食者爲高。書前有自序，改爲問答之詞，敘述著作宗旨和緣由，他自稱其書的始作是：「予嘗游四方，閎覽博物之君子多就予而問焉。予舉廣東十郡所見所聞，平昔識之于己者，悉與之語。語既多，茫無頭緒，因詮次之而成書也。」這說明屈大均是在向各地學者答覆有關嶺南文化諸問題的基礎上而完成這部著作的。這是針對反映舊的嶺南文化的《廣東通志》，而向人們提供嶺南文化新情況、新資料的一部有當代意義的著作。撰者曾自述其以《新語》名書的緣由說：「吾聞之君子知新。吾于《廣東通志》，略其舊而新是詳。舊十三而新十七，故曰《新語》。」略舊詳新不僅突出了《廣東新語》的特色，而且其意義與當前普修地方志書所確定之「詳今略古」原則一致。三百年前有此卓識，確乎難能可貴。無怪乎《廣東新語》之爲超越《廣東通志》之補篇，而成爲廣東地方志書中之佳作。

《廣東新語》不僅可供研究廣東地方史志之用，而因其所記多偏于社會經濟，對研究清初社會經濟狀況也有足資取材之處。其于農業，尤重經濟作物和特產的記錄，因其最能剖析文化發達之根由，所記莞香、蒲葵、甘蔗、龍眼、荔枝等的種植與經營都能詳其原委。如記順德陳村種植龍眼等經濟作物的優勢說：

> 順德有水鄉曰陳村。……居人多以種龍眼爲業，彌望無際，約有數十萬株；荔枝、柑橙諸果居其三四。比屋皆焙取荔枝、龍眼爲貨，以致末富。又嘗擔負諸種花木分販之，近者數十里，遠者二三百里。他處欲種花木及荔枝、龍眼、橄欖之屬率就陳村買秧。又必使其人手種𢱕接，其樹乃生且茂，其法甚秘，故廣州場師以陳村人爲最。（卷二《地語·陳村》）

看來，陳村無疑已是一個果木業經濟中心，它至少包含著三種優勢：一是果木種植面廣質優，並且分販花木和發售優良品種的秧苗；二是不僅種植，而且已是加工制作爲成品，行銷各地，經商致富；三是掌握並壟斷了果木栽種技術。這種經濟作物的經營在嶺南已非一處一地，而是相當普遍。《新語》中記稱：「廣州諸大縣村落中，往往棄肥田以爲基，以樹果木。荔枝最多，茶、桑次之，柑、橙次之，龍眼多樹宅旁，亦樹于基」（卷二十二《鱗語·養魚種》）。這種經濟作物的發展證明，它已顯露出資本主義萌芽的趨向，它不僅是舊嶺南文化的沃土，也將是醞釀新嶺南文化的肥壤。《廣東新語》正透露出這些新的文化信息。

撰者不只是反映果木業經濟新的繁盛，譜寫新萌芽生長的樂章；而且更強力地揭示那些阻礙新發展趨向的惡勢力。名特產品往往引起貪官惡吏的虎視，千方百計地勒取壟斷以謀取私利，以致陷民于水火，扼殺新的苗芽。如記增城香柚之被勒索所造成的惡果說：

> 有香柚者出增城，小而尖長，甚芬郁，入口融化。……近爲貪吏所苦。每出教，取至萬枚，需金以代。今樹亦且盡矣。柑亦桔之類，以皮厚而粗點及近蒂起饅頭尖者爲良，產四會者光滑名魚凍柑者，柑戶至洗樹不能應。（卷二十五《木語·桔柚》）

《新語》對手工業的全國首列地位也有生動的記述，如石灣陶業，佛山冶業等借當時的諺語「石灣鋼瓦勝于天下」、「佛山之冶遍天下」等等來說明所制品物的精良和遐邇暢銷的情況（卷十六《器語》）。

廣東地處濱海，特產阜豐，因之商業繁盛。廣州便是一座「天下商賈聚焉」的名城，而廣州的濠畔街更是中外貿易的中心點。《新語》曾贊頌其繁華景象說：「當盛平時，香珠犀象如山，花鳥如海，番夷輻輳，日費數千萬金。飲食之盛，歌舞之多，過于秦淮數倍」（卷十七《宮語濠畔朱樓》）。商業的繁盛加強了人際的交流，推動了文化的發展。嶺南文化在區域文化中能自具特色，自成格局，這與其社會背景是有密切聯繫的。正由於貿易繁興，商業發達，也帶來了另一面的負作用，利之所在，眾多趨騖，于是地方官吏遂利用搜括所得，插手于商貿；商人則憑藉其多金而溷入官場。這就出現了官商一體的怪現象。《新語》曾痛陳其事說：

> 今之官于東粵者，無分大小，率務悛民以自封；既得重貲，則使其親串與民為市，而百十奸民，從而羽翼之，為之壟斷而罔利，于是民之賈十三，而官之賈十七。官之賈本多而廢居，易以其奇矣。絕流而漁，其利嘗獲數倍。民之賈，雖極其勤苦而不能與爭。于是民之賈日窮，而官之賈日富，官之賈日富而官之賈日多，遍于山海之間，或坐或行，近而廣之十郡，遠而東西兩洋，無不有也。……無官不賈，而又無賈不官。民畏官亦復畏賈：畏官者以其官而賈也；畏賈者以其賈而官也，于是而民之死于官之賈者十之三，死于賈之官者十之七矣。（卷九《事語·貪吏》）

不僅官與民爭利情況如此嚴重，而豪強之橫行霸道也較尖銳，如所記強佔增生沙田及搶奪農民禾稼說：

> 粵之田，其瀕海者，或數年，或數十年，輒有浮生，勢豪家名為「承餉」。而強佔他人已熟之田為己物者，往往而有，是謂「佔沙」。秋稼將登，則統率打手，駕大船，列刃張旗以往，多所殺傷，是為「搶割」。斯二者，大為民害。（卷

二《地語·沙田》）

佔沙、搶割種種惡行必然引發群眾的反抗，《新語》亦有所記述，雖名之盜賊，而所記近實，尤詳于群眾反抗的組織形式。如記稱：

> 粵中多盜，其爲山盜之渠者曰「都」。「都」者多資本，有謀力，分物平均，爲徒眾所悅服，故曰「都」。每一營立，遠近無賴者踵至，曰「簽花紅」。驍勇者曰花紅頭目，自大老以至十老，自先鋒一以至先鋒十，悉以十人爲一曹，十人滿則更一名號以相統。（卷七《人語·盜》）
>
> 凡賊有大總、二總至于五總。亦曰滿總、尾總。分哨爲哨總。禽總，演禽者也。書總，掌書記者也。旗總，職志者也。紀綱諸事曰長干。眾賊曰散班，其上有甲頭，合數群有都總。凡大總死，謀所以立，建所授皇旗，束以青茅，以次拜旗，拜而張則立之矣。（卷七《人語·永安諸盜》）

關于民間反抗情況記載如此詳細，爲他書所不常見。這一方面反映各地反抗活動已較普遍而被這樣一部重要著作所採錄；另一方面也看到撰者是一位善于洞察社會動態而具有經世思想的學者。也許這是撰者有意之筆，既寫下了清初的統治局面並不十分穩定，但又難被加之以罪。這些史料頗有裨于後世研史者之參證。

三

從屈大均《廣東新語》和他的其他詩文學術等著作來考察，他無可爭辯地是清初一大名家，是嶺南文化杰出的代表人物。他的氣節操守爲當時人所景仰。清初詩人杜濬在《復屈翁山書》中曾盛推屈大均的風骨，稱許他「有骨有識，足以繼武古人」（《變雅堂文集》卷一），並把他相比于戰國時義不帝秦的魯仲連那樣高風亮節的人物。他雖有較多的著述流傳，但是，最能代表他的學識和思想而有較深遠影響的應是《廣東新語》。清初大儒顧炎武的高弟潘耒在爲《新語》所作序中就加以評論說：

> 游覽者可以觀土風，仕宦者可以知民隱，作史者可以徵故實，摛詞者可以資華潤。視《華陽國志》、《嶺南異物志》、《桂海虞衡》、《入蜀記》諸書，不啻兼有其美。

這一評論乍讀似對《新語》頌揚過高，然循讀一遍，又感到確非虛諛。鈕琇在所撰《觚賸》卷八中有《著書三家》一則，認爲「著書之家，海內寥寥」，只有《日知錄》、《正字通》、《廣東新語》三書「可以垂世」。其說雖不一定準確，但足以見《新語》之爲時所重，而並非潘氏一己之臆說。不僅如此，這部書還對後來學者多有影響。清乾隆時著名學者李調元博涉群籍，著作宏富，而其寫作《南越筆記》一書尚多轉錄，信手翻檢，可得多例。如：

> 謂賃田者曰佃丁，曰田客。賃地者曰地丁，曰地客。（《廣東

新語》卷十一《文語·土言》）

（珠江之南）其土沃而人勤，多業藝茶。春深時，大婦提籃，少婦持筐，于陽崖陰林之間，凌露習摘，綠芽紫筍，薰以珠蘭，其芬馨絕勝松蘿之笸。每晨茶賈估涉珠江以鬻于城是曰河南茶。（《廣東新語》卷十四《食語·茶》）

李調元徵引而不注出處，似有不妥，但亦足以見《廣東新語》影響之大和所記之難以更易。世有引《南越筆記》入文而不求《廣東新語》者，不免有數典忘祖之譏。但也可見對嶺南文化中佔有重要位置的屈大均，尚有待于更進一步加以研究和闡揚，作出新的探究。

池北書庫與王士禛

池北書庫是清初詩人、學者王士禛的藏書處。所謂「池北」是世禛所居先人舊屋之西有小池，小池之北有老屋數椽，士禛即藏書數千卷于此，並取白居易池北書庫之名而名之。池北書庫的主人王士禛原名士禛，卒後，因避胤禛諱曾被改名士正，字子眞，亦字貽上，號阮亭，別號漁洋山人。山東新城人。生于明崇禎七年（1634），卒于清康熙五十年（1711）。順治十五年進士，官至刑部尙書。乾隆三十年，追謚文簡。乾隆三十九年，又諭改名爲士禎。

王士禛是清初詩壇神韻派的著名詩人和領袖，其詩對有清一代詩風的影響很大。王士禛平生喜好搜求和庋藏圖書，爲了便于求書，特別僦居于廣安門外慈仁寺書市附近。他將所得圖書盡藏于池北書庫。與他並有詩文盛名的朱彝尊曾在所撰《池北書庫記》中稱贊王士禛的求書精神說：「先生自始仕迄今，目耕肘書，借觀輒錄其副。每以月之朔望，玩慈仁寺日中集，俸錢所入，悉以購書」。

由於王士禛當時的政治和學術地位很高，一般人登門造訪很難見到；但是，在書市卻容易找到他，他也承認確有其事，曾在所著《古夫于亭雜錄》中不無得意地記下了這段軼事說：「昔在京師，士人有數謁予而不獲一見者，以告昆山徐尙書健庵，徐曰：『此易耳，但値每月三五，于慈仁寺市書攤候之，必相見矣』。如其言，果然。」

時人《桃花扇》的作者孔尙任在其《燕臺雜興》中也有詩並注記其事云：「彈鋏歸來抱膝吟，侯門今似海門深，御車掃徑皆多事，只向慈仁寺裡尋。」詩注云：「漁洋龍門高峻，人不易見，每于慈仁廟寺購書，乃得一瞻顏色。」戴璐在其《藤蔭雜記》中曾錄入孔詩。

近人葉昌熾撰《藏書紀事詩》入漁洋于藏書家之列，其卷四即寫有紀事詩一首，並網羅其藏書掌故數則以釋詩。葉詩云：「骨董僧寮列肆龐，碎銅玉石斗雞缸，不堪重到慈仁寺，寂寞雙松護碧幢。」

當有些心目中的好書因一時籌款不及而被他人購去時，王士禎會因此而致疾，他曾于所著另一本雜著《居易錄》中記其事說：「嘗冬日過慈仁寺，見《尙書大傳》，朱子《三禮經傳通解》，荀悅、袁宏《漢紀》，欲購之。異日侵晨往索，已爲他人所有。歸來悵不可釋，病臥旬日始起」。

這種書淫書癖的嗜好足以見王士禎對圖書的情有獨鍾，也可見池北書庫入藏的圖書確是來之不易。池北書庫的大部分藏書也不是成批從書肆中購入，更不是從其他藏書家手中輾轉而來。王士禎的藏書都是親自從舊書攤上選購所得，或是從朋友處借鈔而來。這就形成了池北書庫的藏書是爲閱讀治學而非單純爲珍藏古書秘籍的特點。

王士禎還擺脫了當時一般學者「佞宋」的玩賞習慣。他認爲宋版書也有訛誤，不能無原則地一概視爲珍善本，如在《跋杜詩》條中說，「今人但貴宋槧本，顧宋版亦多訛舛，但從善本可耳」；但是，他也不排斥宋版古籍的價值，而是以書的內容和工藝水平爲去取標準，所以池北書庫的藏書既有宋元善刻，也有明清佳本。他不僅精心搜求典藏，還對所藏圖籍加以研究校定，撰寫書跋，記其著者、版本價值與流傳過程等內容。因爲王士禛具有較高的文學素養，遂使題跋文字清新喜人，流暢可讀。清乾隆時有劉堅其人自漁洋各種說部中輯《漁洋山人說部精華》十二卷，其中《載籍》二卷專收書評百餘篇。光緒四年，葛元煦刊劉堅所輯王士禛題跋一一五篇爲《漁洋書跋》（一題《書籍跋尾》）。一九五八年，陳乃乾又有《重輯漁洋書跋》，共收二百三十篇，爲葛刊劉編的一倍。陳序還盛贊漁洋書跋說：「題跋之作，尤直抒胸臆，耐人尋味。」一九九一年山東大學王紹曾先生的弟子、中年學者杜澤遜在王先生的指導下，不辭辛勞，爬梳條理，得六百四十餘篇，成《漁洋讀書記》一書，較陳輯又增益多多。王紹曾先生曾概括這批書跋有益于學術者有六，即論得失、品人物、別眞僞、記版本、考亡佚、存掌故等。這些書跋對中國藏書史的研究和對池北書庫藏書的了解都有所裨益。

王士禛非常珍愛他的藏書。他也喜歡寫隨筆，寫了多種有參考價值的筆記，如《池北偶談》、《香祖筆記》、《居易錄》、《古夫于亭雜錄》和《分甘餘話》等等。他在這些筆記中曾記及其藏書軼事，如《古夫于亭雜錄》中即自記其在慈仁寺購書、與人相會以及書商借其盛名作鑒定圖書價值的根據等故事；《居易錄》卷十四曾自記其聚書緣由。他還曾爲池北書庫的藏書自編《池北書庫藏書目》；但所載僅六四九種，顯然不是池北書庫的全部藏書。清代學者劉喜海認爲這部藏書目如果不是王氏隨身攜帶的備讀書目，便是一部不全的書目。近人從當時與王士禛齊名的朱彝尊的藏書推測，朱氏曝書亭藏書約有七八萬卷，則王士禎池北書庫的藏書量當亦相差不遠。

池北書庫的藏書在王士禎卒後不久，即因鼠齧積霖，不肖攫竊而殘損散佚。民國初年，藏書家葉德輝的觀古堂曾收藏到池北書庫的舊藏。可惜，抗戰時期隨著觀古堂藏書的外流，池北書庫的一些殘餘舊藏也多流落日本。

近代地方文獻學家陳作霖

陳作霖字雨生，號伯雨，晚號可園、可園老人，學者尊稱爲可園先生，世居南京，清道光十七年（1837）生，民國九年（1920）卒，享年八十有四。清光緒元年（1875）三十九歲時成舉人，未求仕進，即以授讀、校書、修志、著書爲業。晚年曾自述一生履歷稱：「予生平不務進取，然役于公家者不外文學之一途。其庚子以前，則上江兩縣志局分纂、江寧府志局分修、崇文經塾教習、金陵官書局分校、奎光書院山長。庚子以後，則編譯官書局分纂、南洋官書局幫總纂，元寧縣學堂總教習、元寧縣學堂堂長、學務處參議、崇粹學堂堂長、南洋圖書館司書官、江蘇通志局總校兼分纂，皆他日傳志之材料也。」（《炳燭里談》卷下《修志材料》）

這些經歷爲他從事學術工作提供了重要條件，使他能博涉多通而著述宏富。他一生著書數十種，其曾孫陳鳴鐘爲撰《可園老人著述目錄》（《文教資料簡報》1983 年第 3 期），具載其目。所以陳三立論陳作霖的一生即稱：「凡省府縣志局、書院、學堂、官書局、官報局、圖書館之屬，先生皆互董其役終其身，因以著書百數十卷，躋爲通儒。」（《散原文集》內《江寧陳先生墓志銘》）

陳作霖是近代從事地方文獻纂輯與研究而卓有貢獻的一位學者。他關心鄉邦文獻，「以一身系金陵文獻者數十年」（柳詒徵：《國立中央大學圖書館小史》）。他早在同治九年（1870）三十四歲時就決心致力于地方文獻工作，著手纂輯《金陵通紀》以輯南京地區的歷代大事，並懲唐許皓《建康實錄》「不專建康」之失，嚴定首明疆域之例，凡不屬南京的大事不輕加採錄，突出了地方史志的地方性特點。光緒三年（1877），《金陵通紀》初稿成，共十四卷，前十卷上起先秦，下訖明末，記金陵七屬輿地沿革及大事，後四卷則記清代輿地沿革及大事。《金陵通紀》一書之作，使南京地區的史志內容得一綱要，給後世徵考南京地方文獻者易于求索，其功甚偉。所以，一生自視甚高的著名學者汪士鐸爲此書撰序時也譽其「不浮譽、不隱惡。……詳載郡中豐欠憂樂之由。寇亂時諸軍屯戍之地，措置先後得失之機，後世可奉爲鑒戒。」

陳作霖在撰寫《金陵通紀》之際，以僅有記大事之記而無與事相契之人物傳，似感缺如，所以就開始思考撰寫金陵人物傳記的問題，並即著手搜集、儲存資料。同治十三年，上元、江寧兩縣志局開辦，汪士鐸任總纂，延陳氏入局任分纂，撰成大事記及名宦、鄉賢、孝悌三傳。三傳的撰寫爲陳氏纂輯《金陵通傳》作了準備，並逐漸形成了撰寫地方志傳的見解。光緒四年，他開始撰寫《金陵通傳》。光緒六年，他入江寧府志局任分纂，曾兩次致書總纂汪士鐸商討志傳體例，提出「籍貫宜嚴去取」、「氏族宜窮源流」、「先正傳宜分界畫」及「鄉賢忠義傳宜商增減」等四項。（《與汪悔翁先生論府志體例書》）

在第二書中，他更闡述世傳之作有三善說：「一祖孫父子不至倒置也。笪效齡爲重光之父，呂志則次之于後。劉清惠爲伯春之子，新志則列之于前，展轉相沿，貽通人笑。今歸一傳，此弊可除。一大傳之中，可包小傳也。事有相聯，人有相友，左縈右拂，各以類從，《明史》之例，是爲前師。一孝友，文苑諸傳借以疏通也。一至之行，卓然可傳，則割歸本類，其無多事跡者，悉附家傳，子孫從祖，人心所安，而寥寥數行之傳可盡省矣。」（《與悔翁先生論志書第二書》）

光緒八年，《金陵通傳》初稿完成，又經過反復修訂，直到光緒二十六年定稿，後與《金陵通紀》並刊行于光緒三十三年（1907）。《金陵通傳》是一部上起春秋，下至清末的地方人物傳記。全書四十五卷，成傳一百九十六人，另有補遺四卷，共四十九卷，包括金陵一邑七縣人物三千餘人，這部書是陳氏自創意至定稿先後經營近三十年的力作。它採錄史料極廣，除正史、《建康實錄》、宋景定《建康志》、元至正《金陵新志》、路鴻休《帝里人文略》及清朱緒曾《詩匯姓氏錄》等外，又兼采各時代的府縣志，世家譜牒和小說筆記資料，搜羅甚備。它體例嚴整，除嚴定籍貫，生人不傳外，還依南北史之例，採用世傳，「以朝爲次，其苗裔即附其下，不以某代爲限」；又爲擴大收錄範圍，仿《明史》合傳體例，對各類人物「各據時之前後，擇事跡相近者，匯爲一卷」，並將閨秀、方外中的卓越人物也「隨時代先後，依類附載傳中」（《金陵通傳》凡例）。陳氏所采世傳、合傳體例，既省一般情況的重複敘述，又因以類相從可使每一領域的各時代人物活動萃于一傳，得到系統完整的認識，對掌握地方文獻確有展卷即得的方便。可惜由於各傳不分子目而帶來了檢索困難，幸而其子陳詒紱爲撰《金陵通傳姓名韻編》一卷，遂補其不足而便于使用。陳詒紱更克承先業，在《金陵通傳》版成後又將民國前謝世的清人別撰《續通傳》附後，使清代人物傳得到進一步完備。

《金陵通紀》與《金陵通傳》是撰者地方史志撰著的奠基之作，也是使撰者在地方文獻領域中獲得應有地位的名作。但是，這位地方文獻專家不僅能爲其大，還能不棄其小。他十分重視地方文獻中地方小志這一大支流。地方小志之記述地方風土人情，娓娓而談，親切動人。其源自《禹貢》、《荊楚歲時記》，經《夢華》、《夢粱》，至清而大盛，如《閱世編》之于申江、《清嘉錄》之于蘇州、《閩小記》之于福建、《東城雜記》之于杭州、《津門雜記》之于天津……幾于舉不勝舉；但世人多目此等書爲小道，而其撰者也每以餘力爲之。陳作霖則反是，他並非行有餘力而爲之，更非以此爲研究著述之餘的遣興活動，而是認眞地視爲正式著述。他所著不論纂輯之勤，數量之多，取材之富，立意之新，均足稱傳世之作。這些小志是陳作霖從事地方文獻研究的堅實基礎。陳作霖撰寫地方小志的貢獻是應予充分肯定的。他在《金陵通傳》初稿完成的第二年，即光緒九年就開始寫小志的工作，其最先成書的是《運瀆橋道小志》，此志以水爲經，以橋爲緯，記「父老之舊聞，鄉賢之嘉言懿行，與夫里巷、街衢、橋梁、祠宇、園林之變易，人情風俗之今昔異宜」（《運瀆橋道小志》秦際唐序）。其編寫體例是以橋道方位爲綱，下列記事爲目，目下以雙行小字爲注，輯錄史料，補充事跡，眉目清醒，內容詳備。于是南京城內以運河爲主，兼及周圍十里橋道方位以及舊聞人事皆萃于一編，頗便翻檢，書中所輯商業、手工業等資料，可供研史者採證。光緒十二年，他又開始撰寫近年頗爲人知的《鳳麓小志》。當時，撰者就館于鳳凰臺山麓李宅，每當春秋佳日，常攜學生及兒子「陟躋岡阜，搜勝探奇，就父老以咨詢，感古今之興廢，歸即審閱故籍，證以見聞，件系條分」，後因事中輟。十餘年後，即光緒二十五年，又在友人慫恿下，重加整理，「散者萃之，缺者補之」。經三月而成書四卷，《鳳麓小志》以南京西南隅爲界，凡志地爲考者三，即：街道、古刹、園墅；志人爲述者二，即：歷代名賢、時代名賢；志事爲紀者五，即：灌園、機業、諸市、倡義、鼓鑄；志文爲錄者二，即：雜著、詩歌，共十二篇，于「稽古通今之間，尤重通今」（《鳳麓小志》序）。其紀事之作五，尤具史料價值，如《記機業第七》已爲多年來研討中國資本主義萌芽問題所經常徵引。它記述南京紡織業情況甚詳，如記寧緞的行銷說：「北趨京師，東並遼沈，西北走晉絳，逾大河，上秦雍甘涼。西抵巴蜀，西南之滇黔，南越五嶺、湖湘、豫章、兩浙、七閩、沂淮泗、通汝洛。」

從這一記載亦可見寧緞的衣被天下。在《鳳麓小志》最後成書之年，陳作霖又撰《東城志略》，體例一仿《運瀆橋道小志》，于南京東城的山水街道，皆考察源流，輯錄遺聞，兼及人物遺事，並以雙行小字補充事實，成爲講述南京地志的一部要籍。《運瀆橋道小志》、《鳳麓小志》和《東城志略》三書概述了南京城中、西南隅和東城三地區的基本面貌。

光緒三十四年（1908），陳作霖復撰《金陵物產風土志》五篇。旋又將于光緒二十六年爲孫文川整理的《南朝佛寺志》遺稿加以詳考後合于四種之中，成《金陵瑣志五種》。這種既不沒孫氏創事之功，又爲孫著廣爲流傳而合刊于己作，可以見陳氏用心之深且正，陳氏誠無負于學者的操守。民國以後，子陳詒紱依《運瀆橋道小志》、《鳳麓小志》和《東城志略》三志體例撰《鍾南淮北區域志》補南京東北一隅，又改撰顧雲《盋山志》爲《石城山志》以補西北一隅，並合二書爲《續金陵瑣志二種》，陳氏父子之作，使金陵全城情況坐收于几席之間。

陳作霖還很重視地方文獻的纂輯和撰述。先後經其編校刊行者有《金陵文鈔》十六卷末一卷、《金陵詩徵》續六卷首一卷、《金陵詞鈔》八卷附一卷等多種，于保存南京地方文獻起到了重要作用。

陳氏別有《可園文存》及《可園詩存》行世，陳氏嘗自稱文「尙友徐、庾、歐、蘇」（《金陵通傳》敍傳），又稱「吾之爲文，不知先秦、漢魏、八家也」（《文存》跋）。這正說明陳氏之從有師法至無師法的發展過程。《可園文存》所收諸文，體兼駢散，文有論史、紀事及論辯之作。其論辯文樸實不華，針砭時弊，無迂腐鑿空之語。他又有與汪士鐸論修志體例書二通，商榷地方人物志傳的編寫方法，詳明有據，至今猶有參考價值（《可園文存》卷四）。其他論族譜之作、有關書序等均足見撰者學殖深厚，卓有識見，其詩尤能見其人。《可園詩存》中感時書憤之作屢屢。凡近代重大史事如第一、二次鴉片戰爭、天津教案、中日戰爭、德佔膠州諸事均形諸詩篇，悲歌慷慨之氣溢于筆端。諸多詩篇無不足見陳作霖愛國憂時思想的深切著明。

陳作霖一生從事以地方文獻爲中心而兼及經史詩文的學術事業所作的卓越貢獻，使他不愧爲近代的一位「通儒」。他的工作對于六朝古都的文獻起到了搜集、保存、整理、撰著和刊行的重要作用。他的全部著作是給後人留下的一份珍貴遺產。我們不僅要從他終生孜孜的精神中汲取力量，更應該很好地繼承這份遺產，加以研究和抉隱發微。我們還必須身體力行地爲地方文獻事業貢獻力量，群策群力，使中華大地的文獻不再出現散失、遺落、棄置等等歷史上曾有過的厄運；而爲我們中華民族傳統文化的寶庫增添珍藏。這也是紀念陳作霖這樣一位地方文獻學家的眞意所在。

王先謙功過

王先謙和葉德輝是清末民初湖南的「劣紳」。他們有學者的聲譽，也有反對革命、反對民眾的惡名。葉德輝的《書林清話》一直是研究藏書和目錄的學者所必備的參考書，有一定的學術價值，解放後還再次重印過這部分；但他所刻行的《雙梅景闇叢書》因與房中術有關而給他帶來了罵名，在鄉里又多行不義，所以在大革命時期受到應有的懲處。王先謙雖與葉德輝並有「劣紳」之名，但因為比葉早死十年，才逃脫了葉德輝那樣的命運。

王先謙，字益吾，號葵園。湖南長沙人。生于清道光二十二年（1842），卒于民國六年夏歷十一月二十六日（1918年1月8日），年七十六歲，幾乎與中國近代史的全歷程相終始。同治四年（1865）王先謙在二十四歲時成進士，歷任編修、侍講、侍讀、中允和國子監祭酒、江蘇學政等清要官職。光緒十五年（1889），他四十八歲時就辭官歸里。辛亥革命後，易名豚，以示隱遁之意，並遷居鄉間，而所行也多為民眾所不滿，越六年而卒。

王先謙雖沒有任言官之類職務，但對一些秕政奸行尚能直言諫諍，敢于蹤硬。光緒元年（1875），他剛擢升中允充日講起居注官時，就上疏力陳言路防弊，請求籌辦東三省防務，並彈劾雲南巡撫徐之銘等等，對當時政壇有所震動。六年（1880），他任國子監祭酒（相當于國立大學校長），本可以不問政治，但他在任職一年以後就上疏論中俄交涉問題，繼而又上《招商局關係緊要宜加整頓折》，抨擊盛宣懷、唐廷樞等辦理洋務的人員，揭露招商局的各種弊端，以至李鴻章親自出面申辯，亦足以見事態之嚴重。十一年（1885），他在守制服闋復官的第三年，以兩江、兩湖、兩廣等地發生數十年所未有的大水災，僅湖南常、澧一帶就淹斃百姓萬餘人爲理由，疏請三海停工，引起清宮的不滿，由京官外放爲江蘇學政。十四年（1888），他又冒著一定的風險上疏請求嚴懲當時權傾中外、炙手可熱的太監李蓮英。疏中尖銳地指斥李蓮英種種惡行說：「總管太監李蓮英，秉性奸回，肆無忌憚。其平日穢聲劣跡，不敢形諸奏牘。……該太監夸張恩遇，大肆招搖，致太監篦小李之名，傾動中外，驚駭物聽，此即其不安分之明證。……若不嚴加懲辦，無以振綱紀而肅群情。」疏上不報，這對他可能是一種最好的反饋。第二年，他意識到宦途無望，遂辭官回籍，當時還僅僅四十八歲。

王先謙的屢次上書雖是針對時弊，但主要還是爲維護清朝的統治，因此對于新思想新事務特別是民眾運動無疑是抵觸和敵視的，他辭官回籍後，正遇上維新運動在湖南興起，當然不能爲頑固守舊的王先謙所接受。于是，他肆力攻擊湖南維新變法運動。在義和團運動爆發後，他又誣蔑義和團運動爲「自來未有之慘變」。辛亥革命前夕，長沙饑民圍困巡撫衙署，被衛兵擊斃數名，民情益憤，掀起了搶米風潮，王先謙看到清廷已是岌岌可危，經不起更大的風波，有一種大廈將傾的感覺，他想以綏靖態度，緩和矛盾，所以聯合士紳，帶頭上書，要求更換湘撫，不意爲極爲頑固的湖廣總督瑞徵所參奏，得降五級的處分。這對于一個忠清士紳來說確是一種打擊。他在政治上的這些所作所爲，應該說是階級與時代的局限。他所受到的歷史譴責是理所應當的。但是，我們也應該看到他在教育和學術領域中的種種活動，並對這些活動加以研究，給以應有的評價。

王先謙曾先後主持雲南、江西、浙江等省鄉試，都比較認眞地網羅人才。他在任江蘇學政時曾爲當地教育機構南菁書院廣泛地籌劃經費，認眞地選拔人才入書院學習，造就人才不少。他辭官回籍後，歷主思賢講舍和岳麓、城南兩書院講席，親自培植人才，對鄉邦教育事業有所貢獻。

王先謙還曾羅致文人學者從事古籍與歷史文獻的編校刊印工作。他在江蘇學政任上時，曾奏設書局，仿照前輩學者阮元編纂《皇清經解》的體例，纂成《續皇清經解》一四三〇卷，爲研讀經學著作提供一部足資參考的匯編性叢書。他在光緒十年又完成了《十一朝東華錄》六二五卷的編纂工作，對清同治帝前的十帝十一朝歷史做了繁重的史料綴輯工作，爲研究清史和中國近代史的學者奠定了重要的史料基礎。即此兩項，他對中國近代學術研究的貢獻是應該給以肯定的。除此以外，王先謙還有詩文和專著行世。他一生的詩文匯集爲《虛受堂詩文集》三十六卷中。他尙著有《尙書孔傳參正》三十六卷、《三家詩集義疏》二十八卷、《漢書補注》一百卷、《荀子集解》二十卷、《莊子集解》八卷、《日本源流考》三十卷等書，幾乎涉及經史子集各個方面，爲清代學術作出了應有的貢獻。他還爲自己的一生行事寫成《葵園自訂年譜》三冊，自記至卒年。前二冊記至光緒三十四年，並刊于當年。第三冊由宣統元年至民國六年，但于民國後即以干支記年，表示不奉民國正朔，而在三冊年譜合刊時，仍署光緒三十四年刊，當系譜主遺願，益以見其人之堅持遺老立場。

綜觀王先謙的一生行事，明顯地站在封建地主階級的政治立場上，所行也有違背民眾利益之處，應該受到歷史的批判；但他在學術教育方面，特別是學術方面的成就仍應給以應有的評論，似乎不宜以「劣紳」概其全面。對于這樣一類人物（更有甚者如羅振玉等），似應如近年對曾國藩、周作人等人的研究，根據翔實的資料，進行深入、全面的分析，得出恰如其分的評價。

日藏漢籍與黎庶昌

在日本有許多文庫和圖書館都庋藏有質量俱佳的中國古籍，通常稱之為日藏漢籍。如靜嘉堂文庫是為中外學者所熟知的一座日藏漢籍的專業圖書館，它以晚清四大藏書家之一的歸安陸氏皕宋樓為基礎而創建。天理圖書館是天理大學所屬，也收藏有國寶級的漢籍。其他尙有為數甚多的文庫和圖書館都藏有數量不等的漢籍，有不少屬于珍本秘籍。

漢籍流日，由來蓋久。據日本最早一部漢籍目錄——《日本現在書目》所載，九世紀末日本從中土所得漢籍已達 1579 部、16790 卷。從當代日本著名學者、關西大學教授大庭修博士在其所整理和編寫的《舶載書目》二巨冊中可以看到江戶時代漢籍流日的盛況。一九六一年冬，東洋文庫的東洋學信息中心所編一部有關的漢籍目錄集成之中，又匯編了從江戶時代到昭和三十六年日藏漢籍各藏書點的漢籍目錄。從這些書目中可以看到中國古籍在日本的庋藏狀況；但當我面對某些被定為「國寶」或「文化財」的善本珍藏時，不禁黯然神傷，也不由得不引起我對為日藏漢籍回歸曾作出貢獻的近代開放性人物黎庶昌的懷念。

黎庶昌（1837-1897）是貴州遵義人，曾于光緒初年先後出使歐洲與日本。他于光緒七年出任駐日公使時曾經作過一件對華夏文化功績卓著的大事，那就是日藏漢籍回歸祖國的工作。他在蒞日的次年即委托近代歷史地理學家、使館人員楊守敬專司其事。楊守敬受命之後，日日物色，並依據日本學者森立之所撰《經籍訪古志》抄本，搜求達數百種，黎庶昌從中選刊了二十六種在華已散佚的珍籍，成《古逸叢書》，它雖篇帙不大，但卻自具特色。

《古逸叢書》的選書範圍博及四部：經有《爾雅》、《論語》，史有《史略》、《漢書·食貨志》，子有《老子》、《荀子》，集有《楚辭集注》、《草堂詩箋》等等，使四部古逸典籍各有代表。

《古逸叢書》的版刻搜求比較廣泛，它複刻者上起唐寫本·舊鈔卷子本，下至宋元精刻，旁及日本繙刻本、影鈔摹本及高麗本，使人可略窺各種善本佳刻的面目。《古逸叢書》的版刻工藝甚精。它由日本最佳刻書手木村嘉平等鐫刻，反復琢磨，不肯草率，往往每一字有修改補刻至數次者，如《穀梁傳》無一筆異形，被名家認爲宋以來所未有。黎庶昌的古籍回歸工作不僅限于《古逸叢書》，他還訪求和經眼了多種有重要文獻價値而未獲刊行的古本漢籍，使人了解中國古籍的流向線索。有些也校其異同，筆之簡端，如以今本與初唐寫本《左傳》相校的資料，後被整理爲《春秋左傳杜注校勘記》刊行。

黎庶昌還在日本購書回歸來充實舊藏，如購南藏佛經贈遵義禹門寺，使該寺藏經佛樓爲之增色，也使日人見中華人士珍視故國文物之愛國精神。今距黎氏誕生已一百五十五年，貴州省特爲舉辦國際會議，以紀念其愛國精神。稽其行事，實可無愧。黎庶昌之後五十餘年，有周叔弢不惜重價購回已流出國外的善本書，他曾從日本東京文求堂主人田中慶太郎所巧取的中國善本古籍中，曾以大價收回宋本《東觀餘論》、原本黃蕘圃跋《黃山谷詩注》及汲古閣抄本《東家雜記》等書，而于宋本《通典》則以價昂籌款不及，後被日本定爲國寶，無法買回。我在天理圖書館承金子和正教授破例出示有雙鑒樓藏章的宋刊《通典》蝶裝本，既嘆其精美，而面對故物，又不禁欷歔。

天津藏書家陶湘

天津藏書家雖不若江浙之盛，但也有足躋于全國藏書家之列的，如陶湘、金鉞和周叔弢等人。金鉞著籍天津，陶、周則爲客居。三人均享高年，爲跨越世紀人物。依齒序陶湘最先。

陶湘（1870-1939），字蘭泉，號涉園。江蘇武進人而居家天津多年。清光緒十六年二十一歲時以大興縣學生員保送鴻臚寺序班，後又納資加捐，累保至道員。歷任京漢路北段養路處、機器處總辦，行車副監督。一九〇九年任上海三新紗廠總辦，並兼稅關公款清理處及城壕放丈局兩處會辦。民國以後，投身于實業及金融業，先後任上海招商局董事兼天津分局經理、漢冶萍煤礦董事、天津中國銀行經理、北京交通銀行總行經理、天津裕元紗廠經理、山東魯豐紗廠經理。一九二九年曾應聘任故宮博物院圖書館專門委員，主持編訂工作。晚年退職後由天津移居上海。

陶湘是近代目錄學家、藏書家和刻書家。他雖然多年出仕、經商；但仍孜孜于學術，尤深于版本目錄之學，曾輯著目錄書多種，如《欽定文淵閣四庫全書目錄》、《摛藻堂四庫全書薈要目錄》、《內府寫本書目》、《欽定校正補刻通志堂經解目錄》、《欽定石經目錄》、《石經萃寶藏宋版五經目錄》、《明代內府經廠本書目》、《清代殿版書目》、《武英殿聚珍版書目》、《清代殿版書始末記》、《明毛氏汲古閣刻書目錄》、《明吳興閔版書目》，而爲故宮圖書館編訂的《故宮殿本書庫現存目》三卷，用力尤勤，前後歷時七年，收書達一二九〇部，分十類排列。各書目均有功士林，嘉惠後學。

陶湘又酷好藏書，特別重視歷代名家刻本，以其資財，廣求精本善刻，其藏書處「涉園」歷三十年經營，藏書達三十餘萬卷。所藏以明本及清初精刻本爲主，有明閔刻本三十二種一一〇部，清殿版書百餘種。生平尤喜收藏開化紙本，所以有「陶開化」之稱。晚年境遇不佳，所藏逐漸流散。

陶湘不僅藏書，而且還選擇所藏，斥資刊印流通。自清末以來，他先後刊行古籍約二百五十種左右，如《涉園續刻詞錄》、《儒學警悟》七集、《百川學海》、《喜詠軒叢書》、《百川書屋叢書》正續編及《營造法式》等。他所印各書，校訂精良，紙墨優選，行款裝訂，均稱佳妙，爲民國時期出版界所稱譽。

陶湘于晚年曾回顧一生事跡，自編《涉園年略》，自敘至一九三九年七十歲時止，而陶湘即卒于這一年。《涉園年略》以記著述及刻書等事爲主，尤以記刻書事爲詳。凡序跋、凡例，無不錄入，爲研究版本目錄及叢書源流所不可或缺的重要參考資料，也爲天津地方文獻增一源泉。

陶湘與金鉞、周叔弢均見收于天津政協文史資料研究委員會所編《天津近代人物錄》，于三人均略述其藏書事跡，唯書後所附《人物分類索引》中，陶湘與金鉞均被列爲藏書家類，而周叔弢則入于工業家。叔老有知，或難欣然。

以「破倫」精神藏書

四〇年代，我負笈京華，在向一些學術界老輩請教版本目錄之學時，常聽他們提到一位被謔稱爲「破倫」的奇人。這是當時鼎鼎有名的藏書家、學者倫明先生的綽號。

倫明先生于清光緒元年（1875）出生于廣東東莞縣，字哲如，一字喆儒。他在辛亥革命時任廣東視學官。一九一七年任北京大學教授，並兼任參議院議長吳景濂的秘書。一九二六年任道清鐵路秘書長，奉天通志館協修，北京大學、北平師大、輔仁大學和民國學院等校的教授，東方文化事業委員會研究員。一九三七年回粵任廣東省圖書館副館長，兼嶺南大學教授。一九四四年卒于故里，享年七十歲。從這些經歷看，倫明先生無疑是位官員和社會名流，可以稱得上是位「搢紳先生」；但爲什麼他在同行專家中卻博得這個含有憐惜意味的「雅稱」呢？

原來，倫明先生自幼酷愛圖書，後來無論就學和任職一直熱心購藏圖書，可是家境不甚富裕，不得不節衣縮食，甚至動用妻子的妝奩，以致妻子有怨言，而他卻以詩自嘲說：「卅年贏得妻孥怨，辛苦儲書典笥裳。」他爲了購置圖書，不惜四處搜求，如無餘財，寧可吃殘羹剩飯，身著破衣爛履而不顧，以致被人謔稱爲「破倫」。但是，倫明先生面對這些或是善意的憐惜，或是惡意的嘲諷一律置之不顧而泰然處之。他爲更便于搜求珍籍，拋卻了官員、教授等等顯位，紆尊降貴地去做「書賈」，在北京開設通古齋書肆，經銷古今圖書。他以「破倫」精神終於使自己成爲一位先後藏書數百萬卷，貯櫃四百餘只的大藏書家，得到了「千宋百元爲吾有」的精神富足。同時，他在開書肆過程中還培養了一位出自下層，自學成材，日後享譽版本目錄學界的孫殿起——《販書偶記》的撰者。

倫明先生不是好古嗜奇的單純藏書家，而是位學識淵博的學者。他刻意求書的主旨在于續編《四庫全書》，使華夏文化的豐富遺產得以保存傳遞，他曾自豪地說：「鄙藏之書，可作續修四庫資料者，已達十之七八。」這種出自破衣爛履的倫明先生之口的豪言壯語賦予了「破倫」之稱以閃耀照人的光芒。倫明先生還爲自己的書齋命名爲「續書樓」，以表明其一生旨趣之所在。他並以其版本、目錄、校勘諸學的專長撰寫了《續書樓讀書記》、《續書樓藏書記》和《續書樓書目》，做了續修四庫的先驅工作，給後世留下了寶貴的文化遺產。

倫明先生完全有條件走向尊貴清華的輝煌仕途，過著席豐履厚的優裕生活。但這些都被他視如浮雲敝屣。他破除俗見，執著專一地奔馳于心向往之的事業。他的「破倫」精神成爲他高尚情操的動力。我在聽到倫明先生行事時，心情激動，十分欽敬而欲師事之，但那時他已辭世多年。我自恨緣慳未能列于門牆，但他的「破倫」精神卻鼓舞我去從事不甚爲人熱衷的版本目錄之學。可嘆這種「破倫」精神爲人遺忘久矣！有些爲貪口腹之欲者，一擲千金無吝色，而當看到一本有益好書，僅需數元紙幣時，卻徘徊猶豫，終致掉頭而去；甚者讀書而不買書者更大有人在。實大可嘆。因此，我衷心禱念「莘莘學子」能有一點點「破倫」精神。

讀連橫的《臺灣通史》

一、三讀《臺灣通史》

連橫的《臺灣通史》是一部闡揚華夏文化，閃爍著愛國思想的歷史著作，而我則因某些感情上和工作上的需要曾三讀其書，亦稱幸矣。

第一次是在近五十年前的一九四六年夏秋之際，當時，抗戰勝利剛剛一年，臺灣收復回歸祖國已成現實，久郁胸中的愛國熱情激昂奔騰，蕩漾著急切企求了解臺灣的渴望，于是借畢業後謀職之隙，求得商務印書館戰後第一版《臺灣通史》二冊，潛心通讀了全書，乃粗知臺事。

第二次是在五十年代初，那時因教學需要和刊物約稿而撰寫《中日馬關訂約之際的反割臺運動》和《中日甲午戰爭後臺灣人民抗日始末》（收入拙著《中國近代史述叢》）二文，遂重讀《臺灣通史》，而益有所得。

第三次是一九九四年初收到「連橫學術思想暨學術成就研討會」的邀請後，爲撰寫會議論文而三讀《臺灣通史》。

這三次通讀雖然隨著年齡、學識的增長而對這部著作有明顯層次的認識；但對全書的宗旨卻始終一貫地認爲，它貫穿著一條極其鮮明的愛國思想主線。連橫圍繞這條主線，以大量的史實爲據寫歷史，寫典制，寫經濟，寫文化，寫人物，使這部著作不是空泛的說教，而是一部血肉豐滿，足以徵信的學術著作。

撰寫具有愛國思想著作的作者無疑當是愛國者。連橫先世籍隸福建龍溪。明清之際，其七世祖不服清制，渡海遷臺。連橫生于清光緒四年，卒于民國二十五年（1878-1936），正經歷著近代多變多難之秋。連橫少讀《臺灣府志》而識臺灣史事。光緒二十一年臺灣喪于日本，連橫方年十八，陷身敵區，復飽受踐踏，家園遭毀，乃發之詩歌，有《過故廬詩》云：「海上燕雲涕淚多，劫灰零亂感如何，馬兵營外蕭蕭柳，夢雨斜陽不忍過。」用以明棄民之痛。國難家仇，縈繞胸臆，識存史所以存國之念，乃廣收博聚先民有關臺灣著述三十餘種，輯爲《雅堂叢刊》，作教化人民之資。民國肇建，連橫歸國，「歷禹域，入燕京，出萬里長城，徘徊塞上」（妻沈璈後序），並入清史館遍讀臺灣資料以充實正在編撰之《臺灣通史》。二十年代左右，連橫積十餘年之功，成書八十八篇，計紀四，志二十四，傳六十，是爲《臺灣通史》，共三十六卷，近六十萬字，而臺灣一方全史大備。一九二九年，他又遣子連震東回國效力。連橫生平及愛國行跡遠不止此，茅家琦教授所撰「《臺灣通史》和它的作者連橫」（收入《民國檔案與民國史學術討論會論文集》）一文已有詳論，茲不贅述。連橫正因其有愛國實踐，而後有其愛國著述，可謂斯人也而有斯作也。

二、肯定臺灣歸屬權

維護國家金甌不缺是愛國思想最切實具體的體現。《臺灣通史》上起隋之大業，下迄清之喪失臺灣，以開闢、建國、經營、獨立四紀記綿延不絕之一千二百九十年間之行事，用以論證臺灣之歸屬權。其《開闢紀》起隋大業元年，終明永歷十五年，徵引諸史、文集，其記史事之犖犖大者如：隋帝之遣陳稜；唐詩人施肩吾之舉族遷臺並流傳詩作；宋末零丁洋之敗，殘兵義士之浮海入臺；元至元中之設巡檢司，爲我置吏行政之始；明永樂時鄭和之率師入臺等行事之百般辛勞，信如作者自序所言：「我祖宗渡大海，入荒陬，以拓殖斯土，爲子孫萬年之業者，其功偉矣。」是臺灣與大陸之千餘年血肉關聯，實不可分。其《建國紀》起明永歷十五年，終三十五年，記鄭氏驅逐荷蘭，入主臺灣史事。荷蘭踞臺三十八年，終爲鄭氏所逐，于是建政權，奉明朔，爲東南重鎮。所謂「鄭氏作之，清代營之」，臺灣規模之大基乃定。其《經營紀》起清康熙滅鄭成功至光緒二十年臺灣淪喪。清于臺灣「設府一縣三，隸福建，府曰臺灣，附郭亦曰臺灣，南曰鳳山，北曰諸羅，而澎湖置巡檢，設臺廈兵備道，駐府治，兼理提督學政按察使司事，分汛水陸，爲海疆重鎮矣。」乃銳意經營，于經濟文化，各有革新。是紀以編年之體，記二百年之經營，可稱詳備，亦以見大陸與寶島體制之一致，殆已無可爭辯。其《獨立紀》逐日排列光緒二十一年割臺時臺灣各地各類人員奮起反抗之情況，雖其事未成而民心所向，誓不附日之民族愛心畢呈。各紀之末，連橫法史公筆法而斷以「連橫曰」，皆以微言而申大義，如《開闢紀》之論臺灣得名之所由始，反復論證，駁斥臺灣之名出于荷人之謬說而斷其名乃始于中國。綜此四卷，無論紀事抑議論，均以臺灣領土歸屬權爲依歸。至其他各專志及人物傳亦時貫其旨，如《職官志》之記隋唐聚落，元明置吏，鄭氏設官，清定省制，皆以明漢官威儀之行于臺省也。是臺灣之歸屬固已爲千百年之舊事矣。卷二十九《顏鄭列傳》，連横開篇即以史家之筆立論稱：「臺灣固海上荒島，我先人入而拓之，以長育子姓，至于今是賴。」臺灣之爲中國領土不可分割之一部分，手此一書，殆已昭然若揭，無容置喙矣。

三、表彰反侵略英烈

《臺灣通史》之寫人物，多取其對臺灣有貢獻者，或開闢，或經營，或傳播華夏文化，而尤重反抗侵略之英烈。其表彰之英烈，一爲驅荷英雄鄭成功，二爲割臺後諸抗日英雄。所敘事跡既詳，而筆端常帶感情。讀之而不油然增愛國之情者，非心死者何？

連横于《開闢紀》記鄭成功驅荷一戰之果敢英勇，栩栩如生，躍然紙上。初鄭氏之謀攻臺灣，議者大多無充足信心；或言臺灣無用，「不如勿取」；或言「以兵與敵」，「勿取爲便」；或言「先統一旅，往視其地，可則取，否則作爲後圖」，而「諸將終以險遠爲難」。鄭成功則力排眾議。銳意進取，捩舵束甲，揮兵東渡。自永曆十五年初至十二月，歷時一年，終使盤踞三十八年之久的荷蘭侵略者「率殘兵千人而去，而臺灣復爲中國矣」，並于紀末論鄭氏勛績稱：「延平入處，建號東都。經立，改爲東寧。是則我民族所肇造，而保守勿替者。然則我臺人當溯其本，右啓後人，以勿忘蓽路藍縷之功。」而在《建國紀》篇首復大書：「永曆十五年冬十二月，招討大將軍延平郡王鄭成功克臺灣。」其氣勢如春秋華袞之筆。知人論世，可稱秉筆直書。

清廷甲午敗績，割臺辱國，曾引起臺灣各階層之反對，形成強大的反割臺運動熱潮。官紳唐景崧、丘逢甲等或色厲內荏；或鮮克有終。連橫持平論史，以其人等有反割臺及抗日之始意，乃爲立傳，各施褒貶。邱逢甲曾聯合群紳，倡首上書云：「臣桑梓之地，義與存亡，願與撫臣誓死守御。設戰而不勝，請俟臣等死後，再言割地。」其氣亦何壯也！故連橫論其「慨然有報秦之志」。逢甲既總全臺義軍，駐部臺北，糧糈粗備，本可背城一戰，而敗勢方見，逢甲即離臺以去，于是連橫有「獨惜其爲吳湯興、徐驤所笑爾」之嘆。輕輕一筆足以見逢甲與眞正以血肉薦獻于抗日偉業之英烈，自有間矣。

其能浴血奮戰，抗御日寇者，則唯二吳及徐姜林諸英烈。當割臺議起，全臺義士，紛豎抗日義旗，號召忠義，各據形勢，咸具滅此朝食之氣概，全臺爲之震動。連橫寫諸英烈事跡，感情激越，筆墨酣暢，去頑立儒，足勵來茲。其《吳湯興傳》云：「及聞臺北破，官軍潰，檇旗糾旅，望北而誓曰：是吾等效命之秋也。」豪言壯語，勵我士卒。其《徐驤傳》歷述戰績甚詳，雖彈盡力竭，猶躍起而呼曰：「丈夫爲國死，可無憾！」臨危授命，義氣凌霄。其《姜紹祖傳》記：「紹祖世居北埔，家巨富，爲一方豪，年方二十，散家財募軍，得健兒五百，率以赴戰。」毀家紓難而義無反顧。其《林昆岡傳》記林之身先士卒，親冒鋒鏑；及其決戰，「指天而誓曰：天苟不欲相余，今日一戰，當先中彈而死」，視死如歸，誠無愧于執干戈而衛社稷之譽。至《吳彭年傳》尤爲連橫濃墨重彩之筆，首論吳彭年「以一書生，提數百之旅，出援臺中，鏖戰數陣，竟以身殉，爲足烈爾。」復臚述煌煌戰績，而殿以連橫曰：「若彭年者，豈非所謂義士也哉！見危授命，誓死不移。其志固可以薄雲漢而光日月。夫彭年一書生耳。唐劉之輩苟能如其所爲，則彭年死可無憾，而彭年乃獨死也。吾望八卦山上猶見短衣匹馬之少年，提刀向天而笑也。烏乎壯矣。」此近百字氣勢磅礴，碧血沖天，足爲臺灣抗日史篇大放異彩。

連橫之表彰英烈，灑盡筆墨，不只記往，更勖來者。其繼吳徐姜林之後，日踞五十年間，反抗疊起，雖未遑錄入《臺灣通史》，而所行事，無愧先人。連橫當親有見聞，得不拊掌而笑：《臺灣通史》英烈傳之後繼有人也。

四、宣揚華夏文化

華夏文化涵蓋哺育中華民族數千年，無論中原腹地，抑或開闢草萊，無不廣被德澤。《臺灣通史》有徐炳昶序，侃侃而論華夏文化之融化作用說：「臺灣與我閩疆一葦可通，其通中國也自隋，至今日千餘年，即至明季鄭氏與荷蘭人之互爭亦千有餘年也。此千餘年間我閩廣人民與斯地土著逐漸融合之陳跡。雖史缺有間，而用近一二百年我僑民在南洋諸島與土民融合之經歷相比較，則不難想象以得。我國僑民在臺灣者經歷久遠，至鄭氏時與土人蓋已融爲一體。」徐氏乃寄希望于連橫之撰《臺灣通史》得使「吾先民千餘年艱辛締造之遺跡罔弗覶陳。」是以連橫所撰《臺灣通史》貫徹始終者，無不盛陳華夏文化之流播。各志所述均論華夏文化對臺灣開闢之意義，如《職官志》稱：「夫臺灣固我族開闢之土，延平既至，析疆行政，撫育元元，而我顛沛流離之民，乃得憑藉威靈，安生樂業，此天之默相黃胄，而故留此海外乾坤，以存明朔也。」所謂「存朔」乃華夏文化之表徵。所設職官悉依內地舊制，康熙三十年詔曰：「臺灣各官自道員以下，教職以上，俱照廣西南寧等府之例，將品級相當現任官員內，揀選調補。」其《典禮志》稱：「臺灣爲海上荒服，我延平郡王闢而治之，文德武功，震爍區宇，其禮皆先王之禮也。至今二百數十年，而秉彝之姓，歷劫不沒，此則禮意之存也。。」其慶賀、迎春、藉田、鄉飲諸祀典禮儀皆比照內地。而對民眾教育則崇尚儒學，建文廟以示對傳統文化的尊敬；設學校則「延中土通儒以教子弟」，冀傳授華夏文化；對于山地民族，則「課以漢文算書，旁及官話臺語」，而「起居禮儀，悉仿漢制」（《教育志》）。連橫于《撫墾志》篇首即曰：「臺灣固土番之地，我先民入而拓之，以長育子姓，至于今是賴。」鄭氏治臺即施行鄉治而取得成效，所謂「臺灣當鄭氏之時，草昧初啓，萬庶偕來，廣土眾民，蔚爲上國，此則鄉治之效也。」《風俗志》篇首更反復申言曰：「臺灣之人中國之人也，而又閩粵之族也」，「我祖我宗，橫大海，入荒陬，臨危御難，以長殖此土」。其各種風俗無不依華夏文化習慣。

地方史志爲華夏文化寶庫之瑰藏，編寫方志亦爲歷代盛世之偉業，連橫于此，頗加重視，于《藝文志》詳志臺灣修志始末曰：「臺灣固無史也，康熙三十三年，巡道高拱乾始纂府志，略具規模。乾隆二十九年重修，其後靡有續者。各縣雖有方志而久已遺佚，或語多粗漏，不足以備一方文獻。光緒十八年，臺北知府陳文騄、淡水知縣葉意深稟請纂修通志，巡撫邵友濂以從之，以布政使唐景崧、巡道顧肇熙爲監修，陳文騄爲提調，通飭各屬，設局採訪，以紳士任之。二十一年，略成，續進總局，猝遭割臺之役。」並于志末列臺灣方志十五種，凡二〇〇卷之目。連橫對修志者特著其事跡，如《林豪傳》云：「（同治）六年，淡水同知嚴金清聘修廳志。淡自開設以來，尙無志。前時曾用錫曾輯志稿二卷，多疏略。豪乃與佔梅商定體例，開局開訪，凡九月，成書十五卷，未刊。而陳培桂任同知，別延侯官楊浚修之，浚文士也，無史識，多方改竄，豪大憤，撰《淡水廳志訂訛》以彈之。嗣就澎人士之聘，主講文石書院，又輯《澎湖廳志》，稿存臺南。光緒十八年，臺灣議修通志，各廳縣皆有採訪，而澎自法役之後，建設尤多，通判潘文鳳乃再聘豪成之，凡十四卷，上之大府。」連橫之重華夏文化，于此可見。

連橫宣揚華夏文化開發臺灣之功，不遺餘力，反復著諸篇章。如《文苑傳》篇首即有「連橫曰：美哉臺灣，我宗啓之，我族居之，發皇光大，氣象萬千」之贊語。《王世杰傳》云：「我先民入而啓之，剪除其荊棘，驅其猿猴鹿豕，以長育子姓，至于今是賴。」而對人物評價，多視其崇尙華夏文化如何而論，如傳鄭氏謀臣陳永華以華夏文化施治之功績，收「開物成務，體仁長人，至今猶受其賜」之效；論林成祖四人之貢獻則曰：「夫以臺北今日之富庶，文物典章，燦然美備，苟非我先民之締造艱難，能一至于此？」《劉日純傳》錄其自箴之言曰：「士生世間，不可自慢。其處己也，當師孔子忠信篤敬之言；其處物也，當存曾子臨深履薄之懼。」由此可見，華夏文化之作用，大矣哉！

五、結語

連橫《臺灣通史》以愛國思想爲主導，以豐富資料爲基礎，出之以條暢之文筆，成一方之全史，作育人民，誠有裨于資治、教化，稱連橫爲愛國史家，洵非虛譽。矧《臺灣通史》外，連橫尙有

《臺灣語典》、《臺灣贅譚》、《大陸游記》、《劍花室詩集》及《雅堂文集》諸作，無不滲透愛國思想。拳拳愛國之心溢于言表，則連橫已不止一愛國史家，而無愧爲華夏優秀文化熔鑄培育之一偉大愛國者。紀念連橫及探討其思想與學術，不禁興緬懷先賢之思，亦翹望兩岸之統一早日實現，庶無負于盛會而有以慰連橫在天之靈！

袁寒雲和宋版書

六十多年前，常聽老輩談起袁寒雲這個人，給我的印象，他是一位能琴棋書畫、好聲色犬馬的風流才子。後來知道寒雲是袁世凱次子袁克文的號。袁克文曾用過豹琴、抱存、抱公等署名，不過以寒雲署名多而爲人所知。他的母親是一位朝鮮女子。清光緒八年，袁世凱隨吳長慶的淮軍入駐朝鮮時，曾納朝鮮女子金氏爲第三妾而育克文。克文生于一八九〇年七月十六日。後來袁世凱又將克文過繼給第二妾沈氏撫養。克文幼年時曾受教于當時的知名學者方地山、沈賓古，學習文章詩賦。他天資穎悟，不僅在文學上達到一定的造詣，而且還擅作書畫，能演京劇，以文丑著稱。他又是一位古物珍籍的收藏家。

袁克文在袁世凱推行「洪憲帝制」時，曾一度盛傳將被立爲「儲君」，以致爲其長兄袁克定所嫉，遂有曹丕、曹植相煎之說。「洪憲帝制」失敗後，他移居天津，並在上海構築香巢，更加沉溺于聲色，又嗜吸鴉片，家道日衰，以致靠出售藏品和鬻字維持生計。袁克文在上海時曾參加秘密社會的青幫組織，因他身份特殊，被列爲當時輩分較高的二十一世「大」字輩，曾獨開香堂，招收弟子。後因冒濫者眾，于是在報端刊登「門人題名」，以清理門戶。他還在天津開堂收徒。在這段時間，他寫了《洹上私乘》、《辛丙秘苑》和《新華私乘》諸作，爲其父袁世凱的行事辯解。

袁克文雖是一位裼裘公子，但並非只會風花雪月，而確具實學。他收藏古籍，經眼豐富，又深諳版本目錄之學。他搜求到的近三十種宋版書。因家境日困而旋得旋失，不過他對所收藏、經眼的宋版書均有手寫提要，後匯集爲《寒雲手寫所藏宋本提要廿九種》。其中如《群經音辨》、《李賀歌詩編》、《隋書》、《新編方輿勝覽》、《韋蘇州集》、《冊府元龜》、《北山錄》和《後村居士集》都是著稱後世的著作，其他各種也都很有工藝與學術價值。

袁克文對這二十九種宋本圖籍都撰寫詳細提要，敘各書得書緣由、刊印時間、缺卷殘篇、避諱字樣、行格藏章、刻工姓名、著錄同異、版本辨證等等。雖然這些宋本原書一時難睹其全，卻可借二十九種提要而略窺一二。袁克文手寫之宋本二十九種提要稿，于其卒後由著名藏書家周叔弢爲之影印，但未著出版處所和定價等，想系私人斥資，分贈同道。書由方地山題簽，卷末有方地山題跋紀其始末說：「寒雲既鬻所藏宋本。一日，攜此冊付我，相與太息，有蒙叟揮淚漢書景象。辛未春二月，寒雲化去，叔弢見過，偶語及此，許爲影印。皕宋書藏，散落人間，僅此區區，爲同嗜談助耳！」查辛未春二月當爲公元一九三一年二、三月間，而寒雲卒于一九三一年三月二十二日，正辛未二月初四日，可見是書當影印于寒雲謝世後不久，惟印數不多，今已難得其影印本，我曾在天津師範大學圖書館獲觀此件。

袁克文遁跡津門後，生活潦倒，而揮霍奢靡如故，舊日故人也難以資助，終致中年早逝，僅得年四十二歲。卒後家無餘財，幸得幫會弟子醵金料理埋葬。袁克文遺有三子一女。其第三子袁家騮及媳吳劍雄皆爲馳譽世界的科學家。

一代譯才朱生豪

一提起中國近代的翻譯家，人們很容易想到嚴復和林紓。他倆一以譯理論著稱，一以譯文學享譽；但在辛亥革命那年出生的一代翻譯奇才朱生豪卻被多數人所遺忘。朱生豪雖不如嚴、林名高，但究其貢獻足與嚴、林鼎立而無愧。嚴譯理論著作難與並論，林紓不通外文僅憑耳聽口譯捉筆成文，而朱生豪則兼擅中英文字，所譯又爲世所公認的難點——莎士比亞的劇作，成就確乎超越前人。可惜天奪奇才，中道夭逝，給人間留下無限遺憾！

朱生豪出生在浙江嘉興一個貧苦家庭中，他是在國憂家愁的凄風苦雨中艱難地拖著沉重的步伐走完了短暫的一生。他于一九三三年畢業于之江大學後，即入世界書局工作，編訂《英漢四用辭典》。該局英文部負責人詹文滸看到這位剛過弱冠之年的年輕同事的才華，就鼓勵他迻譯莎士比亞的劇作。朱生豪毅然肩負起這一重任，開始作大量的翻譯準備工作；他搜集不同版本，參閱各家注釋考證，反復閱讀莎劇十餘遍，以擷取原作的神韻。經過兩年的前期工作，一九三五年，他開始譯作。次年秋，《暴風雨》脫稿。接著，又譯了《威尼斯商人》和《仲夏夜之夢》等劇作。正在銳意拼搏之際，一九三七年八月十三日日寇侵犯上海，他的財物和書稿，包括七卷譯稿和幾集新舊詩詞的未刊稿均毀于炮火。次年，他爲實現自己的宏願，又回世界書局工作，繼續譯書。一九四二年，他和相愛十年的知己宋清如結婚，給他即將燈盡油乾的生活注入了新的活力，可是其生有涯，嘔心瀝血的奮戰耗盡了他的精力。一九四三年冬，這個「古怪的孤獨的孩子」終於抵擋不住貧病交加的歲月熬煎，懷著對相濡以沫的愛妻的眷戀，抱著偉業未竟的遺恨，離開了魑魅魍魎橫行的世界，年僅三十二歲。他在短短八年中，過著還不如顏淵的愁苦生活，竟然譯完了《莎士比亞全集》約五分之四。這是何等沉重的負荷！對于一個長期處于清貧憂懼生活中的體弱多病青年，又是何等的艱難。生而爲英，死而爲靈，一代翻譯奇才匆匆地賫志而歿。但是，他的心血卻凝聚成不朽的偉業，他譯完了莎劇二十七種，包括喜劇、悲劇和歷史劇三輯。使西方古典文化的瑰寶接近全部地爲東方古老的文化寶庫增添了養料源泉。

朱生豪的譯筆爲後學留下了最佳的典範。他不拘泥于原作的字句，而力求表達原作的神韻。他研究人物的身份性格，力求以原作者的氣質來調動語言。他講求音調鏗鏘、文字流暢以表述原作的意趣。他在譯成之後，反復修改，字斟句酌，盡力避免詞意晦澀。朱生豪誠無愧于身後幾十年所得到的「譯界楷模」的贊譽。

論朱生豪事業的成就還不能遺忘那位在一個成功男人背後的女人——他的賢淑的妻子宋清如。她一九三二年入之江大學，成爲朱生豪的低班同學。她是一位溫柔美貌的才女，能詩善文。她的學術素養與朱生豪不相上下；但她奉獻自己的摯愛，以一位富家小姐毅然在艱辛的歲月裡下嫁給這位純眞的寒士。她與朱生豪顛沛奔波而無怨言，對清貧生活安之若素，在短短一年多共同生活中，她默默地付出了難以估計的代價。

朱生豪夭逝後，她沉浸在痛不欲生的悲哀中，但她抑制哀痛，承擔丈夫留下的兩大遺業，一是撫養他們的愛情結晶，二是繼續完成他們的心血結晶——整理、修訂遺稿，爲出版奔走呼號。一九四七年，世界書局先後出版了朱譯《莎士比亞戲劇全集》三輯；一九五四年人民文學出版社修訂出版了朱譯《莎士比亞戲劇》。一九七八年經過補譯，《莎士比亞全集》的中譯本終於問世。朱生豪的遺孀宋清如捧著新版全集《暴風雨》卷在嘉興西里河畔朱生豪墓前焚化。她沉痛地跪著向早逝的丈夫泣訴：她完成了後死者應盡的責任；她替丈夫看到了共同宏願的實現。宋清如這位偉大的女性爲「中國翻譯界一件最艱苦的工程」貢獻了漫長的一生。她的名字理當與翻譯界的一代奇才朱生豪共同鐫刻在《莎士比亞全集》中譯本這塊豐碑上。

國家圖書館出版品預行編目資料

來新夏書話

來新夏著.— 初版.— 臺北市：臺灣學生，
2000[民 89]
面；公分
ISBN 957-15-1026-2 (精裝)
ISBN 957-15-1027-0 (平裝)

1.題跋　2.書評　3.藏書　4.讀書

011.6　89008456

來新夏書話(全一冊)

著作者：來新夏
出版者：臺灣學生書局
發行人：孫善治
發行所：臺灣學生書局
臺北市和平東路一段一九八號
郵政劃撥帳號00024668號
電話：(02)23634156
傳真：(02)23636334
本書局登記證字號：行政院新聞局局版北市業字第玖捌壹號
印刷所：宏輝彩色印刷公司
中和市永和路三六三巷四二號
電話：(02)22268853

定價：精裝新臺幣四二〇元
平裝新臺幣三五〇元

西元二〇〇〇年十月初版

01109
有著作權・侵害必究
ISBN 957-15-1026-2 (精裝)
ISBN 957-15-1027-0 (平裝)

臺灣學生書局出版

文獻學研究叢刊

❶	中國目錄學理論	周彥文著
❷	明代考據學研究	林慶彰著
❸	中國文獻學新探	洪湛侯著
❹	古籍辨僞學	鄭良樹著
❺	兩岸四庫學：第一屆中國文獻學學術研討會論文集	淡大中文系編
❻	中國古代圖書分類學研究	傅榮賢著
❼	馬禮遜與中文印刷出版	蘇精著
❽	來新夏書話	來新夏著